MEURTRES À DOMICILE

Données de catalogage avant publication (Canada)

Martin, David Lozell, 1946-

    Meurtres à domicile

    Traduction de: Tap, tap.

    ISBN 2-7640-0176-2

    I. Thibaux, François. II. Titre.

PS3563.A753T314 1997   813'.54   C97-940775-3

Titre original: *Tap, Tap*
traduit par François Thibaux

© 1994, David Martin
Édition originale: Random House
© 1995, L'Archipel, pour la traduction française
© 1997, Les Éditions Quebecor, pour la présente édition

Bibliothèque nationale du Québec
Bibliothèque nationale du Canada
ISBN 2-7640-0176-2

LES ÉDITIONS QUEBECOR
7, chemin Bates
Bureau 100
Outremont (Québec)
H2V 1A6
Téléphone: (514) 270-1746

Éditeur: Jacques Simard
Coordonnatrice à la production: Dianne Rioux
Conception de la page couverture: Bernard Langlois
Photo de la page couverture: Tim Bieber / The Image Bank
Impression: Imprimerie L'Éclaireur

MEURTRES À DOMICILE

DAVID MARTIN

LES ÉDITIONS
Quebecor

Coleridge écrit dans un de ses carnets de notes : « Le Prince des Ténèbres est un gentleman. » Ce qu'il y a de captivant chez les prédateurs, c'est l'idée de l'intimité avec la Bête ! Car s'il y eut, à l'origine, une bête particulière, ne cherchons-nous pas à la fasciner comme elle nous a fascinés ?

... Toute l'Histoire n'aura-t-elle été que la quête de faux monstres ? Une nostalgie de la Bête que nous avons perdue ? Soyons reconnaissants à ce Prince qui, avec grâce, nous tire sa révérence.

Bruce Chatwin, The Songlines.

1

Tap, tap...

L'homme ouvrit les yeux. Le bruit, ténu tout d'abord, lointain, presque inaudible, prit soudain de l'ampleur. Il y avait bien dix minutes qu'il troublait le demi-sommeil dont le dormeur émergea subitement, conscient de l'imminence d'un danger.

Philip Burton se tourna vers le réveil électronique à cristaux liquides rouges posé sur sa table de chevet. 3 h 40. Que se passait-il ? Pourquoi était-il réveillé en pleine nuit, la bouche sèche et les aisselles moites ? Son cœur cognait dans sa poitrine. Tap, tap... Le bruit persistait, régulier, plus obsédant qu'un métronome. Burton tendit l'oreille et poussa un soupir de soulagement. Cela venait d'en bas. C'était sans doute une feuille de palmier projetée par le vent contre une fenêtre. À moins que ce maudit raton laveur n'eût encore décidé d'escalader les marches de la véranda.

Le bruit cessa. Burton retint son souffle. De nouveau le silence, le rythme à présent plus calme de sa respiration, les battements toujours précipités de son cœur. Pourquoi s'inquiéter ? Il se détendit, retrouva un peu de sa torpeur.

En bas, au pied de l'escalier, la bête en costume rayé, chemise et cravate blanches, venait de lever sa main de la rampe d'acajou qu'elle avait, pendant dix minutes, frappée de petits coups réguliers – deux impulsions brèves suivies d'une interruption de quelques secondes – avec l'espoir d'attirer l'attention de l'un des Burton et de le pousser à descendre jusqu'à elle. Elle avait débranché le système d'alarme, coupé les fils du téléphone. Il ne lui restait plus qu'à attendre. Elle n'aurait pour rien au monde voulu agresser le vieux couple dans son sommeil, le privant ainsi de la fête qui allait précéder ses derniers instants.

Tap, tap...

Le bruit, encore, obstiné, sournois, exaspérant. Impossible de retrouver le sommeil. Le cœur de Philip Burton s'emballa une nouvelle fois. S'il ne s'agissait que d'une feuille de palmier ou du raton laveur, pourquoi ces coups semblaient-ils venir de l'intérieur de la maison ? Philip Burton se redressa, glissa une jambe hors du lit. Sa femme tressaillit et grommela quelques mots à peine compréhensibles avant de replonger dans un sommeil sans rêves. Philip se leva, pris tout d'un coup d'une furieuse envie de se rendre aux toilettes.

D'un pas lourd, il marcha vers la salle de bains, frottant à deux mains son visage de dogue, ses yeux aux épaisses paupières, son crâne dégarni piqué de taches de son. Tout en marchant, il se mit, sans même s'en rendre compte, à réciter un passage du *Corbeau*, d'Edgar Poe, qu'il avait déclamé pour la première fois le jour du quatre-vingt-dixième anniversaire de son grand-père, sous l'œil accablé de ses oncles et tantes et, bien sûr, devant le patriarche lui-même, à qui les membres de la famille prêtaient un penchant pour les lettres.

Une fois dans la salle de bains, alors qu'il tentait d'uriner en dépit de sa prostate douloureuse, il comprit pourquoi ce poème lui était subitement revenu à l'esprit. Les yeux levés vers le plafond, il murmura :

Par un sinistre hiver propice à la mélancolie
Alors que je rêvais à des temps oubliés
J'entendis tout d'un coup, en plein cœur de la nuit,
Un bruit très singulier...

Il avança vers le miroir, se sourit à lui-même. Sa performance avait été un désastre. Il avait déclamé *le Corbeau* d'une voix monocorde, fier de débiter les dix-huit strophes sans une faute, sans même buter sur un mot. Il s'attendait à des applaudissements discrets, des compliments de convenance. Il n'avait eu droit qu'à un commentaire humiliant de son grand-père.

– La littérature de langue anglaise, avait dit le vieillard, s'enorgueillit d'avoir suscité des poèmes qui comptent parmi les plus beaux jamais écrits et tu ne trouves rien de mieux que d'écorcher mes oreilles avec cette ânerie.

Le vieux salaud.

Le sourire de Burton s'accentua. Il n'avait pas connu que des fiascos. Il avait, au fil des années, affiné sa voix, perfectionné son timbre. Dès lors, combien de fois avait-il récité les strophes d'Edgar Poe devant des hôtes extasiés ? Des centaines, sans doute : à table, devant les amis qu'il conviait à dîner, dans le salon du club de voile et, chaque année, à l'occasion des fêtes de Halloween, la veille de la Toussaint, devant tous les enfants de l'île.

Ah ! je revois encore ce lugubre décembre,
Le fantôme des tisons dansant sur le parquet.

Oui, il avait du talent. Fier de lui, il éteignit. Immédiatement, il ralluma. Ce que, plongé dans ses souvenirs, il n'avait pas remarqué, lui crevait à présent les yeux. Que faisait là, glissée dans un coin du miroir, cette carte de visite ? Burton s'en empara avec précaution et, tendant le bras pour mieux voir, la déchiffra :

Curtis Bird. Vedettes de pêche.
Ile d'Hambriento. Floride.

Il retourna la carte. Au dos, quelqu'un avait écrit à l'encre noire :

Vingt ans.

Curtis Bird... Pourquoi son nom ressurgissait-il après tant d'années ? Qui avait placé sa carte dans la salle de bains ? Était-ce la faute de Philip si ce pauvre type s'était suicidé après avoir conduit à la faillite une affaire que sa famille exploitait depuis trois générations ? Bird n'avait rien dans les tripes. Au lieu de se tuer, il aurait pu réagir, recommencer de zéro. Il n'avait pas eu assez de cran.

Voilà ce que pensait Philip. Il faut du cran pour affronter la vie. Lui, bien sûr, avait eu le bon goût, soixante-trois ans plus tôt, de naître riche. Au XIXe siècle, les Burton avaient fait fortune dans l'acier, au moment de l'édification des premiers gratte-ciel. Leurs usines, employant des milliers d'ouvriers, fondaient en une année assez de métal pour denteler l'ensemble de la croûte terrestre. Cent ans plus tard, le père de Philip avait liquidé ses aciéries, jetant sur le pavé ceux qui l'avaient si bien servi, avant de se reconvertir dans la finance. S'adapter ou périr : telle était la devise des Burton qui, à présent, ne fabriquaient plus de l'acier, mais des dollars. Le frère de Philip gérait à Wall Street la fortune familiale. Lui n'avait jamais eu le sens des affaires. Aux cours de la Bourse, il préférait les menus des restaurants à la mode. Pour le reste, il passait ses journées sur les terrains de golf, soucieux de la perfection de son swing.

Son frère l'avait donc prié de quitter New York pour la Floride, où son «travail» consistait à s'occuper de la propriété que la famille possédait sur l'île assoupie mais terriblement huppée d'Hambriento. Diane, sa femme, avait réaménagé l'intérieur de la maison, redécorant les pièces, changeant les meubles, ajoutant des fenêtres, installant des robinets dorés dans les salles de bains, couvrant les parquets neufs de tapis hors de prix. Philip avait supervisé l'aménagement d'une nouvelle jetée et fait replanter les palmiers sur les pelouses avec la même méticulosité mise par Diane à renouveler le mobilier.

Tap, tap...

12

Ce maudit bruit ne cesserait donc jamais ? Tout en regagnant sa chambre, Burton se demanda s'il n'allait pas alerter le service d'ordre ou appeler un des domestiques. Mieux valait ne rien faire. Que diraient les vigiles de la résidence et ses employés de maison s'il les dérangeait pour une feuille de palmier ou un malheureux raton laveur ? N'allaient-ils pas éclater de rire, se moquer de ce vieil homme craintif ? Burton avait horreur du ridicule. Il en avait assez souffert jadis, notamment lorsque ses frères avaient ri aux larmes ce fameux jour où il avait récité *le Corbeau* devant son grand-père. Curtis Bird, lui aussi, avait ri de lui, pour d'autres raisons. Mais, en fin de compte, qui avait ri le dernier ?

Pour l'heure, Burton se trouvait grotesque. Transpirer à cause d'un tapement insignifiant et sans doute anodin... Il se gratta la tête. Tout en hésitant sur la conduite à adopter, il regarda sa femme. Par les portes-fenêtres donnant sur le golfe du Mexique, le clair de lune éclairait son visage, sa bouche ridée qui laissait filtrer un léger ronflement.

Les menus traits de poupée de Diane Burton l'avaient autrefois fait passer pour jolie. Avec l'âge, ils s'étaient rétrécis, devenant presque monstrueux. Son nez était à peine visible. Quant à sa bouche, elle n'avait plus de lèvres. Des décennies de golf avaient tanné sa peau, lui donnant la texture d'un vieux gant de jardin et la couleur de l'acajou. Soucieuse de sa ligne, Diane était d'une minceur effrayante. Elle entretenait sa forme en pratiquant avec acharnement la marche sportive, les coudes au corps, les poignets et les chevilles lestés de ridicules bracelets de plomb, tordant le bassin de façon si exagérée que ceux qui la croisaient la prenaient pour une folle. Pas une once de graisse n'alourdissait sa silhouette. Les employés des Pompes funèbres n'auraient pas besoin de l'embaumer après sa mort. Un corps aussi décharné resterait intact pour l'éternité au fond de son cercueil, sans pourrir.

13

En le contemplant, Burton ne ressentait aucune émotion : ni tendresse ni dégoût, ni regrets ni nostalgie. Il aurait aussi bien pu concentrer son attention sur un oreiller contre lequel il aurait dormi quarante ans.

Tap, tap...

Il frissonna. Le bruit s'était déplacé. Cette fois, il venait de l'étage même, du haut de l'escalier.

La bête en costume rayé s'était arrêtée, imaginant la façon dont elle décrirait plus tard à l'être qu'elle aimait le plaisir qu'elle avait pris en montant très doucement les marches tout en frappant la rampe du plat de la main jusqu'à ce que le vieux Burton surgisse dans le couloir et...

«Pas si vite, se dit la bête. Rien n'est encore joué. Il reste les chiens.»

Tap, tap...

Immobile à l'entrée de sa chambre, Burton tremblait de tous ses membres. «Ce sont ces maudits pêcheurs, pensa-t-il. Ils ont pénétré chez moi par effraction et les voilà.»

Le samedi et le dimanche, ils venaient pêcher sous sa jetée. C'étaient des gens communs, des ouvriers portant des casquettes de base-ball et arborant, sur leurs biceps, d'effarants tatouages. Des épouses obèses, des enfants déjà gras les accompagnaient. Ils écoutaient brailler la radio en buvant des canettes de bière. Parfois, ils accostaient, tiraient leurs barcasses sur le sable. Tant qu'ils ne franchissaient pas la ligne de marée haute, ils restaient hors des limites de la propriété. Mais leur seule présence heurtait la sensibilité et le bon goût des époux Burton.

Philip avait donc inventé un petit jeu. Caché derrière les rideaux de la véranda, face à la jetée, il attendait que ces gens se fussent installés. Ronny et Nancy, ses deux molosses d'un blanc immaculé, attendaient eux aussi. Tout d'un coup, Philip ouvrait la porte et criait :

– À l'attaque !

Gâtés comme des gosses de riches, ordinairement capricieux et désobéissants, Ronny et Nancy adoraient agresser les pauvres. Dans ces cas-là, ils ne se faisaient pas prier. Ils se précipitaient vers la jetée, s'en prenaient d'abord aux barques qu'ils menaçaient de furieux aboiements avant de sauter sur le sable, montrant les dents à ces miséreux, même à ceux qui avaient pris pied au-delà de la ligne de marée haute, et les obligeant, affolés, à courir vers la mer.

Dieu que ces gens étaient grossiers ! Ils insultaient les chiens, juraient de revenir pour les abattre, criaient, jacassaient, montraient du poing la maison où Burton jubilait en silence, toujours caché derrière les rideaux.

Cette fois, ils avaient forcé sa porte. Burton, qui froissait au creux de sa paume la carte trouvée dans la salle de bains, en était sûr. Ils le tenaient pour responsable de ce qui était arrivé à Curtis Bird, le méprisaient à cause de ses chiens, de sa richesse, de...

Tap, tap.

Le bruit se rapprochait. À présent, il venait du couloir. Là, tout près. Vite, prévenir le service d'ordre.

Philip décrocha le combiné. Rien. Le téléphone ne fonctionnait plus.

Il essaya encore, une fois, deux fois, décrochant puis raccrochant. Peine perdue. Ces salopards avaient tout prévu. Il tendit le bras vers un petit tableau de commande placé près du lit, pressa un bouton qui activerait une sonnerie dans la partie de la maison réservée aux domestiques. Le clignotant rouge qui aurait dû lui signaler la réception de l'appel n'apparut pas. La sonnerie, elle aussi, avait été débranchée.

Tap, tap...

Il ne restait plus qu'une solution : les chiens.

Les deux molosses blancs spécialistes de la chasse aux pauvres étaient très prisés des amis fortunés de Diane et Philip. Les plus âgés, surtout, appréciaient leurs méthodes expéditives. «À quoi bon, disaient-ils, mener une existence de privilégiés sur une île réservée à une élite, si des gens dont on ne sait rien viennent la souiller par leur seule présence et nous empêcher de jouir paisiblement de la vue sur la mer ? » Cette île devait demeurer aussi fermée qu'un club. Voilà pourquoi les Burton et leurs amis, avec l'aide de Kate Tornsel, une alliée de poids, avaient dépensé des dizaines de milliers de dollars pour réduire à néant l'activité de Bird, l'empêcher de créer une ligne de vedettes entre l'île et la côte. Peine perdue. Cinq ans après son suicide, les immeubles avaient commencé à pousser face à la mer. On ne pouvait arpenter l'île sans se heurter partout à des touristes. L'opération menée contre Bird et sa famille n'avait servi à rien, même si, bien sûr, les Burton en avaient retiré une certaine satisfaction personnelle.

Tap, tap.

Les chiens, tout de suite. Respirant avec peine, Philip enfila une robe de chambre et des pantoufles avant de se précipiter vers la porte séparant sa chambre de celle des molosses.

Chacun d'eux avait sa couche. Nancy avait été opérée. Quant à Ronnie, Philip l'avait fait castrer. Ils dormaient comme des anges. Ils ne tressaillirent même pas lorsque leur maître prononça leur nom en se frappant la cuisse, leur enjoignant de se lever et de bondir tandis qu'il chuchotait : « À l'attaque ! » Ils avaient eu l'après-midi même leur séance hebdomadaire de toilettage à deux cents dollars, épreuve épuisante qui les laissait toujours hagards et prostrés. Ils ouvrirent vaguement un œil, le refermèrent aussitôt, envoyant leur maître au diable.

En dernier recours, Burton songea à appeler le jardinier, qui logeait à une centaine de mètres de la maison. Lui saurait sans doute comment réagir en cas d'effraction : il était noir.

Philip allait ouvrir la fenêtre lorsqu'il sentit une affreuse odeur de poisson pourri.

Alors, me sembla-t-il, l'air devint plus épais,
Comme chargé d'un encens invisible...

16

Il se retourna brusquement. Devant lui, dans l'enca-drement de la porte, il aperçut la mince silhouette d'un individu en complet sombre, chemise et cravate blanches.

Il ne dissimula pas son soulagement. Cet homme devait être un vigile venu voir pourquoi les systèmes d'alarme ne fonctionnaient plus.

— Que se passe-t-il ? demanda Burton à voix basse.

L'homme recula, lui fit signe de le suivre hors de la pièce. Philip regarda sa femme endormie, hocha la tête. Dans le couloir, l'odeur de poisson pourri le prit à la gorge.

— Qu'est-ce que c'est que cette puanteur ?

— Le parfum des vieux amis, répondit l'homme.

— Quoi ?

Le petit homme sourit. Nerveusement, Philip chuchota :

— Vous êtes du service d'ordre, n'est-ce pas ?

— Je viens de l'enfer. De votre passé.

— Mais de quoi parlez-vous ?

— De vengeance.

Le sourire du petit homme s'accentua. Sa main tapota le chambranle de la porte.

Tap, tap.

Burton claquait des dents. Sa peur lui donnait une envie frénétique d'uriner.

— Vous ne vous souvenez pas de moi, Philip ?

Il dévisagea l'intrus. Un très vague souvenir lui revint en mémoire. Cet accent bizarre, cette silhouette si parti-culière, mince mais aux bras trop longs, cette minuscule bouche arquée, tout cela lui rappelait quelqu'un. Mais qui ?

— Moi, je me souviens bien de vous, murmura l'homme d'une voix douce, presque amicale. Je vous voyais tous les ans à la fête de Halloween. Récitez-moi une strophe de ce poème, monsieur Burton. Dites : «Retourne vers la tempête et les rives de l'enfer !»

— Les bijoux de ma femme sont dans la chambre.

— Vous ne paierez jamais votre dette avec des pierres précieuses.

— Ma dette ?

— Ce que vous devez à Curtis Bird.

La carte de visite.

— Seigneur, mais tout cela remonte à une vingtaine d'années !

— Vingt ans tout rond. Les intérêts se sont accumulés.

— Écoutez, je suis désolé de ce qui s'est passé, mais je ne suis pour rien dans cette histoire. Qu'ai-je à faire avec le suicide de Bird ? Il s'est tué parce qu'il était instable et... Mais je vous connais !

Philip ne put rien ajouter d'autre.

Avec une rapidité telle qu'il eut l'impression d'assister à un numéro de cirque, le petit homme bondit vers lui, l'entourant de ses bras. Terrifié, Philip chancela. Ses genoux se dérobèrent sous lui. Il s'effondra comme une *lady* de l'époque victorienne réclamant ses sels. Les bras minces mais puissants de son agresseur le retinrent dans sa chute. Il sentit une main saisir son menton et lui tordre brutalement la tête, mettant à nu la partie gauche de son cou. Les mâchoires serrées, il récita d'une voix tout d'un coup haut-perchée, sur les injonctions du petit homme :

— Retourne vers la tempête et les rives de l'enfer !

Tout en percevant le rire de son agresseur, il ressentit une violente douleur, semblable à la brûlure d'un rasoir, suivie d'une sensation de morsure. Il se débattit avec acharnement. Peine perdue. L'homme le tenait solidement. Était-ce sa propre voix qu'il entendait, sa voix qui gémissait : « Ôtez ce bec de mon cœur » ?

Que lui arrivait-il ? Pourquoi avait-il l'impression que la vie, comme un flot de sang, s'échappait de son corps ? Il se débattit encore, de plus en plus faiblement, se ramollit petit à petit jusqu'à devenir plus flasque qu'une poupée de chiffon, aussi alangui qu'une amante qui, couverte de baisers, se laisse aller, s'abandonne et se pâme.

Il mourut doucement, presque sans s'en rendre compte, tandis que le petit homme, après l'avoir laissé glisser sur le sol, s'essuyait la bouche et murmurait : « Plus jamais, fils de pute. »

•

— Philip ?

Pourquoi l'avait-il réveillée ? se demandait Diane. Il aurait pu se montrer plus discret en se rendant à la salle de bains avant de s'agiter dans le couloir sans se soucier le moins du monde de sa quiétude. Et voilà qu'il devenait insensé, libidineux. Vicieux, même...

Encore engourdie, elle gardait les yeux clos. Mais sa peau se hérissait. Elle sentait bien cette main posée sur son sein, ces doigts qui cherchaient un téton et le titillaient. Caresse étrange, impérieuse, sans rapport avec la manière habituelle de Philip, sa maladresse. La pression de la main s'accentuait. Les doigts poursuivaient leur petit jeu autour de l'aréole brune, avec une dextérité tout à fait agréable. Diane sourit dans le noir.

— Philip ?

Sa voix s'était radoucie. Une autre main s'aventura entre ses jambes, les écartant avec une autorité qui la surprit. Jamais Philip n'avait agi de la sorte avec elle. Jamais il n'avait effleuré son clitoris avec une telle sollicitude. Quelques prémices et puis le va-et-vient. Il se contentait de cela.

— Seigneur, murmura-t-elle alors que les deux mains accéléraient leur rythme, s'affairaient sur son sexe humide et ses deux seins gonflés.

Elle ne résistait plus. Sa main à elle explora le lit à tâtons, rencontra un flanc osseux. Tiens... Philip avait-il perdu du poids ces temps-ci ? Le contact d'un estomac légèrement proéminent la rassura. C'était bien lui. Elle le caressa, descendit plus bas, cherchant son membre.

Il n'avait jamais fait preuve d'une puissance excessive. Mais au point où elle en était, Diane avait bien l'intention d'aller jusqu'au bout, quitte à l'aider par une de ces manipulations dont elle avait le secret.

Elle trouva ce qu'elle cherchait. Alors elle se raidit. Ce n'était pas Philip.

Elle hurla. L'homme sauta hors du lit. Entièrement nu, il quitta la chambre en trois bonds et, dans un grand éclat de rire, se précipita dans le couloir. Diane ne parvenait pas à retrouver son souffle. Où était son mari ? L'avait-on attaqué ? Ces satanés pauvres avaient-ils investi la maison ?

Dans le couloir, la bête saisit en ricanant le cadavre de Burton. La fête continuait. Elle allait être grandiose.

Reprenant ses esprits, Diane saisit le téléphone. Elle allait décrocher pour appeler le service d'ordre lorsqu'elle entendit, provenant du couloir, une voix de femme, ou plutôt une voix d'homme singeant une voix féminine qui chantait :

— Rien de ce que vous dites ne m'éloignera de mon homme...

Les yeux hagards, elle fixa l'encadrement de la porte.

— Je colle à mon homme comme un timbre à son enveloppe...

Le rock lui avait toujours écorché les oreilles. Elle ne connaissait aucune des chanteuses à la mode. Elle ne se rendit donc pas compte que la voix imitait parfaitement celle de Mary Wells, fredonnant sur un rythme tendre :

— Je vous le dis sans honte...

Mais elle vit son mari. Là, devant elle, dans l'encadrement de la porte.

— Philip ! Philip !

Quelqu'un le soutenait. C'était cette créature, cet homme qui, tout à l'heure, s'était glissé dans son lit. C'était lui qui chantait avec cette voix de femme, tenant Philip par la taille, levant son bras gauche et valsant avec lui. Vision ridicule, obscène, atroce. L'intrus était nu. Deux fois plus petit que Burton, il ressemblait à un enfant : un bambin dansant avec un vieillard mort.

— Rien ne me fera quitter mon homme...

Hébétée, Diane contemplait son mari dont les orteils frôlaient à peine le sol. Sa tête remuait mollement et pendait en arrière comme si, ivre, il fixait le plafond, ou bien comme si on lui avait brisé la nuque. Tournant le dos à Diane, lui montrant ses fesses, le petit homme chantait toujours.

— Il est la crème des hommes, un amour, une perle...

Il se tut, plaqua sa bouche contre la blessure pourpre qui entaillait le cou de Philip. Puis il dansa encore, chantant de nouveau.

— Aucun visage ne remplacera jamais le sien...

Les yeux à demi ouverts, la bouche béante, Philip avait un air extasié. Terrorisée, Diane ne bougeait pas. De sa voix chaude et douce, le petit homme poursuivit :

— Il n'est ni grand ni beau, mais je l'aime...

Cette fois, elle hurla sans retenue, de toutes ses forces. Le petit homme venait de laisser tomber sur le lit le cadavre de son mari. Il chantait toujours :

— Personne ne me séparera de mon homme, nul ne m'éloignera de lui...

Ces mots furent les derniers qu'elle entendit. Repoussant le corps sans vie de Philip, le petit homme plongea vers le lit. Sans un mot, il grimpa sur Diane, étouffant ses cris en plaquant sur ses lèvres sa bouche ensanglantée aux relents de chair en décomposition. Elle tenta désespérément de se dégager. Elle sentit la bouche de l'homme descendre le long de son cou, s'arrêter à la base de sa gorge. Une douleur effroyable la transperça.

L'homme la pénétra violemment. Elle se cambra comme sous le coup d'une décharge électrique, tandis que son corps, tout comme celui de Philip tout à l'heure, se vidait de son sang. L'homme la fouillait, la forçait avec une intensité qu'elle n'avait jamais connue. Balayant sa souffrance,

21

une jouissance fulgurante explosa en elle. Dans un dernier râle, elle perdit conscience.

L'homme resta couché sur elle de longues minutes. Puis il se redressa pour reprendre haleine, les lèvres barbouillées de sang.

– Oh ! Dondo, dit-il, Dondo, Dondo, ce fut si bon ! Je suis amoureux !

Ensuite sa voix changea, redevint féminine. Avec les intonations gouailleuses d'une chanteuse des rues, il s'écria :

– Quand je dis que je t'aime, tu as tout intérêt à me croire. À me croire !

2

Devant la porte, la bête époussette le col de son manteau, modifie l'inclinaison de son chapeau mou. Son cœur bat très fort, beaucoup plus fort que la nuit précédente, dans la maison des Burton. Cœur stupide, tiens-toi donc tranquille. La bête s'efforce de rester calme. Combien de temps lui a-t-il fallu pour s'habiller en prévision de cette rencontre, combien de chemises, de cravates, de paires de boutons de manchettes a-t-elle essayées ? Des boutons de manchettes. Voilà ce que j'aurais dû lui apporter. Non, c'est idiot, il n'en met jamais ; il serait plutôt du genre manches retroussées. Je ne pouvais quand même pas lui offrir un canif ou du muguet... Ne sois pas stupide. Mais la bête est stupide, l'homme le sait bien ; stupide aux yeux de celui qui va bientôt ouvrir la porte et se planter devant lui avec ses cheveux bruns ébouriffés, sa haute taille, ses épaules larges et son visage de bon garçon typiquement américain. Oh ! cœur stupide, tiens-toi tranquille.

La bête sourit. Puis, savourant à l'avance les instants qui vont suivre, elle tend la main vers la porte.

3

Tap, tap...

Je me levai et me dirigeai vers l'entrée, me demandant qui pouvait nous rendre visite à l'improviste en ce dimanche soir. Je m'attendais à tomber sur un voisin, un représentant, un Témoin de Jéhovah ou peut-être, tout simplement, quelqu'un qui se serait trompé d'adresse. Je m'attendais à tout, à n'importe qui, sauf à Peter Tummelier.

Et pourtant, c'était lui, mon ami d'enfance. En le voyant, j'eus immédiatement et instinctivement un mouvement de recul. Lors de sa précédente visite, dix, douze ou quatorze ans plus tôt, j'étais encore un célibataire d'une vingtaine d'années amateur de virées nocturnes : bars, boissons fortes, descentes impromptues à Las Vegas dans un état second, à la recherche de filles faciles. À l'époque, une visite de Peter annonçait une escapade d'une semaine, bien arrosée et financée par lui.

— Peter !

Il sourit, mais il n'y avait aucune chaleur dans sa voix lorsqu'il prononça mon nom :

— Roscoe Bird.

J'eus envie de répondre : «Le moment est mal choisi parce que...» Parce que je suis installé. Je me rends à mon travail tous les matins et il y a des années que je ne l'ai pas fait avec une gueule de bois. J'ai grandi ; je suis devenu adulte et je ne veux plus jouer à tes petits jeux.

— Vas-tu quand même me proposer d'entrer?

Je m'écartai à contrecœur.

Pourtant, il n'entra pas. Il se contenta de sourire à nouveau en haussant les sourcils, comme s'il savourait le sel d'une plaisanterie qu'il était seul à connaître.

En dépit de ses trente-six ans, il n'avait pas beaucoup changé. Toujours aussi fluet, il portait un manteau de taille junior aussi sombre que ses prunelles, qui mettait en valeur un visage aux lignes verticales, depuis les plis qui s'étaient creusés entre ses yeux jusqu'au nez étroit et long en passant par le v formé sur son front par sa pousse de cheveux et que dissimulait presque entièrement son ridicule chapeau mou. Sa bouche, si petite, si délicate qu'elle évoquait celle d'une fille, se plissa.

— Puis-je? me demanda-t-il en se dressant sur la pointe des pieds.

— Bien sûr, entre donc...

Je m'écartai un peu plus. Il pénétra dans le vestibule, secoua les épaules comme s'il voulait en chasser de la neige. Nous étions le 13 mars, à Washington D.C. L'air était vif et il ne neigeait pas.

— Quel bon vent t'amène?

— L'envie de parler au plus cher ami que j'aie en ce monde, dit-il en enlevant son manteau. Mais je vois que je te dérange...

Je ne pus m'empêcher de rire. «Le voilà qui fait encore des manières», pensai-je en prenant son chapeau mou.

— On ne voit pas beaucoup de feutres, de nos jours, ajoutai-je.

— Pas aux États-Unis, non.

— Tu vis toujours en Europe?

— À Prague, aux Caraïbes, je suis chez moi partout où je porte ce couvre-chef. Que t'est-il arrivé depuis la dernière fois?

— Je me suis marié.

Son expression réjouie s'estompa.

26

– C'est une blague ?

– Non.

– Des enfants ?

– Non.

– Je suis entré en possession de mon héritage cette année. Si mes souvenirs sont exacts, nous devions acheter un bateau et partir faire le tour du monde dès que j'aurais mon argent, n'est-ce pas ?

– Exact. Mais c'était une lubie d'adolescents.

– Elle était toujours d'actualité lorsque je suis venu te voir il y a dix ans. Tu m'as dit alors...

Je l'interrompis.

– Elle travaille à l'étage. Tu veux la voir ?

Il me regarda avec hargne avant de se donner une contenance, me gratifiant d'un sourire beaucoup moins amène que celui qu'il arborait lorsque j'avais ouvert la porte.

– Bien sûr.

Je le précédai dans l'escalier. À mi-chemin, il m'arrêta.

– Hé, Roscoe, tu m'as raconté qu'elle travaillait. Qu'est-ce qu'elle fait ? Ses devoirs ? Ne me dis pas que tu as épousé une nymphette.

– Elle est en troisième cycle.

– Ah !

Tout en me dirigeant vers la chambre inoccupée où Marianne avait installé son bureau, je me demandai ce qu'elle penserait, au premier abord, de Peter. Ne verrait-elle en lui qu'un patricien à l'ancienne mode issu d'une vieille famille habituée à l'argent depuis des lustres, arrogant, dédaigneux et plein de tendresse pour lui-même ? Sans doute. Peut-être le trouverait-elle drôle, fantasque et un peu inquiétant.

J'ouvris la porte de son bureau après avoir frappé. Aussitôt, elle m'interrogea :

– Qui était-ce ?

– Tu veux dire : qui est-ce ? Il n'est pas encore parti. C'est Peter Tummelier.

27

— Peter quoi ?

— Tum-me-lier ; d'Hambriento, répliquai-je en articulant les syllabes. Je t'ai déjà parlé des frères Tummelier, Peter et Richard.

— Ah ! oui, les tuniques à la Nehru... C'est ça ?

— Exact. Sauf qu'aujourd'hui, Peter ressemble à un banquier suisse. Mille excuses, mais je crois que tu vas être obligée de descendre le saluer.

— Avec joie, dit-elle.

Elle ferma ses livres, éteignit la lampe de son bureau.

— Je déteste que les gens arrivent sans s'annoncer. Suis-je au moins présentable ?

— Tu es superbe.

— Bien sûr... Il est déguisé en banquier helvétique et moi en souillon avec un pantalon de survêtement et une de tes vieilles chemises.

Elle tapota ma joue et nous descendîmes. L'élégant et tout petit Peter nous regarda venir.

— Roscoe, s'exclama-t-il avant que nous ayons atteint le rez-de-chaussée, c'est une gamine ! Félicitations ! Comment as-tu fait pour épouser une telle perle ?

Marianne rit de bon cœur. Je lui dis :

— Je te présente Peter Tummelier. Nous avons grandi ensemble sur l'île d'Hambriento. Peter, voici ma femme, Marianne.

— Très heureuse, répliqua-t-elle en lui tendant la main.

Il contempla cette main comme s'il s'agissait d'un objet rare, finit par la saisir entre les siennes.

— Charmé, ma chère, littéralement envoûté, de la tête aux pieds. Vous êtes la femme la plus ravissante qu'il m'ait été donné de...

— Je n'en crois pas un mot. Mais c'est gentil à vous de le prétendre.

J'essayai de voir ma femme à travers les yeux d'un homme la rencontrant pour la première fois. C'était une svelte jeune personne aux cheveux bruns et courts, avec de grands yeux marron, un petit nez, une bouche bien proportionnée. Que ce fût pour exprimer la colère, la joie ou tout simplement une concentration tranquille, son visage s'animait toujours de façon merveilleuse. Avec sa coupe de cheveux, ses seins menus et ses hanches étroites, elle avait tout d'un garçon manqué. Peter allait-il émettre une opinion ?

Il retint sa main lorsqu'elle tenta de la retirer. Il ajouta avec insistance :

– Ma chère, ne soyez pas modeste. Vous êtes ravissante.

Avec un murmure lascif, il poursuivit :

– Ah ! gémir sans honte aux abords de minuit...

De nouveau, Marianne chercha à retirer sa main. Il ne la laissa pas faire. Pour un homme de sa taille, il avait des mains et des bras immenses, comme si, au moment de l'assembler, le Créateur, se trompant de tiroir, lui avait donné des membres destinés à un autre. Il se tourna vers moi et me dit :

– Elle est délicieuse et tu ne la mérites pas.

Insensible à ses flatteries, Marianne murmura sèchement :

– Lâchez ma main.

Surpris par ce ton, il obéit. Il se reprit vite. Fidèle à son habitude, qui consistait à imiter les accents les plus variés lorsqu'il se sentait peu sûr de lui ou désirait impressionner quelqu'un, il déclara dans un anglais exagérément aristocratique :

– Roscoe, elle n'a rien d'une nymphette, mais elle est aussi ingénue et fraîche qu'on peut l'être à...

– Trente-trois ans, précisa Marianne.

– Ma chère, n'avouez jamais votre âge. Laissez l'attrait que vous exercez parler à votre place.

Elle rétorqua sans sourire :

– La façon qu'ont certains hommes de nous jauger remonte à une époque où on ne s'intéressait aux femmes qu'en fonction de leurs capacités de reproduction. On les divisait en plusieurs catégories : génisses, pouliches, pucelles...

Je me raclai la gorge. Peter, lui, ne savait plus quelle attitude adopter. Il était conscient d'avoir fait un faux pas, sans en deviner la nature. Pour briser la glace, je proposai un verre.

— Volontiers, dit-il. Allons nous asseoir dans un endroit confortable où je pourrai extraire mon pied de ma bouche.

Ce mot d'excuse badin dérida Marianne. Tout d'un coup à son aise, elle prit le bras de Peter :

— Nous allons bien nous entendre, monsieur Tummelier.

— Vous avez enfin prononcé mon nom correctement. C'est un honneur. M'honoreriez-vous encore davantage en m'appelant par mon prénom ?

— Vos désirs sont des ordres.

Une fois dans le salon, alors que je m'apprêtais à servir les boissons, Peter se tourna vers ma femme.

— Roscoe m'a dit que vous étiez en troisième cycle à l'université.

— Exact.

— Quelle discipline ?

— Psychologie. Je termine d'ailleurs un article sur les déviations sexuelles.

— Alors nous nous entendrons effectivement à merveille. Je suis, moi qui vous parle, un déviant sexuel.

— De quel ordre ? demanda-t-elle, toujours d'aussi bonne humeur.

— Je ne fais rien, ma chère. Rien du tout. Je me contente d'être riche. Riche à millions. Mil-lions ! N'est-ce pas une perversion comme une autre ?

Elle rit de bon cœur. Ravi de son effet, il se rengorgea dans son fauteuil.

— Je dois avouer que j'ai été très surpris d'apprendre que Roscoe s'était marié. Mais qu'il ait épousé quelqu'un d'aussi délicieux...

– Vous a surpris encore plus. Pourquoi ?

Il me dévisagea, regarda de nouveau Marianne.

– En vingt ans, depuis qu'il a quitté Hambriento alors que nous n'avions que seize ans, je n'ai vu votre mari que deux ou trois fois. Mais d'après ce que je savais de lui, je n'aurais jamais cru qu'il serait un jour candidat au mariage.

– Qu'entendez-vous par «candidat au mariage» ?

– Un amoureux de la routine, qui passe sa vie dans un joli pavillon et ses dimanches à tondre sa pelouse.

– Vous voulez dire un adulte...

– Eh bien...

– Eh bien ! votre vieux compagnon de beuverie a grandi.

– Depuis que vous l'avez épousé ?

– Tout juste.

Elle était redevenue hostile. Dérouté par son revirement, Peter s'excusa une nouvelle fois.

– J'ai bien peur de vous avoir froissée. Je voulais simplement dire que Roscoe, pour moi, est resté le Voyageur. C'est le nom que nous devions donner à notre bateau : *le Voyageur*.

– Votre bateau ?

– Votre mari et moi avions le projet d'en acheter un pour faire le tour du monde.

Marianne se tourna vers moi. Je confirmai les propos de Peter tout en les minimisant.

– Une idée de gosses...

– C'est le titre d'une chanson, précisa Peter.

– Je déteste le rock and roll, spécialement tous ces vieux tubes ringards.

D'un air incrédule, Peter me demanda :

– Depuis combien de temps êtes-vous mariés ?

– Six ans.

– Mon pauvre Roscoe, tu as passé six interminables années sans écouter tes airs favoris ?

— Je mets des écouteurs. Bien... Qui boit quoi ?

Peter se leva.

— J'ai bien peur, murmura-t-il, d'avoir à me montrer horriblement mal élevé.

— J'ai hâte de savoir pourquoi, dit Marianne.

— Voyez-vous, j'ai besoin d'emmener Roscoe quelque part pour l'entretenir d'une vieille affaire : une affaire privée.

Dans la pièce, l'atmosphère se refroidit subitement.

— Je me rends compte, chère Marianne, à quel point cela peut vous paraître grossier. D'autant que je viens juste de vous rencontrer et que vous m'avez reçu si aimablement. Mais j'ai besoin d'être seul avec Roscoe pour converser avec lui en tête à tête.

Tous deux me regardèrent. Je lançai lâchement :

— Nous pouvons très bien parler ici...

— C'est tout à fait impossible.

Réponse sans réplique. Charmeur incorrigible, le petit homme pouvait se montrer aussi autocrate qu'un tsar.

— Peter, lui dis-je, tu ne peux agir de la sorte. Arriver sans t'être annoncé et...

J'allais ajouter : « Sans avoir été invité », lorsque Marianne déclara en se levant :

— Je dois terminer mon article.

— Marianne, laissez-moi vous expliquer. Je dois juste entretenir votre mari d'une question privée, un problème de famille. Une telle conversation nécessite un endroit neutre, un bar douillet. Mais je n'ai rien à cacher. Roscoe pourra tout vous raconter à son retour. « Nul n'a de secret pour qui partage son oreiller. » Laissez-moi l'emmener. Je vous le rendrai à minuit, comme Cendrillon.

Maîtrisant sa fureur, elle murmura :

— Roscoe peut aller et venir comme bon lui semble. Il n'a nul besoin de ma permission. D'un autre côté, j'ai du travail. Tout est donc pour le mieux.

— Parfait, dit-il.

Marianne lui tendit la main.

— Peter, cette rencontre restera pour moi inoubliable.

— Plaisir partagé, ma chère... Moi non plus, je n'oublie-rai rien.

Retenant de nouveau sa main, il essaya de la baiser. Elle la retira brutalement et quitta la pièce. Je la suivis, la retins par le bras dans le vestibule.

— Écoute, je ne sais pas ce qu'il a derrière la tête. Mais je n'ai aucune envie d'aller boire un verre avec lui.

— Je n'y vois aucun inconvénient. Je n'aime pas ses manières. C'est tout.

Elle haussa les épaules et sourit.

— Je dois vraiment terminer cet article cette nuit. Sors donc avec ton ami, ayez votre aparté, mais ne l'invite pas à revenir.

— Je ne l'ai pas invité.

— Je sais. Il est amoureux de toi. Tu en es conscient?

Sans me laisser le temps de réagir, elle m'embrassa furtivement.

— Va, va. Mais rentre à minuit, Cendrillon.

Elle s'apprêtait à s'en aller lorsque Peter nous rejoignit dans le hall. Toute sa superbe avait disparu. Il nous regarda d'un air inquiet, presque misérable.

— Je suis un mufle, n'est-ce pas?

Il avait parlé d'une voix triste et sourde. Marianne eut pitié de lui. Secouant la tête, comme si elle se reprochait son indulgence envers lui, elle répondit:

— Votre lucidité à votre égard vous sauve de tout.

Ce commentaire le mit en joie. Les yeux brillants, il s'exclama:

— C'est vrai! Tout à fait vrai!

4

Peter conduisait une Mercedes noire à l'intérieur de cuir rouge d'un mauvais goût qui ne me surprit qu'à moitié. J'essayai, pendant le trajet, d'amener la conversation sur son projet de bateau et de tour du monde, de lui faire comprendre qu'il ne s'agissait plus que d'un souvenir, d'un vœu pieux. Il fit la sourde oreille, se contentant chaque fois de hausser les épaules et de mettre un doigt sur ses lèvres pour m'intimer l'ordre de me taire.

Il dénicha une sorte de pub ouvrier transformé en rendez-vous huppé pour cadres en mal de goguette. Quatre à cinq couples interchangeables étaient assis à des tables, sirotant au compte-gouttes du vin français et de la bière d'importation. Tous parlaient à voix basse. Ils se montraient corrects, non fumeurs, sobres, distingués, bien élevés. Nous prîmes place au bar. Les consommateurs levèrent les yeux vers nous, admirèrent en connaisseurs le feutre de Peter.

Le barman, un jeune homme aux joues roses, s'empressa, arborant un sourire digne d'un mannequin de mode.

– Messieurs, bien le bonsoir.

J'espérais qu'il n'allait pas nous accabler de son verbiage, commençant par nous dire son nom avant de nous raconter sa vie. Espoir à demi déçu.

– Je m'appelle Todd, déclara-t-il. Que puis-je vous servir ?

Peter commanda un «Cocotier en pente douce». Le dénommé Todd écarquilla les yeux, nous montrant ses dents immaculées.

– Jamais entendu parler. C'est quoi? Un cocktail?

Patiemment, Peter lui expliqua comment fabriquer cette mixture: gin, crème de menthe à la noix de coco, rhum, plus quelques ingrédients qui m'échappèrent. Je me contentai de faire la grimace avant de demander une bière.

– Une bière! gémit Peter avec une moue de dégoût. Ne sois pas si commun. Déguste un «Cocotier» avec moi. C'est un cocktail haïtien: délicieux et mortel.

Le barman, toujours aussi affable, prit la commande.

– Deux «Cocotiers en pente douce»?

– J'ai dit une bière.

– Va pour la bière.

Il consentit enfin à s'en aller. Je m'efforçai de faire comprendre à Peter à quel point je me sentais gêné par sa proposition de partir seul avec lui en laissant ma femme chez moi, penchée sur son article.

– Je sais, j'ai pu te paraître grossier. Mais, dès que je t'aurai révélé ce que j'ai à te dire, tu me remercieras d'avoir préféré un tête-à-tête.

– C'est à propos de ce projet de bateau et d'éternelle croisière, n'est-ce pas?

– Pas le moins du monde.

– Alors quoi?

– Patience, Roscoe. Vidons d'abord quelques verres.

– Peter, je...

Sans répondre, il se dirigea vers le juke-box. Il regagna le bar au moment même où Todd déposait nos consommations devant nous.

– J'espère avoir respecté la recette à la lettre, monsieur.

D'un geste dédaigneux, Peter le renvoya, sans goûter le cocktail en sa présence.

– Ça ira très bien, merci, dis-je, tentant de rattraper la muflerie de mon ami.

Peter leva son verre, me regarda :

— Aux compagnons perdus de vue !

Je hochai la tête, choquant contre son verre ma pinte de bière. Peter avala une grande gorgée, qui laissa sur sa lèvre supérieure une moustache de mousse.

Une voix chaude s'éleva du juke-box. Peter, débarrassé de son manteau mais ayant gardé son feutre sur la tête, se mit à chanter. Puis il dansa, enjoignant aux clients du bar de l'accompagner en frappant dans leurs mains. Les jeunes cadres compassés l'applaudirent. Il imitait parfaitement la voix du chanteur, au point de la recouvrir. Il s'avança vers moi en se déhanchant, repoussa son chapeau vers sa nuque et fredonna :

— Je ne te demandais pas de m'aimer, mais tu l'as fait. Jamais je ne l'oublierai.

Je ris sans réticence, comme chaque fois qu'il faisait le pitre. Le disque s'acheva. Mon ami s'inclina devant les consommateurs, ravi de leurs applaudissements.

— Ils ont du goût, conclut-il en finissant son cocktail.

D'un geste, il commanda une nouvelle tournée. Il se dandinait sur son tabouret, mimait l'attitude d'un homme déjà ivre, reprenant, tout en me regardant, la nouvelle chanson diffusée par le juke-box.

— Tu fais vibrer mon cœur et je crois que je t'aime...

Je terminai ma première bière. La seconde était là, devant moi. Peter joua quelques accords de guitare dans le vide. Je lui dis :

— Je bois ce demi et je m'en vais, même si je dois prendre un taxi.

Il me fixa d'un air déçu, rajusta son chapeau.

— Où est passé le Roscoe de jadis ? Que t'est-il arrivé ? La douce Marianne t'a châtré ?

— Une demi-heure avec toi et tout redevient comme autrefois.

— C'est ce qu'on appelle l'amitié.

— Non. Je veux dire que tu n'as pas changé. Toujours aussi vicelard.

— Toujours vicieux après toutes ces années...

Il chantait de nouveau. Je ne pus m'empêcher de rire encore avant de lui avouer que j'avais effectivement l'impression d'avoir mûri, grâce à Marianne, que je remerciais pour cela.

— Castré et content. Comme c'est émouvant...

Son persiflage commençait à m'agacer. Je le connaissais bien. Quand il se mettait à devenir fielleusement agressif, mieux valait ne pas insister. Je pris la résolution d'avaler ma bière et de déguerpir pour de bon.

Le juke-box se tut. Peter commanda une troisième tournée. Sans tenir compte de mon refus, il demanda au barman d'apporter les consommations.

— Bien, lui dis-je. Le dernier. Ensuite, tu pourras te saouler devant ce comptoir toute la nuit si tu le désires. Moi, je m'en vais.

— À ta guise, heureux châtré.

Le barman apporta la troisième tournée. Peter sortit de sa poche un billet de cent dollars qu'il déposa sur le comptoir.

— Servez à ce monsieur une Margarita, avec des glaçons, du sel et du jus d'orange. C'est ce qu'il buvait jadis. Resservez-nous autant de fois qu'il le faudra. Dès que vous nous verrez arriver à la moitié d'un verre, préparez-en un autre.

Il posa devant Todd un second billet.

— Celui-là est pour vous. Dépêchez-vous, mon mignon.

— Je ne vais pas commencer à picoler des Margaritas, Peter. Je termine et je pars.

— Hier était le vingtième anniversaire de la mort de ton père. Je suis sûr que tu ne l'as pas oublié.

Je fronçai les sourcils. Mon estomac se serra. En même temps, je me sentis furieux et penaud.

— Je ne coche pas cette date sur mes calendriers. Je ne fête pas ce genre de choses, Peter. Va te faire voir.

– Je m'en suis souvenu pour deux. J'ai célébré l'anniversaire hier soir.

– Dieu du Ciel...

Je pivotai sur mon tabouret pour me détourner de lui.

•

J'ai grandi à Hambriento, une petite île située au large de la Floride. On n'y n'accède que par mer. Mon père commandait une vedette transportant des amateurs de pêche entre l'île et le continent. De mon enfance, je ne garde que des souvenirs heureux. Je pêchais, je faisais du bateau, je travaillais avec mon père. Une vie de rêve. Je pense néanmoins avoir enjolivé après coup toute cette période. À seize ans, une cassure brutale scinda mon existence en deux. Tout ce qui la précède reste pour moi lumineux. La suite n'en fut que plus décevante.

Jusqu'à seize ans, je n'avais aucun doute sur la tournure que prendrait mon destin. Mon père et moi l'évoquions sans cesse. Sans doute m'en avait-il parlé dès mon plus jeune âge, avant même que j'eusse pris conscience d'être au monde, car je ne me souviens pas d'un seul jour où je n'aie su ce que je ferais plus tard. Je n'avais qu'un but : reprendre à mon compte l'entreprise de mon père le jour où il se retirerait. J'avais même l'intention de la développer. Loin de me contenter du cabotage de pêche dont il s'occupait, je souhaitais organiser des croisières, non seulement le long de la côte, mais aux Bahamas et au-delà.

J'avais tout prévu. Je remplissais des cahiers entiers de colonnes bourrées de chiffres : prix du carburant, assurances, frais d'entretien, recettes, bénéfices nets. Mon chemin était tout tracé. Rien n'aurait pu m'en détourner.

Loin de rire de mon sérieux, mon père jouait le jeu. Il me proposait même, une fois à la retraite, de se mettre sous mes ordres. Lui aussi avait une idée fixe : transmettre à son fils ce que son grand-père avait légué à son père et que lui avait réussi à maintenir.

Au fil des années, mes projets se précisaient, devenaient de plus en plus réalistes. Mon père faisait mon apprentissage. Il m'expliquait qu'un bon capitaine laisse ses passagers agir à leur guise sans se mêler de leurs affaires. Rester affable et avoir le moins de dettes possible. Telle était, me disait-il, la clé du succès.

Je l'entends encore. Nous discutions des heures durant. Dès que je quittais l'école, je retrouvais mon futur métier, servant de matelot, recevant les clients. Pas un nuage, pas l'ombre d'une inquiétude. Rien ne pouvait nous arriver.

Soudain, tout bascula. Un mois après mon seizième anniversaire, mon père, debout sur un quai, pointa contre son front le canon d'un Magnum 357. Le choc de la détonation le précipita dans l'océan, où des pélicans noirs se partagèrent les débris de sa cervelle.

Ce fut peu après son suicide que Peter eut l'idée de notre tour du monde. Nous ne cesserions jamais de naviguer. Je n'avais aucun souci à me faire pour l'argent. Il prendrait tous les frais à sa charge dès qu'il aurait touché son héritage. Je n'aurais qu'à piloter le bateau. Ce rêve, je m'y accrochai désespérément. Puis les années passèrent. Mis sous tutelle, Peter ne put disposer que des revenus de sa fortune. Quant à moi, je songeai de moins en moins à la mer, à cette vie qui aurait dû être mon héritage.

*

— Veux-tu toujours les tuer ? me demanda mon ami à qui je tournais le dos.

Bien sûr, je savais à qui il faisait allusion : aux Burton. Le combat qu'ils avaient mené contre mon père avait provoqué son suicide. Sa mort nous avait chassés, ma mère, mes deux sœurs aînées et moi, de notre paradis. Nous

nous étions exilés à Saint-Louis, pour partager avec le frère célibataire de ma mère un appartement exigu, à des milliers de kilomètres de l'océan.

– En tout cas, ajouta Peter, jadis, tu avais réellement envie de les tuer...

Sans aucun doute. Le soir de l'enterrement de mon père, j'avais pénétré par effraction chez les Burton, tenant à la main le pistolet avec lequel il s'était fait sauter la cervelle. Le frère de Peter, Richard, avait soudoyé un collaborateur du shérif pour me le procurer. Les Burton n'étaient pas chez eux ce soir-là. Je tombai nez à nez avec un domestique. On appela la police, qui m'emmena au poste.

Fort heureusement, le shérif adjoint chargé de l'enquête, John Laflin, était un des bons amis de mon père. Il s'arrangea pour qu'on ne retienne aucune charge contre moi, d'autant que je partais pour Saint-Louis le lendemain. John m'ordonna de ne plus jamais remettre les pieds à Hambriento. Dans le cas contraire, il m'arrêterait sur-le-champ.

Les cocktails arrivèrent. Je me retournai, avalai une grande rasade de Margarita.

– Je te retrouve enfin, me dit Peter.

– Au nom du Ciel, pourquoi as-tu déterré toute cette histoire ? Est-ce pour me rappeler le vingtième anniversaire de la mort de mon père que tu es venu me voir ?

– Détestes-tu toujours autant les Burton ? Est-ce que tu souhaites leur mort ?

– C'était il y a vingt ans.

– Mais ton père ne revivra plus. Quant à toi, tu n'es jamais devenu capitaine d'une vedette, comme lui, ton grand-père et ton arrière-grand-père. Les vingt années écoulées n'ont rien changé à cela.

Toute ma tristesse remonta soudain à la surface. Je ne savais plus quoi dire. Mieux valait boire un peu plus de Margarita.

41

Peter insista. Sa voix devenait hargneuse.

— Les détestes-tu toujours ? Au moins, dis-le-moi.

— Oui.

— Magnifique ! s'exclama-t-il en sautillant sur son tabouret. Quelle autre personne hais-tu au point d'avoir envie de la tuer ? Kate Tornsel ?

Kate Tornsel... Elle s'était alliée aux Burton dans leur campagne contre mon père. Passant sa vie à surveiller tout le monde, elle avait prévenu le shérif après m'avoir surpris en train de faire l'amour sur la plage avec une fille de mon âge, un an avant le drame.

— Roscoe ?

— Je l'ai haïe tout comme j'ai haï les Burton. Mais je ne me crois plus capable de détester quelqu'un au point de commettre un meurtre. Du moins plus maintenant.

— Tu me navres.

— La vie passe, Peter, les choses changent.

— Pas pour ton père.

— Fous-moi la paix ! criai-je en me levant à moitié, ce qui me fit renverser mon verre.

Todd se précipita, nettoya le comptoir. Peter commanda une autre tournée, glissant dans la main du barman un billet de cinquante dollars.

— Je vois que tu jettes toujours l'argent par les fenêtres. Vous, les gosses de riches, vous vous ressemblez tous. Vous considérez le fait d'être né avec une cuillère d'argent dans la bouche comme une réussite personnelle.

— Pas tout à fait. Mais ce n'est pas une tare non plus.

Je bus un autre cocktail. J'eus tout d'un coup envie d'une cigarette. Pourtant, je ne fumais plus depuis mon mariage avec Marianne, six ans plus tôt.

— Comment va Richard ?

Peter agita sa main de façon éloquente.

— Toujours en Europe ?

— Il n'a pas bougé.

— Tu lui rends visite ?

— De temps à autre.

Richard avait quatre ans de plus que nous. On l'avait envoyé dans un établissement psychiatrique peu après mon départ d'Hambriento. Je ne savais pas ce qui avait réellement motivé son placement dans une institution spécialisée. Je gardais le souvenir d'un garçon bizarre, mais pas plus étrange que son frère. Chaque fois que j'interrogeais Peter à son sujet, il me répondait simplement qu'il avait perdu la boule.

Après avoir englouti mon cocktail, j'avertis mon ami que j'étais, cette fois, bien décidé à m'en aller, qu'il m'eût ou non fait part de ce qu'il voulait me raconter.

— Bien, dit-il. Au diable les galipettes. Le moment des secrets est venu. Une dernière chose : en dehors des Burton et de Mlle Tornsel, existe-t-il quelqu'un que tu vomisses ?

Je me mis à pianoter sur le comptoir. Todd crut que j'essayais d'attirer son attention. D'un signe de tête, je le détrompai. Puis je murmurai :

— Daniel Maring.

— Qui est Daniel Maring ?

— Je travaillais pour lui. Une vraie ordure : ancien militaire et irlandais par sa mère, ce dont il était particulièrement fier.

— Pourquoi le hais-tu au point de vouloir le tuer ?

— Je n'ai jamais dit que j'avais envie de le tuer.

— Bien sûr...

— Mais j'exècre ce salaud.

— J'insiste : pourquoi ?

— Il venait juste d'être nommé vice-président de l'entreprise de relations publiques qui m'employait, poste que je lorgnais. La boîte organisa un séminaire, où chacun vint avec son épouse. Maring m'avait tout de suite pris en grippe. Il jalousait mes amitiés au sein de la direction. Un soir, après le dîner, il décida de m'agresser. Il me demanda avec insistance pourquoi je n'avais jamais servi dans l'armée. Colonel à la retraite, il exigeait, au bureau, que chacun lui donne du «mon colonel». Prétention ridicule que je m'étais empressé de tourner en dérision en l'appelant «Danny» ou, pis encore, «Danny Boy», comme dans la chanson. Avant même le séminaire, nous avions eu des mots. Le dîner n'arrangea pas les choses. Une fois le repas terminé, alors que nous gagnions le bar, je me mis à fredonner «Danny Boy». Furieux, Maring m'agrippa par le bras. Je lui envoyai mon poing dans la figure.

Peter m'écoutait avec ravissement.

– Un bon point pour toi ! Le vieux tempérament des Bird a encore de beaux jours devant lui. Tu n'es pas totalement castré, mon vieux Roscoe.

– Peut-être. Mais c'était la dernière chose à faire. Au lieu de se contenter de me virer, ce qu'il fit, le «colonel» Maring prit un avocat et m'attaqua. Je dus choisir un défenseur moi aussi : le jeu de ping-pong habituel. Dans l'affaire, Marianne et moi perdîmes toutes nos économies. Notre maison fut hypothéquée et je fus contraint d'accepter l'emploi que me proposait une petite association éducative, pour un salaire deux fois moindre que celui que je percevais auparavant.

– Tout comme ton père. Les Burton et Tornsel l'ont ruiné. Maring t'a également mis sur la paille.

Tandis que je parlais, Peter, mine de rien, avait commandé une ultime tournée. Je n'y touchai pas. Je lui demandai :

– De quoi s'agit-il au juste ? Qu'est-ce que tu cherches à me dire ?

Il eut un air de conspirateur et chuchota :

– Que ferais-tu si une soucoupe volante se posait dans ton jardin, si un extraterrestre en sortait pour avoir avec toi une conversation télépathique avant de repartir sans laisser la moindre trace derrière lui ? En parlerais-tu à quelqu'un ?

– Qu'est-ce que c'est que cette salade ?

44

— Fais un effort.

Machinalement, je portai mon verre à mes lèvres avant de répondre :

— Je le garderais pour moi. Ni la police ni la presse ne me prendraient au sérieux et je pense que, si j'insistais, on me passerait la camisole.

— Tu aurais été témoin d'un événement inouï qu'aucun mortel n'aurait vécu avant toi et tu ne te confierais à personne, pas même à ta femme ?

— Je raconterais l'histoire à Marianne, mais sans lui demander de me croire. Je ne me braquerais pas là-dessus.

— Tu n'irais même pas voir les spécialistes des ovnis ?

— Les trois quarts d'entre eux sont des détraqués ou des charlatans.

— Exact. Ces escrocs rendent impossible toute investigation fiable sur les phénomènes surnaturels.

— Les ovnis n'ont rien de surnaturel à mes yeux.

— Il y a des années que j'enquête de façon scientifique, Roscoe.

— À propos des extraterrestres ?

— Non.

— Alors sur quoi ?

— Écoute-moi bien, Toto. Es-tu encore assez lucide pour comprendre ce que je te dis ?

— Tu m'as fait avaler des litres d'alcool et tu veux savoir si je suis à jeun ?

— Ne ris pas. Ce que j'ai à te révéler dépasse tout ce que tu as pu imaginer dans ta vie. Rien à voir avec un misérable extraterrestre trébuchant devant une pompe à essence.

— Peter, accouche ou j'appelle un taxi.

— Tout de suite.

De fines gouttes de sueur humectaient sa lèvre supérieure.

— Ce que je veux dire, c'est que, si quelque chose d'absolument stupéfiant m'arrivait, je n'aurais qu'une personne vers qui me tourner : mon meilleur ami, un compagnon de toujours, la seule personne au monde pour laquelle je serais prêt à mourir, à mentir, à tuer. Car lui ne se moquerait pas, ne s'esclafferait pas.

Il avait l'air tellement sérieux, tout d'un coup, si douloureusement sérieux, que je lui demandai :

— Tu as vu un ovni ?

— Non, fit-il avec un geste d'impatience. Tu m'écoutes, oui ou merde ?

Son ton se faisait suppliant.

— Ne ris pas. Promets-le-moi. Tu es libre de ne pas me croire, mais je ne supporterai pas tes sarcasmes.

Une étrange émotion me gagnait. Jamais je n'avais vu mon ami aussi sincère, aussi pathétique. Je jurai :

— Je ne rirai pas.

Ses lèvres tremblaient.

— Peter ?

Après s'être assuré que Todd se trouvait hors de portée, il se pencha vers moi. Puant l'alcool et la noix de coco, il chuchota :

— Je suis devenu un vampire.

J'écarquillai les yeux avant de mordre ma lèvre inférieure. Je partis ensuite d'un éclat de rire gigantesque, un rire de cheval qui fit sourire le barman, que je n'avais pas encore habitué à une telle bonne humeur. Peter, lui aussi, sourit. Mais c'était un rictus plein d'amertume. Je voulus m'excuser, retrouver un peu de mon sérieux. Effort inhumain, qui ne fit qu'amplifier mon hilarité.

— Tu avais juré de ne pas te moquer, Roscoe.

Il était si pitoyable, sa révélation me paraissait tellement ridicule que mon fou rire se prolongea tandis qu'il déclarait doctement :

— Au dernier recensement, on comptait trois cent huit vampires à travers le monde, une énorme proportion d'entre eux vivant à Los Angeles et dans les environs.

Pour toute réponse, je commandai à Todd deux Bloody Mary.

– Bien sanglantes, pris-je le soin de préciser.

Puis, me tournant vers mon ami :

– Je connais pas mal de restaurants italiens dans le quartier. Un conseil : n'y entre pas. L'arôme de l'ail te ferait fuir.

Il grommela :

– Tu n'es pas même drôle. J'aurais au moins espéré de ta part un peu d'esprit.

– Quel que soit le restaurant où tu te rendras, répliquai-je, m'enfonçant de plus en plus, ne demande surtout pas de viande rouge.

Il hocha la tête. Quant à moi, je continuai à rire lorsque Todd déposa devant nous les deux Bloody Mary, à rire encore au moment où je me levai de mon tabouret qui s'écroula derrière moi avant que je m'affaisse à mon tour, m'accrochant péniblement au comptoir sous l'œil scandalisé des jeunes couples bien propres qui piaillèrent en signe de désapprobation.

Peter me retint par le bras.

– Je savais que je pouvais compter sur toi, me dit-il.

Que répondre ? Je riais tellement qu'aucun mot ne put sortir de ma bouche.

*

Je ne garde du reste de la soirée qu'un souvenir confus. Aux Bloody Mary succédèrent des liqueurs fortes, dont du schnaps que je bus comme de l'eau. Je dus faire d'autres fines plaisanteries sur les vampires, lâchant à la cantonade que le roi de la musique pop, Eddie Van Halen, ne pouvait être que la réincarnation de Van Helsing, l'homme qui traque inlassablement Dracula dans le roman de Bram Stoker. Todd lui-même, sans se départir de son sourire de barman professionnel, commençait à me trouver encombrant. Peter s'était ressaisi. Sa déception semblait avoir disparu. Il me servait avec application, inventant de nouvelles mixtures que Todd, en dépit de sa mauvaise humeur, ou convaincu par les billets que mon ami ne cessait de lui glisser entre les paumes, s'empressait de préparer.

— Avale, me disait Peter. Avale tout.

Je m'exécutais dans un état de demi-conscience, proche de la chute définitive. Un à un, les clients quittaient le bar. Todd faisait office de disc-jockey. Sur ordre de Peter, il mettait sur le juke-box nos vieux airs favoris, que je n'avais pas entendus depuis des années: «Five O'Clock World», «I Saw Linda yesterday», «Indian Lake». Peu après une heure du matin, Peter porta un toast à mon père:

— Il aurait donné sa vie ou aurait été capable de commettre un meurtre pour l'un d'entre nous, mais aucun de nous deux n'a eu assez de tripes pour tuer ou mourir à sa place. Jusqu'à hier soir.

Ces mots me parvinrent dans un brouillard. J'avais envie de vomir. Todd nous mit aimablement à la porte vers deux heures du matin. Je m'endormis sur le siège avant de la Mercedes. Peter me réveilla devant chez moi.

— Quelle heure est-il? demandai-je d'une voix pâteuse.

— Plus de minuit, Cendrillon.

— J'ai été vraiment ravi de te revoir, Peter. Désolé pour mon fou rire.

— Aucune importance. Retourne vite voir Marianne. Elle te donnera la fessée mais je suis sûr qu'elle te laissera ensuite te blottir contre ses seins de chérubin.

Je sortis péniblement de la voiture, me penchai vers la portière ouverte.

— Superbe, ton chapeau. Quant à moi, je vais au pieu. C'est d'ailleurs un pieu qu'il te faudrait à toi aussi, hein, Dracula... Pour te percer le cœur.

Il ne daigna même pas me regarder.

— Tu m'écœures, dit-il entre ses dents.

J'éclatai une nouvelle fois de rire. Puis, ayant fait claquer la portière, je titubai en direction de la maison.

J'allais atteindre la porte lorsque Peter, baissant la vitre, me héla.

— J'ai oublié de te dire une chose.

Je me retournai en vacillant.

— Ouais ?

— J'ai tué les Burton.

Sans me laisser le temps de réagir, il démarra en trombe.

5

Il est presque quatre heures du matin lorsque Peter, utilisant son laissez-passer, pénètre, au volant de sa voiture, dans l'enceinte de la résidence. Il se sent de mauvaise humeur. Avec Roscoe, ce soir, les choses n'auraient pas pu aller plus mal. Il gare sa Mercedes le long du cottage de brique et reste un instant immobile sur son siège, se demandant comment il va pouvoir expliquer ce qui est arrivé, se faire pardonner de n'avoir pas pu formuler son souhait. Car, bien sûr, il ne s'agissait que de cela : demander à Roscoe de leur servir de gardien pendant la journée, et le convaincre de le faire volontairement.

Peter sort de la Mercedes, marche vers la porte d'entrée du cottage, la déverrouille. Il ne prend pas la peine d'allumer. Les lumières de sécurité du dehors éclairent assez l'intérieur de la maison pour lui permettre de se repérer. De toute façon, il s'est habitué depuis longtemps à se diriger dans l'obscurité.

Inspirée des délicieux vieux cottages de la campagne anglaise, la maison, sans en posséder le charme, en a pourtant l'aspect, même si ses pièces semblent un peu trop neuves : le spacieux salon, la salle de bains, la chambre et le bureau qui la jouxte, tout est moderne, aseptisé. Pas de cuisine, bien sûr : on livre les repas à domicile. Des barreaux protègent les fenêtres.

Peter trouve Dondo assis sur le divan.

– Tu es là, lui dit-il. J'espère que je t'ai manqué.

Il s'assied à son tour, saisit Dondo dans ses bras, le pose sur ses genoux. Nul doute que peu de gens ont rencontré au cours de leur vie une poupée identique à celle-là. Moins d'un mètre de haut, cent ans d'âge. Dondo a été fabriqué en Allemagne au siècle dernier. Tout, dans son corps, s'emboîte : sa tête de porcelaine chinoise sans vernis, ce qui lui confère un teint vitreux, ses membres, de porcelaine également, son torse de bois. Ce soir, Dondo porte un costume de théâtre à carreaux rouges orné de gros boutons de la même couleur et d'un col blanc glacé.

Tournant son visage vers lui, Peter comprend la réaction de ceux qui, mis pour la première fois en sa présence, le jugent hideux, même s'ils ajoutent, faussement attendris : « C'est cette laideur qui fait son charme. »

Sa tête, de même dimension que celle d'un homme, apparaît monstrueusement développée, en partie à cause de ses oreilles décollées. Les détails de ses traits ont beau être rendus de façon raffinée, ils n'en ont pas moins l'air menaçant. Ses sourcils peints en noir se hérissent au-dessus de deux yeux gris incrustés dans la porcelaine et dotés en leur centre d'un point blanc qui leur donne une expression intense et fixe. Ses joues rondes sont barbouillées d'un rouge criard, comme si des veines avaient éclaté sous sa peau. À cela s'ajoutent un nez épaté, une bouche entrouverte laissant saillir un bout de langue sous deux dents de devant dont l'une s'est cassée, et des lèvres rouge sang soulignées d'un mince trait noir.

Il faudrait être un adulte totalement insensible ou doté d'un sens de l'humour proche du sadisme pour offrir une telle poupée à son enfant.

Ses bras et ses jambes de porcelaine s'articulent sur le corps de bois de Dondo. Ses orteils minuscules se recroquevillent comme si on les chatouillait. Quant à ses doigts courbes et séparés les uns des autres, ils semblent crispés en permanence.

— Je sais que je t'ai manqué, murmure Peter à l'oreille de la poupée. J'étais en Floride. Tu te souviens de la Floride ?

Il fait sauter Dondo sur ses genoux et lève un de ses bras comme pour danser avec lui, croyant l'entendre rire. Puis il replace la poupée sur le divan, se détourne et fait quelques pas à travers la pièce. Arrivé au milieu du salon, il se fige, interpellé par une voix criarde.

— C'est à cette heure-ci que tu rentres, avorton ?

— Je...

— Alors, il accepte ?

— Je...

— Je, je je... Je quoi ? ironise la voix.

— Je n'ai pas pu le lui demander, répond Peter.

La voix hurle :

— N'était-ce pas le but de la rencontre ? Ne devais-tu pas voir ce qu'il avait dans le ventre ? Est-ce que tu as besoin de grimper sur une caisse pour l'embrasser, nabot de mes deux ?

Dondo adore se moquer de la taille de Peter, qui rétorque doucement :

— Ce n'est pas du tout ça. Tu sais que ce n'est pas ça.

— S'il n'accepte pas, alors nous devrons l'obliger à le faire, tu entends, demi-portion ?

Peter ferme les yeux. Il en est venu à haïr cette voix stridente d'enfant caractériel.

— Eh bien, eh bien, j'attends !

— Oui, dit Peter. Si Roscoe refuse, nous le forcerons.

— Comment se fait-il que tu n'aies pas pu le lui proposer, hein ?

— Il ne m'a pas laissé ma chance. Il s'est moqué de moi.

Au tour de la poupée de s'esclaffer, d'émettre un rire nasal plus proche de la démence que de la gaieté.

Pour le faire cesser, Peter demande prudemment, en pesant ses mots :

— Est-ce que Dondo aime sa nouvelle maison ?

– C'est un cloaque ! Un taudis !

– Je ne qualifierais pas de taudis un logement à mille dollars par jour.

– Ce n'est pas ton argent ! Et même si cet affreux endroit coûtait un million de dollars la journée, cela ne changerait rien ! Sors-moi de là, espèce de nain, ou je pique ma crise. Tu m'avais promis un bateau. Un bateau !

– Bientôt. Roscoe...

– Lui as-tu dit ce que tu avais fait aux Burton ?

– Oui, mais il ne m'a pas cru.

– Augmente la pression ! Tue Tornsel !

– Ce ne sera peut-être pas nécessaire.

– Tue cette garce ! Tue-la !

– Je le ferai.

Trop fatigué pour ôter son manteau et son chapeau, Peter s'assied lourdement sur une chaise rembourrée.

– La semaine prochaine. Je suis épuisé.

– À qui la faute ? C'est toi qui l'as fait, pas moi ! Je t'avais prévenu !

– Roscoe est marié...

– Houhou, fit la voix d'un ton faussement pleurnichard. Alors il t'a brisé le cœur. Tue sa pétasse ! Tue-la aussi !

Une telle idée glace le sang de Peter.

– Roscoe ne se joindra jamais à nous si je tue sa femme...

– J'ai faim !

– Demain soir, je...

– Non, cette nuit ! J'ai faim !

Peter se lève, marche vers la fenêtre.

– Il fera jour dans quelques heures. Je n'aurai pas le temps.

– Et le vigile, là-bas, à l'entrée ? Il est à point, grassouillet en diable. Je meurs de faim !

– Je ne peux pas. Pas si près de l'endroit où tu habites.

– Tu as eu ta dose en Floride. Et moi ? J'ai faim !

— Demain soir, promis... Je t'amènerai quelqu'un d'appétissant. Demain...

— Amène-moi des enfants.

— Non, je te l'ai déjà dit : pas d'enfants.

— Apporte-moi des enfants, des marmots potelés. Tu les mettras dans le congélateur. Tu sais que je les aime bien gras !

— Pas d'enfants, réplique fermement Peter.

Il perçoit alors derrière lui le cliquetis des membres de porcelaine qui s'entrechoquent. Il ferme violemment les yeux, attendant l'assaut qui suivra, entendant déjà ce cri perçant qu'il connaît si bien, à la fois démoniaque et joyeux.

6

Si Peter était venu me voir six ans plus tôt, avant mon mariage avec Marianne, s'il m'avait dit à ce moment-là qu'il avait fini par toucher son héritage et qu'il était prêt à financer ce tour du monde dont nous parlions depuis la mort de mon père, je l'aurais suivi sans hésiter, quittant sur l'heure mon logement sans même prendre la peine de boucler mes valises. Car pour tout bagage, je n'aurais eu besoin, sur l'océan, que de ma mémoire.

La mémoire de ce que j'avais appris pendant seize ans à Hambriento, cette île étroite de moins de dix kilomètres de long, ce paradis créé par l'homme sur quelques centaines d'hectares. Jadis, cette île, d'une beauté sauvage, était inhabitable. Des joncs marins poussaient sur les plages, face au golfe du Mexique. Une mangrove sombre dominait la baie. Enchevêtrés de façon anarchique, pins et palmiers nains rendaient l'intérieur des terres impénétrable, sauf à des millions de moustiques si féroces qu'aucune tribu amérindienne n'avait eu le courage de s'y fixer. Mais le tarpon constituait un gibier de choix pour de riches amateurs de pêche qui, descendant du Nord-Est jusqu'en Floride pour se livrer à leur sport favori, découvrirent que le détroit de la pointe sud de l'île en regorgeait. Nombre de marins locaux servirent de guides à ces privilégiés. Parmi eux, seul mon père, conscient de la manne que l'afflux d'une clientèle fortunée pouvait apporter à l'économie locale, eut l'idée d'acheter, du côté de la baie, un bout de terrain sur cette île «inhabitable».

De riches oisifs suivirent son exemple. Ils aménagèrent l'île de fond en comble, rasèrent au bulldozer ses interminables étendues de joncs marins, construisirent sur les espaces dégagés de vastes demeures auxquelles ils donnèrent des noms tout à fait originaux, du genre : «Manoir des joncs», arrachèrent la mangrove, replantèrent et irriguèrent l'intérieur des terres, financèrent des raids aériens qui éradiquèrent les moustiques, transformant leur agressivité en un simple petit désagrément estival. Hambriento demeura entièrement entre des mains privées. Ni routes ni services gouvernementaux ; accès interdit au public. Après s'être ainsi protégés, les riches se chouchoutèrent. Ils ouvrirent des bibliothèques et des galeries d'art, éclairèrent leurs chemins réservés aux piétons et aux cyclistes avec d'antiques lampadaires en fonte, illuminèrent leurs façades de stuc et leurs luxuriants jardins.

Je grandis au milieu de résidences aux couleurs délicates cernées de palmiers dignes d'Hollywood. Pas de désordres, pas de crimes, pas d'étrangers. Sur la mer verte, des voiliers blancs barraient un horizon immaculé. Vision idyllique, semblable à l'image que j'eus du monde pendant seize ans, jusqu'à ce qu'on me chassât de cet Éden.

Pendant seize ans, je travaillai en étroite symbiose avec mon père et des marins qui lui ressemblaient. Pour ces hommes de haute taille, aux mains solides et au regard perçant, l'apparence ne signifiait rien. Seule comptait leur relation avec la mer. Ils se parlaient avec une courtoisie de diplomate, conscients des ravages que provoque un mot mal placé. Jusqu'à l'âge de seize ans, l'océan fut mon élément. Je préparais des lignes pour des sportifs qui se comportaient en toutes circonstances comme de parfaits gentlemen.

À présent, à trente-six ans, je côtoyais des individus aux mains lisses qui badigeonnaient de crème hydratante leur visage sans rides, mais émaillaient leur conversation de menaces et d'obscénités agressives – «J'aurai la peau de ce fils de pute », «Je broierai la face de cette enflure » – qu'ils avaient apprises au cinéma, et ne se fiaient qu'à des contrats paraphés dans les règles. Je travaillais dans des bureaux aux fenêtres scellées, respirant un air conditionné. Aucun de mes collègues ne respectait le moindre code de l'honneur. Pour tout horizon, je n'avais que ma montre, et je savais très bien pourquoi les fenêtres ne s'ouvraient jamais.

Ce lundi matin, en partant de chez moi pour me rendre à mon travail, je m'arrêtai un instant sur le trottoir et repensai à la déclaration fracassante que Peter m'avait faite la veille : « J'ai tué les Burton ». Je n'en croyais pas un mot. « Encore un de ses coups tordus », songeai-je en montant dans le bus. Pourtant, durant le trajet, je me sentis moins sûr de moi. Dans quelle situation me trouverais-je si Peter m'avait dit la vérité ? Me reprocherait-on de n'avoir parlé à personne de son aveu ? Me considérerait-on comme complice après coup de l'assassinat du vieux couple ?

J'arrivai un peu avant dix heures au siège de l'association éducative qui m'employait. Ma gueule de bois ne disparut qu'en milieu d'après-midi. Je fermai la porte de mon bureau et restai assis là, regardant par la fenêtre ce qui s'annonçait comme le début d'une tempête de neige. Je décidai alors d'appeler les Burton à Hambriento. Si je tombais sur l'un d'eux, je tiendrais la preuve du mensonge de Peter.

Je téléphonai aux renseignements, où l'on me communiqua rapidement le numéro. Je le composai sans trop savoir ce que j'allais dire.

– Résidence Burton...

L'homme, au bout du fil, s'exprimait avec un léger accent hispanique. Je demandai à parler à Diane Burton.

– De la part de qui ?

Je jetai un coup d'œil autour de mon bureau.

— John Credenza.

— Puis-je savoir de quoi il s'agit ?

— De tentures.

— Pardon ?

— Mme Burton m'a prié de prendre contact avec elle à propos d'un devis sur les tentures qu'elle compte installer.

— Des tentures ? Dans quelle pièce, je vous prie ?

— Si elle n'est pas chez elle en ce moment, pourriez-vous m'indiquer l'heure où je serai en mesure de la joindre ?

« Dis-moi seulement qu'elle est vivante, pensais-je, qu'elle et son crétin de mari respirent encore. »

— Allô ?

L'homme avait posé sa main sur le combiné pour s'adresser à quelqu'un d'autre. J'allais raccrocher lorsque je l'entendis, d'un ton nerveux, me réclamer le nom et l'adresse de mon entreprise

— Mme Burton sait tout cela. Écoutez, si elle n'est pas là, passez-moi monsieur Burton.

Nouveau silence suivi d'une autre voix, affairée, celle-là, à l'intonation officielle :

— Indiquez-moi votre adresse et le nom de votre société.

— Je rappellerai.

— Non. J'ai besoin de...

Je raccrochai. Qu'arrivait-il là-bas ? Avais-je eu affaire à un domestique qui m'avait ensuite passé un policier ? Avait-on essayé de me garder en ligne pour localiser mon appel ? Je ressentis tout d'un coup une anxiété presque douloureuse, comme si un quai aux planches vermoulues venait brutalement de céder sous mes pas.

7

Tap, tap.

Marianne ouvre la porte et hésite un instant avant de prier Peter d'entrer.

Il lui répond d'un petit salut de la tête, en lui affirmant qu'il est ravi de la revoir.

Elle rit.

Alors qu'il enlève son manteau et son chapeau, elle jette un œil par-dessus son épaule.

— Nous avons droit à une vraie tempête de neige, dit-elle en refermant la porte.

— J'en ai bien l'impression. L'homme de votre vie est là ?

— Non. Il a probablement été retardé par les embouteillages.

Elle ajoute très vite :

— Mais je l'attends d'un moment à l'autre.

— Bien.

Il prononce «pien».

— Venez me tenir compagnie dans la cuisine. Je buvais une tasse de thé.

— Avec joie.

Une fois dans la cuisine, Marianne invite Peter à s'asseoir à la table.

— Ainsi, dit-elle en allant chercher une tasse supplémentaire dans le placard, vous et Roscoe avez pris une cuite hier soir.

— Ce garçon n'a jamais tenu l'alcool.

– Lait ou citron ?

– Citron, merci.

Marianne dépose la tasse sur la table. Elle remarque alors que Peter frotte sa cuillère contre une serviette.

– Sale ?

Pendant quelques secondes, il croit qu'elle s'adresse à lui. Puis il baisse les yeux vers sa cuillère et s'excuse.

– J'ai toujours été horriblement maniaque.

Il ajoute en se raclant la gorge :

– Peter vous a raconté notre conversation d'hier soir ?

– Non. Je dormais lorsqu'il est rentré. Et il n'était pas réveillé au moment où je suis partie pour l'université ce matin.

Peter boit avec précaution quelques petites gorgées de thé avant de déclarer :

– Vous ressemblez à Audrey Hepburn jeune. Je suppose qu'on vous l'a déjà dit...

– Vous ne l'aurez pas, vous savez... Il est à moi.

Peter grommelle une phrase que Marianne ne saisit pas tout à fait, quelque chose comme : « Méfiez-vous de l'eau qui dort. »

– Pardon ?

– Bien sûr, répond-il en la regardant d'un air rusé.

Elle le gratifie en retour de son sourire narquois. Rien, chez cet étrange petit bonhomme, ne l'intimide.

– Vous allez acheter un bateau et vous voulez que Roscoe en soit le navigateur. Je me trompe ?

– Vous allez droit à l'essentiel, ma chère.

– Mes façons directes déroutent nombre d'hommes. Je n'aime pas tourner autour du pot.

– Autour du pot ! s'exclame-t-il d'une voix enjouée en agitant sa cuillère dans sa tasse. Oui, nous avons parlé du bateau, du tour du monde, de bien d'autres choses encore...

– Il y a vingt ans que Roscoe n'a pas mis les pieds sur un voilier.

– Il devra peut-être se replonger dans le bain, sortir en

mer pour se refaire la main. Cela ne pose aucun problème. J'ai tout mon temps.

– Comment a-t-il réagi hier soir lorsque vous lui avez proposé ce voyage ?

Les doigts de Peter pianotent sur la table.

– Hier soir, il a éclaté de rire à tout bout de champ.

– Vous ne vous imaginez tout de même pas qu'il va changer de vie, me quitter, uniquement parce que vous...

– Qui parle de vous quitter ? Il n'en est pas question. C'est ce que je suis venu lui dire, vous dire à tous les deux. Mon offre vous concerne vous aussi.

– Comme c'est généreux de votre part ! Encore un peu de thé ?

– Volontiers.

À l'aide d'un grand couteau, Marianne coupe une nouvelle rondelle de citron. Tout en l'observant, Peter murmure :

– C'est le couteau de pêche du père de Roscoe, n'est-ce pas ?

– Oui.

– Il y a vingt ans ce mois-ci qu'il s'est suicidé.

– Ah...

Marianne ressent soudain une inquiétude sourde.

– J'avais oublié.

– Roscoe aussi.

– À présent je comprends, dit-elle en revenant vers la table avec du thé chaud. Vous avez parlé de cela hier soir. Voilà pourquoi Roscoe s'est saoulé.

– Nous avons évoqué tant de choses...

– Je ne vais pas renoncer à ma vie ici pour partir sillonner les océans. Quant à Roscoe, il ne me quittera pas pour aller jouer les boucaniers sur votre bateau. Alors si j'étais vous...

– Mais vous n'êtes pas moi, n'est-ce pas ? Car, si vous étiez à ma place, vous auriez réfléchi à ce projet. Vous auriez monté un scénario qui...

– Un scénario ?

– Oui, un plan semblable à un entonnoir, large en haut mais se rétrécissant de plus en plus, vous enfermant, vous et Roscoe, dans une situation inextricable qui ne vous laisserait plus d'autre choix que de me suivre.

– Je ne comprends rien à ce que vous dites.

– Vous comprendrez bien assez tôt. En tout cas, si j'étais vous, je me mettrais dès maintenant en quête de ce qui vous sera nécessaire en mer : bikinis, vêtements légers... Vous verrez, vous adorerez cette nouvelle existence... Avez-vous besoin d'un peu d'argent pour vos achats ?

– Vous avez perdu tout sens des réalités.

Peter se lève, s'appuie contre le plan de travail sur lequel Marianne a préparé le thé. Regardant dehors, il conclut :

– Il fait nuit. Il faut que j'y aille. Dites à Roscoe que je reprendrai contact avec lui... sinon avec la réalité.

Cette dernière réplique lui semble très drôle. Marianne, elle, s'amuse moins.

– Je ne vous aime pas beaucoup, dit-elle calmement.

– Nous avons le temps de devenir amis.

– Êtes-vous amoureux de Roscoe ?

Peter sourit.

– J'étudie les déviations sexuelles, ajoute Marianne. Les psychologues utilisent parfois à ce sujet un terme français : *faute de mieux*. Vous connaissez ?

– Bien sûr. Cela veut dire en gros : «Contentons-nous de ce que la vie consent encore à nous donner.»

– Très juste. Les détenus ont des relations sexuelles avec leurs compagnons de cellule *faute de mieux*, les bergers perdus dans la montagne honorent leurs chèvres *faute de mieux*. Et dans sa jeunesse, après le choc provoqué par la mort de son père, Roscoe s'est raccroché à votre projet de croisière autour du monde *faute de mieux*.

Peter ouvre la bouche, prêt à répliquer. Marianne ne lui en donne pas l'occasion.

– Quoi qu'il en soit, il jouit aujourd'hui de quelque

chose de mieux : notre vie commune. Vous êtes sacrément mal tombé, Peter.

Sans un mot, il quitte la cuisine. Marianne le suit. Arrivée près de la porte, alors qu'il enfile son manteau et cale son chapeau sur sa tête, elle lui ordonne sèchement :

— Rendez-moi le couteau.

Il feint la surprise.

— Je vous ai vu le glisser dans votre poche.

Honteux, il extirpe le couteau de la poche intérieure de sa veste.

— Mille excuses, dit-il en le lui tendant. Je souhaitais garder un souvenir du père de Roscoe.

— Voler chez un ami, voilà d'étranges manières.

Cette remarque le blesse à tel point que Marianne, un instant, s'attend à le voir pleurer. Toute sa hargne disparaît. Si elle peut se montrer rude avec les êtres arrogants, un pauvre hère submergé par la peine la fait fondre. Touchant gentiment le bras du petit homme, elle murmure :

— Attendez Roscoe, il ne tardera plus.

Trop meurtri pour répondre, craignant de trahir son désarroi, Peter, se contentant de secouer la tête, tourne les talons et tend la main vers la porte.

— Restez dîner avec nous, insiste Marianne.

Il s'arrête, lui fait de nouveau face. Son visage a brutalement changé. Toute honte a disparu, les larmes qui lui montaient aux yeux se sont asséchées. L'expression féroce qui déforme ses traits effraie la jeune femme.

— Je trouverai de quoi manger sur la route, dit-il.

— Peter, je...

Il a déjà ouvert.

— Demandez à votre mari ce qu'il pense de « tap, tap ».

— De quoi ?

Doucement, le petit homme tapote la porte avec ses phalanges.

Sans laisser le temps à Marianne de réagir, il se précipite dehors et disparaît, silhouette fragile et sombre s'estompant dans les tourbillons de neige.

8

Tap, tap.

Lois Beyer est en proie à un horrible dilemme. Quarante ans, jamais mariée, vivant seule depuis la mort de sa mère, il y a cinq ans, elle se montre en toutes circonstances d'une prudence excessive. À cela s'ajoutent une méticulosité proche de la manie et le sentiment de faire partie, quoi qu'il arrive, de l'humanité souffrante. Qu'elle se trouve, comme maintenant, au volant de sa Volvo, qu'elle feuillette les magazines de défense du consommateur empilés près de son lit après avoir vérifié une à une les serrures de sa maison, ou se lance dans de longs monologues au cours des séances de thérapie auxquelles elle assiste deux fois par semaine, elle ne se perçoit que comme une victime. Victime de sa mère, qui préférait sa sœur aînée, de son père, qui ne s'occupait que de son frère cadet, d'une société où l'on raffole des greluches minces et niaises, sans témoigner la moindre considération aux femmes de son genre, obstinées et corpulentes. Victime, en dernier lieu, des quelques rares soupirants qui se sont risqués à lui faire la cour avant de prendre le large, découragés par sa voix haut perchée, conséquence d'années d'enseignement dans un jardin d'enfants, son poids (elle a fini par se convaincre qu'il s'agissait d'un problème glandulaire, que ses gènes, eux aussi, s'acharnaient contre elle), de sa libido inexistante.

Tap, tap.

Et à présent ceci. Rentrant chez elle après s'être rendue à une réunion d'enseignants annulée pour cause de tempête de neige («Pourquoi ne m'a-t-on pas appelée, gémit-elle. Je suis sûre que tous les autres ont été prévenus»), elle a freiné brusquement devant cet homme bien mis qui, agitant les bras, bloquait la route peu fréquentée qu'elle venait d'emprunter. Une Mercedes noire, probablement celle de l'inconnu, penche dans le fossé. Quant à lui, il frappe à la vitre, faisant un mouvement circulaire de la main.

Lois n'a aucune intention de baisser sa vitre. On l'a assez mise en garde contre les auto-stoppeurs. «Gardez toujours vos portières verrouillées, ne vous arrêtez pour personne, ménagez-vous toujours une échappatoire.» Facile à dire. Chaque fois que Lois tente d'avancer, l'homme se précipite vers le capot de sa voiture et l'arrête. De toute façon, elle n'est pas certaine de pouvoir contourner sa Mercedes. Et lorsqu'elle regarde dans son rétroviseur, cherchant un moyen de fuir en marche arrière, elle n'aperçoit qu'un rideau de neige.

Tap ! Tap !

L'inconnu a l'air tout à fait convenable. Il porte un chapeau de feutre et un manteau noir, sourit, hoche la tête. Un homme comme il faut. Sans doute un diplomate ; nombre d'entre eux vivent dans ces banlieues campagnardes de Virginie. Que doit-il penser de l'Amérique, se demande Lois, si une personne qu'il appelle au secours ne baisse même pas sa vitre pour lui adresser la parole ?

Tap, tap.

— Madame ! Vous m'entendez ?

Sa voix lui parvient assourdie, dotée d'un léger accent. Suisse ? Allemand ? Un diplomate suisse, surtout aussi petit, se dit-elle, ne va sûrement pas voler ma voiture.

Tap, tap.

— Madame ?

68

À contrecœur, elle baisse un tout petit peu sa vitre. Il s'incline alors trois fois, très vite, à la mode orientale.

— Madame, je ne savais si vous m'entendiez à travers votre vitre. Je vous en prie. J'ai tout à fait conscience des problèmes de criminalité que vous affrontez dans votre pays. Je ne tiens pas à pénétrer dans votre voiture. Pourriez-vous vous arrêter dans une station-service et demander qu'on vienne dépanner mon auto qui, ainsi que vous pouvez le constater, est kaput ?

Requête rassurante, raisonnable. Soulagée, Lois consent à parler au petit homme.

— Vous êtes allemand ?

— Transylvanien, répond-il avec un sourire en coin.

Il dit n'importe quoi, pense-t-elle, mais peu importe. Elle s'est montrée courageuse, elle lui a permis de formuler sa demande, qu'elle satisfera. Elle peut donc s'en aller.

— Madame, vous enverrez quelqu'un nous sortir de là ?

— Oui, bien sûr.

Elle remonte la vitre. Nous ?

Tap, tap. Elle baisse de nouveau la vitre, un peu plus qu'elle n'en avait tout d'abord l'intention.

— Gentille madame, je vous en conjure, n'oubliez pas. Je ne crains rien pour moi, mais je m'inquiète pour mon enfant. La vôtre mise à part, aucune voiture n'est passée par ici et, à l'intérieur de ma Mercedes, il commence à faire froid.

Jetant un coup d'œil à la vitre arrière de l'auto, elle aperçoit la tête d'un enfant surélevé, assis sans doute sur un siège de bébé. Elle ne l'avait pas remarqué auparavant. Pauvre petit être... Il doit se sentir frigorifié.

— Je ferai très vite, dit-elle à l'homme.

— Merci. Vous êtes allemande ?

Comment a-t-il deviné ?

— Par mon père, oui.

Elle se redresse avant de décliner son nom de famille.

— Bien, dit l'homme (il prononce « pien »). Alors je n'ai aucun souci. Je sais que vous ne faillirez pas, bonne Allemande que vous êtes.

Que veut-il dire par là ? Lois remonte sa vitre, regarde de nouveau l'enfant sur son siège. D'après sa taille, elle lui donne entre deux et trois ans. Il semble étrangement calme. Serait-il déjà paralysé par le froid ? Seigneur, se dit-elle, quelle sorte d'institutrice de maternelle suis-je donc pour m'enfuir en laissant un enfant grelotter au milieu d'une tempête de neige dans une voiture à moitié renversée ?

Tap, tap.

— Y a-t-il un problème ? crie l'homme à travers la vitre. Elle la baisse entièrement.

— Je vais vous conduire, vous et votre enfant, jusqu'à la station d'essence. Vous pourrez attendre au chaud pendant qu'on dégagera votre voiture.

— Madame, vous êtes une sainte !

Plein d'émerveillement et de gratitude, l'inconnu court vers son auto, ouvre la portière arrière, se penche et revient portant dans ses bras un enfant chaudement emmitouflé. Il tente sans succès d'ouvrir, côté passager, la portière avant de la Volvo, toujours verrouillée. Calant l'enfant contre son épaule, il incline le buste pour regarder Lois à travers la vitre.

De nouveau l'angoisse, le soupçon. Mais Lois se raisonne. Arrête de penser de cette manière, se dit-elle. Il n'arrivera rien. Tu auras simplement, peut-être, sauvé la vie d'un enfant.

Elle déverrouille la portière et il s'engouffre dans la voiture, s'excusant immédiatement pour la quantité de neige qu'il apporte avec lui.

— Je vous indemniserai avec joie pour tout dégât intérieur dont je serai responsable.

— Oubliez cela. Le petit va bien ?

— Oui, oui, très bien.

L'homme a tourné l'enfant vers la vitre, de telle sorte que Lois ne peut entrevoir que l'arrière de son bonnet de laine.

— C'est un garçon ? demande-t-elle.

— Il s'appelle Dondo.

— Il est extraordinairement sage. Vous ne devriez pas le laisser dormir, surtout s'il a séjourné longtemps dans une voiture froide.

Tenant l'enfant de façon singulière, agrippé par les épaules, l'homme le rapproche de son visage. Ensuite, il l'abaisse et regarde Lois.

— Dondo me dit qu'il a bien chaud, merci beaucoup, mais qu'il a très faim.

Elle ne l'a pas entendu prononcer un mot.

— Avez-vous des enfants, madame ?

— Quinze.

— Vraiment !

C'est la plaisanterie favorite de Lois.

— Je suis institutrice de maternelle. Cette année, ma classe compte quinze élèves.

— Ah !

— Peut-être devriez-vous aller chercher le siège de bébé, dit-elle. On n'a pas le droit d'avoir un bébé dans une voiture sans siège spécial. C'est contre la loi.

— Oui, évidemment.

— Ce serait une bonne idée. Surtout avec cette neige.

— Vous avez tout à fait raison.

Mais, au lieu de sortir, il la dévisage par-dessus l'épaule de l'enfant et lui demande si elle est mariée, ou si elle a, au contraire, de nombreux amants.

Le rythme cardiaque de Lois augmente de vingt pour cent.

(En considérant l'expression effrayée du visage de la pauvre femme tandis que la submerge l'intuition d'un désastre imminent, la certitude qu'il se passe en ce moment précis quelque chose d'anormal, la bête se rend

71

compte avec surprise qu'une sensation très particulière vient de se répandre dans sa poitrine : un sentiment de... culpabilité. Comme c'est curieux. La culpabilité devrait lui être aussi étrangère que... Aucune comparaison n'effleure son esprit. D'où vient-elle, cette culpabilité ? D'avoir revu Roscoe ! C'est ça. Roscoe a toujours eu un étrange effet sur la bête, faisant resurgir à la surface ce qu'il y a de bon en elle.)

— Je suis navré, dit l'homme, bien qu'il ne le paraisse pas.

Il a plutôt l'air triste. Il regarde Lois d'une façon qui la déconcerte totalement.

— C'était une question personnelle, que je n'avais pas le droit de vous poser.

Qu'arrive-t-il à son accent ? Il s'exprime à présent d'une voix typiquement américaine.

— N'allez-vous pas chercher ce siège ? demande-t-elle nerveusement, pensant que, dès qu'il aura mis le pied dehors, elle pourra démarrer et s'enfuir, quitte à envoyer ensuite une dépanneuse, ou plutôt une voiture de police ; car ce qui se passe en ce moment lui paraît de plus en plus anormal.

— Bien sûr, souffle la bête, dont la bouffée de culpabilité s'estompe tout d'un coup, et qui ajoute en grimaçant : Dondo et moi nous nous demandions si, à votre connaissance, vous souffrez d'une maladie congénitale du sang.

« Fuir, se dit Lois. De toute urgence. »

— Tenez, murmure l'homme. Prenez-le dans vos bras.

Il s'apprête à lui tendre l'enfant, se ravise, le serre contre lui, la bouche tout près de son oreille.

— Quoi ? chuchote-t-il, écoutant une voix que Lois n'entend pas, n'a toujours pas entendue.

Puis :

— Dondo voudrait vous poser une question.

— Je vous en prie...

— Dondo voudrait savoir, poursuit l'homme d'un ton

enjoué, s'il vous arrive de vous faire sodomiser par des drogués bisexuels utilisant des seringues.

Avant qu'elle ait pu dire ou faire quoi que ce soit, l'homme fait pivoter l'enfant et le pousse violemment vers elle. L'horrible visage de la poupée coupe le souffle de la malheureuse, lui arrachant un hoquet de dégoût venu du tréfonds de sa gorge.

9

Lorsque je finis par rentrer chez moi ce lundi soir, hébété par les embouteillages de Washington encore aggravés par la neige, impatient de raconter à Marianne mon coup de téléphone aux Burton, je la trouvai m'attendant à la porte avec, de son côté, une nouvelle fraîche : la visite de Peter. Je la laissai parler. Puis, alors que nous nous trouvions dans la cuisine, préparant ensemble le dîner, je lui dis :

— Il t'a caché la moitié des choses.

Elle fronça les sourcils. Comme je n'ajoutai rien, elle demanda :

— Quoi donc ?

— La nuit dernière, après m'avoir déposé à l'entrée de la maison, il a prétendu, juste avant de partir, qu'il avait tué les Burton.

— Quoi ?

— Les Burton, ces gens dont les persécutions juridiques ont poussé mon père au suicide.

Marianne blêmit.

— Tu l'as cru ?

— Non. Peter adore attirer l'attention de ses interlocuteurs en leur débitant n'importe quoi. Je ne sais même pas si ses divagations sur le bateau et le tour du monde correspondent à quelque chose. Il me ressasse cette histoire depuis que nous avons seize ans.

— Il avait l'air convaincant lorsqu'il m'en a parlé cet après-midi.

— Peter a toujours l'air convaincant. La seule chose qui me tracasse pour l'instant, c'est ce qui s'est passé lorsque j'ai appelé les Burton.

— Tu leur as téléphoné ? En Floride ?

— J'ai agi sous le coup d'une impulsion. Je me disais que si je tombais sur l'un d'eux au bout du fil ou si un de leurs domestiques m'apprenait qu'ils étaient partis se promener...

— Tu saurais que Peter t'avait menti en affirmant les avoir tués.

— Je voulais juste une confirmation : pas un souci de plus.

— Et ?

Je lui résumai la teneur de la conversation, la suspicion dont avaient fait preuve les deux hommes qui m'avaient répondu.

— Et à présent, tu ne sais plus quoi penser.

Je répliquai, tout en hachant les carottes.

— Exact. J'ai eu soudain le pressentiment que je risquais de m'attirer des ennuis. J'ai autrefois menacé de tuer les Burton. On m'a surpris dans la maison, un pistolet à la main.

— Il y a vingt ans de cela, Roscoe. Tu n'étais qu'un adolescent. Tu n'es jamais retourné à Hambriento depuis et tu habites à des milliers de kilomètres de l'île.

— Je ne prétends pas qu'on m'accusera d'avoir commis ce meurtre, à supposer qu'il ait réellement eu lieu ; mais on pourrait très bien me reprocher d'en avoir eu connaissance et...

— Voilà peut-être à quoi Peter faisait allusion lorsqu'il m'a parlé d'un «plan», rétorqua Marianne, qui se tenait près de moi et s'apprêtait à verser les carottes râpées dans la salade. Il m'a affirmé avoir concocté un scénario qui nous obligerait, toi et moi, à le suivre.

— C'est tout à fait le genre de complications que je redoute.

— Appelle la police.

— J'en ai bien l'intention. Mais je me demande comment m'y prendre, ce que je vais pouvoir raconter pour ne pas passer pour un détraqué. Je me vois mal expliquant à un policier : « Un de mes amis que je n'avais pas vu depuis vingt ans a frappé à ma porte hier soir, m'a affirmé être un vampire et avoir assassiné un couple en Floride. Que pourriez-vous faire à ce sujet ? »

Marianne me serra violemment le bras.

— Vampire ?

Je la regardai d'un air stupide.

— Je ne te l'avais pas dit ?

Je me mis à rire.

— C'était la grande nouvelle que Peter voulait m'annoncer. Il est devenu un vampire.

Je m'attendais à ce qu'elle s'esclaffe à son tour. Elle n'en fit rien.

— Crois-tu qu'il soit sérieux ?

— À propos de quoi ?

— De cette histoire de vampire...

— Je ne saisis pas. Peter m'a dit qu'il était devenu un vampire. Je ne vois pas ce qu'il pourrait y avoir de sérieux là-dedans.

— Mets la table. Le thon est dans le réfrigérateur.

— Où vas-tu ?

Elle avait déjà gagné la porte. Elle me répondit en sortant :

— Là-haut. J'ai lu des articles sur le sujet. J'ai rencontré à l'université un professeur qui a étudié le vampirisme.

— D'un point de vue folklorique ? criai-je.

— Non. Clinique.

Elle revint dix minutes plus tard avec une liasse de papiers.

— Tu noteras, lui dis-je, que j'ai débouché une bouteille de vin rouge en prévision de cette discussion.

77

Cette remarque ne la fit pas rire non plus.

– C'est un sujet fascinant. Si Peter est vraiment devenu un vampire, je me demande s'il accepterait d'être interrogé par ce professeur. Je pourrais...

– Sûr.

Je lui pris la main, la forçant à lever les yeux de ses papiers à présent éparpillés sur la table.

– Ne me dis pas que tu crois réellement que Peter est devenu un vampire.

– Écoute : «Si le sujet est persuadé d'être un vampire, s'il est convaincu qu'il a besoin de sang humain pour survivre, s'il agit en fonction de ces certitudes, alors on peut affirmer, pour toutes ces raisons, qu'il est vraiment devenu un vampire.»

– Je vois.

– «En tout cas, ajouta Marianne en poursuivant sa lecture, cela ne fait aucun doute pour ses victimes. Être assassiné par un vrai vampire ou par un individu simplement persuadé d'en être un ne présente aucune différence aux yeux des malheureux dont on déchire les artères, dont on boit le sang et qui en meurent...»

– Peut-être. Mais le fêlé qui s'imagine être un vampire n'en est pas réellement un : il n'a pas les pouvoirs des vampires, n'est pas immortel, ne peut pas se métamorphoser en chauve-souris, ne peut...

– Minute ! s'écria Marianne, pointant un doigt dans ma direction tout en tournant fébrilement, de l'autre main, les pages de son dossier. Cet éminent spécialiste balaie ton objection d'une chiquenaude. «Si ce sujet ne jouit pas, effectivement, des pouvoirs surnaturels traditionnellement attribués aux vampires, il n'en a pas non plus les faiblesses légendaires : bien qu'il puisse redouter ce genre de manifestations, la lumière du jour ne le réduit pas en poussière et l'ail, pas plus que l'eau bénite, n'a le moindre effet sur lui. Nous nous trouvons en présence d'un équilibre remarquable entre l'absence de pouvoirs surnaturels et le manque de vulnérabilités du même ordre. Mais les victimes, elles, sont bien sacrifiées à cet appel du sang. Ce fait nous oblige donc à conclure que les vampires existent bel et bien. »

Elle me regarda, les yeux brillants.

— Peter aurait dû se confier à toi, lui dis-je. Tu n'aurais pas ri de lui.

— Non, je n'aurais pas ri. En fait, j'aurais tout tenté pour le convaincre de venir avec moi à l'université.

Je levai mon verre de vin.

— À Peter, mon vieil ami, sorti tout droit du cercueil.

Marianne ne m'écoutait pas. De nouveau plongée dans ses papiers, elle ajouta d'une voix triomphale :

— Ah ! Je savais que j'avais lu cela aussi ! Écoute bien : « On a étudié une trentaine de cas de vampirisme, dont au moins dix répertoriés dans différents hôpitaux psychiatriques à travers le monde. Dans la plupart des cas, ces vampires sont entrés en contact avec des prêtres ou des amis proches pour leur demander de leur venir en aide, de les empêcher de commettre des crimes qu'ils prétendent causés par leur nature profonde. »

— Alors Peter est venu ici avec l'espoir...

— Que tu l'aides, que tu l'empêches de passer aux actes. Ou bien, s'il a effectivement tué les Burton, avec l'espoir que tu lui évites de tuer à nouveau.

— Le bateau et la croisière n'auraient été qu'un prétexte ?

— Tout juste ! Il veut qu'on l'aide. Et je suis en mesure de le faire. Je peux organiser une rencontre entre lui et ce professeur. Et peut-être cosigner un article sur lui.

— Peut-être...

Elle avala une gorgée de vin. Mais elle était trop excitée pour manger.

— Maintenant, je comprends pourquoi il a essayé de voler le couteau de pêche de ton père. Il faisait tout pour être pris en flagrant délit. Il voulait qu'on l'aide.

— Peut-être...

J'examinai le grand couteau, fabriqué spécialement pour mon père par un de ses clients, coutelier à Chicago. Son nom, Curtis Bird, avait été gravé sur la lame et inscrit en creux dans le bois du manche. Mon père avait trouvé cette arme trop grande pour un couteau de pêche. Il en avait fait cadeau à ma mère, qui me l'avait donnée.

– Tu as peut-être raison, dis-je à Marianne. Mais il est possible que tu te trompes. Il est possible que Peter ait simplement l'intention de menacer de m'impliquer dans le meurtre des Burton jusqu'à ce que j'accepte de partir avec lui, de devenir le navigateur de son bateau. Peut-être n'a-t-il aucune intention de se faire prendre. Il a peut-être déjà tout prévu. Tu ne connais pas Peter Tummelier comme je le connais.

– Parle-moi de lui.

– Je l'ai déjà fait.

– Continue. S'il te plaît, Roscoe. Tous les éléments de ma thèse sont des documents de seconde main que des dizaines d'autres universitaires ont déjà consultés, rabâchés, utilisés.

J'ai enfin l'occasion de travailler à partir d'une documentation puisée à la source.

– Quelle aubaine pour toi s'il s'agissait d'un véritable assassin...

Marianne se renversa dans sa chaise. J'ajoutai après un instant de silence :

– Peter et toi, vous vous ressemblez.

Puis, tandis qu'elle me fixait d'un air surpris :

– Je croyais que tu travaillais sur les déviations sexuelles.

– Si Peter est vraiment un vampire...

– S'il croit vraiment en être un...

Elle balaya ma nuance d'un revers de la main et ajouta :

– Je pourrai collaborer avec ce professeur qui a étudié des cas cliniques de vampirisme...

– De patients persuadés d'être des vampires...

— Roscoe, je te demande simplement de m'aider.

— Si on inculpe Peter du meurtre des Burton et si on m'accuse, moi, de non-dénonciation de malfaiteur, on nous enfermera peut-être dans la même cellule et j'aurai tout le loisir de l'interroger à ta place.

— Arrête. Personne ne te passera les menottes. Tu n'as rien fait.

— Qu'est-ce que tu veux exactement?

— Dis-moi tout ce que tu sais de Peter et sa famille. Ensuite, tu pourras appeler la police et lui révéler ce qu'il t'a avoué à propos de l'assassinat des Burton. On te mettra hors de cause.

Je me levai.

— Tu ne veux rien manger?

Elle secoua la tête.

— Prenons le vin et allons dans le salon, madame le professeur. Là, je te raconterai l'étrange et mystérieuse histoire des Tummelier d'Hambriento.

Nous étions dans le vestibule, moi tenant la bouteille et elle, derrière moi, portant nos deux verres pleins, lorsqu'elle me dit:

— Tap, tap...

Je me figeai si soudainement qu'elle heurta mon dos, maculant ma chemise de vin rouge. Je me retournai. En s'excusant, Marianne redressa ses minces épaules.

— Qu'est-ce que tu...?

— Je ne fais que répéter ce que m'a dit Peter: «Demandez à Roscoe s'il se souvient de "tap, tap".»

Hochant la tête, je répondis:

— Je te raconterai aussi cette histoire-là.

10

«Qui me regrettera, qui pleurera sur ma tombe?»
L'heure est venue pour Lois de se poser la question. Elle
sait qu'elle va mourir. Toute sa vie, elle a imaginé une
situation identique à celle-là, s'en préservant mais, curieusement, l'espérant, pour s'identifier enfin à ce qu'elle a
toujours rêvé d'être : la victime ultime.

Au cours de ses séances de thérapie bihebdomadaires,
elle a souvent tenté d'exprimer sa douleur d'avoir vécu
comme une enfant grasse et maussade coincée entre une
sœur aînée ravissante, athlète émérite de surcroît, et un
frère cadet non seulement adorable mais brillant en
classe. Pourtant, que pesait ce drame face à celui d'autres
femmes du groupe, molestées, battues et violées par leur
grand-père avant de se retrouver mariées à un alcoolique ? Cette disproportion provoquait chez elle une souffrance supplémentaire. Son désir de faire partager aux
autres femmes ses propres humiliations l'humiliait encore
davantage. Sangloter en racontant les agissements d'un
directeur d'école qui ne cessait de la lorgner en la désha-
billant du regard, raconter à quel point elle se sentait dans
ces moments-là vulnérable et dégradée, tout cela paraissait ridicule à celle qui, prenant sa suite, détaillait sans
une larme ce que lui avait fait subir son chef de service,
la menaçant de la licencier si elle ne lui faisait pas une
gâterie sous la table, ce qu'elle acceptait pour pouvoir
nourrir ses trois enfants, entièrement à sa charge depuis

que son mari avait quitté le domicile conjugal en ne lui laissant pas un centime.

Chaque fois que Lois prenait la parole, les autres patientes du groupe levaient les yeux au ciel. D'où cette question, qui la hantait : doit-on se sentir victime de ne pas incarner l'archétype de la victime absolue ? Peut-on ressentir une frustration lancinante parce que personne, au fond, ne prend votre malheur au sérieux ?

Lois n'aura jamais le loisir de le savoir. Pourtant, le malheur vient de la rattraper. Elle l'affrontera bâillonnée, ligotée, aveuglée par un bandeau, kidnappée et amenée là, où que ce soit, allongée sur le sol et sur le point d'être... Quoi ? Violée. Torturée. Assassinée.

Les victimes de criminels disent souvent : «Jamais je n'aurais pensé que cela pourrait m'arriver.» Pas Lois Beyer. Terrifiée, priant Dieu, souhaitant de toutes ses forces qu'on vienne à son secours, elle n'en éprouve pas moins une jouissance perverse. Et si quelqu'un, par miracle, la délivrait ? Si elle se retrouvait au milieu de son groupe, racontant à des femmes qui, sachant ce qu'elle aurait subi, l'écouteraient sans broncher, fascinées et ne perdant pas une miette de son récit ? Le psychologue chargé du groupe aurait prévenu quelques-uns de ses collègues, on aurait permis à un journaliste bouleversé par cette histoire d'assister à la séance. Lois tremblerait d'émotion. Elle ferait mine de ravaler ses larmes, les laissant en fait couler naturellement sur ses joues rondes, sans honte car elle les aurait, pour une fois, bien gagnées. Elle frapperait son sternum d'un geste plein de vigueur et s'écrierait : «C'est à l'intérieur que je souffre !» Pas une femme ne mettrait cette douleur en doute, aucune ne lèverait les yeux au ciel. «Victime.» Elle assumerait ce mot dans toute sa gloire, le clamerait à voix haute, avec fierté : «Je suis une victime.»

Cette perspective implique, bien sûr, que Lois survive à cette nuit, ce qui lui donne du courage.

Des voix lui parviennent de la pièce voisine. Le malveillant petit diplomate doit avoir un complice, à moins qu'il ne parle à cette poupée hideuse, comme il l'a fait durant tout le trajet après avoir poussé Lois hors de la Volvo pour la jeter, bâillonnée et ligotée, sur le plancher arrière de sa Mercedes, bien entendu en parfait état de marche.

Elle ne comprend pas ce qui se dit. Mais elle perçoit des intonations chargées de colère.

— Je saurai si ce tas de graisse a une maladie quelconque ! s'écrie la voix hargneuse. Je le saurai au goût !

— Ce n'est qu'une institutrice de jardin d'enfant, répond calmement Peter en prenant Dondo sur ses genoux pour lui enlever son manteau.

— Tu ferais mieux de remuer ton petit cul décharné et de te tirer en Floride pour faire monter la pression !

Peter hoche la tête.

— Parce que ton gigolo de Birdy ne marchera pas avec nous tant que nous ne l'aurons pas forcé à le faire !

— Je sais maintenant que tu as raison.

— Je sais maintenant, ironise la voix

Peter pose Dondo sur une chaise, se penche vers lui.

— Tu es sûr que tout ira bien ?

— Oh, on ne peut mieux. J'ai de quoi m'amuser.

— Je m'en vais, donc.

— Tu joues les délicats ? Il est trop tard pour faire la moue, mon joli.

— Je pars.

— Pas avant d'avoir fait un câlin à Dondo.

Alors éclate le rire maniaque, tandis que de petits bras de porcelaine martèlent le visage de Peter, non pour lui faire mal, mais pour l'humilier.

•

Tap, tap.

Aveugle, Lois Beyer se tourne vers le bruit, ce tapement sur une surface de bois, tout près d'elle, dans la pièce où elle se trouve.

— Debout, ma jolie, souffle une voix.

Des bras puissants l'enlacent et la redressent.

— De Dieu ! clame la voix, singeant l'accent cockney. Avec toi, y a d'quoi faire.

Puis, toujours avec la même intonation londonienne :

— T'as les jetons ?

Lois voudrait parler, s'indigner, crier : «Pourquoi faites-vous ça ?», mais le bâillon transforme ses protestations en borborygmes.

Elle sent une main s'affairer sur son chemisier, le déboutonner, tirer sur les pans pour le libérer des liens qui l'emprisonnent. Un doigt, un seul, se glisse entre ses seins, sous le soutien-gorge.

— S'ilvp, nem'pasd'ma... tente-t-elle de dire. S'il vous plaît, ne me faites pas de mal.

— Et main'ténant, le guestion est : té quelle gouleur font être tes tétons ?

Le doigt tire avec une telle violence que le soutien-gorge jaillit hors du chemisier. Ses bretelles tombent sur les épaules de Lois, l'agrafe, dans son dos, saute d'un coup sec. Et la voix hurle :

— Bruns, bruns, bruns !

Elle devine tout près d'elle la présence d'un visage à l'haleine désagréable, comme si l'homme essayait d'imiter Boris Karloff.

— Ma chère demoiselle, la litt-érat-ure parle de tétons semblables à des cerises, des fraises, des mûres, des framboises, à toutes sortes de fruits aussi délicieux les uns que les autres, formant une palette de rouges, de roses, de pourpres. Et moi, je n'ai droit qu'à du brun, du brun !

La peau de la malheureuse se hérisse alors que, les mains sous sa poitrine, il palpe ses seins, les soupèse en minaudant :

— Nous cherchions deux roses sur un lit de muguet. Et qu'avons-nous trouvé ? Deux grosses vaches couchées dans le foin ! Ha, ha !

Lois pleure. Son bandeau lui permet de voir vaguement par en dessous. Mais la pièce est sombre et, de toute façon, elle n'a aucune envie d'assister à ce qui va suivre. Silence, tout d'un coup. Où est-il parti ? Que fait-il ?

Soudain, une douleur aiguë semblable à une piqûre d'abeille mord la base de son cou. Elle sent à nouveau le doigt de l'homme sur sa peau, humide, visqueux, entend tout près d'elle un bruit de baiser.

— Mmm, que c'est bon, que c'est bon ! Absolument pur. «Sang, sang rouge, liqueur interdite et magique.» D. H. Lawrence a écrit cela à propos d'un moustique. Je vais te dire quelque chose qui t'intéressera : les petits moustiques mâles naissent avec un pénis ; quant aux femelles, elles viennent au monde avec un vagin. Imagine les cabrioles !

Il lui donne une gifle en plein visage.

— Des joues bien rouges d'où le sang jaillira comme d'un tuyau d'arrosage. Voilà ce que je veux, dit-il avec l'accent nasillard du Middle West.

Et il la gifle encore, prend une voix de femme.

— Du sang dans la bouche, salé et bien chaud, Dieu du Ciel, c'est ce que nous aimons, n'est-ce pas, ma douce ?

Il fait mine de renifler, soulève sa jupe.

— Tu es mouillée ! C'est parce que tu m'aimes ! On peut y aller ! Je suis amoureux !

Puis, pendant d'interminables secondes, plus rien. La pression sanguine de Lois augmente dangereusement, son pouls s'emballe, son cœur bat follement, de peur. Elle sait ce qui l'attend. On prétend que les animaux souffrent de façon moins intense que les humains parce qu'ils n'anticipent pas. C'est cette anticipation qui pousse notre douleur à son paroxysme, jusqu'à des degrés qui la métamorphosent en extase. La sienne, Lois l'imagine à l'avance. Que va-t-il me faire ?

Il monte sur la table, s'étend sur elle, niche son visage dans son cou. Elle sent sa bouche, couverte de poils, comme un mufle. Elle respire une odeur répugnante d'ordures, de terre humide, de cave, de détritus, de feuilles trempées pourrissant dans le noir. Et, tandis que les poils de cette bouche irritent la peau de son cou, une voix de femme, vulgaire et gouailleuse, lui susurre :

– Quand je te dis que je t'aime, tu ferais mieux de me croire, de me croire !

11

Au cours de notre adolescence sur l'île d'Hambriento, mes deux sœurs et moi fréquentions des enfants dont les parents servaient aux riches de domestiques, de chauffeurs, de cuisiniers. On nous appelait les rats de l'île, sobriquet dont nous étions paradoxalement fiers. Nous nous prenions pour des caïds et des trouble-fête. En fait, comparés aux jeunes d'aujourd'hui, nous avions un comportement bien inoffensif. Nous escaladions de temps à autre les murs des belles demeures pour piquer une tête dans leur piscine en l'absence des propriétaires. Mais nous nous montrions respectueux des lieux. Jamais nous ne faisions preuve de vandalisme, jamais nous ne volions. Et nous n'éprouvions pas la moindre rancœur envers les privilégiés et les barrières de classes qui nous empêchaient de nous mêler à leur progéniture. Pour nous, ces riches ressemblaient à la mer. Elle était là, comme eux, et nous n'avions aucune raison, nous semblait-il, de convoiter ses richesses ou de prendre ombrage du pouvoir qu'elle exerçait sur nous.

Les gosses de riches formaient leurs propres bandes. Nous, nous nous tenions à distance, les regardant comme s'ils évoluaient sur une autre planète, avec leur rire si caractéristique, leur sourire conquérant lorsqu'ils quittaient leurs courts de tennis, une serviette rouge ou verte autour du cou et, montant dans leurs voitures décapotables, se disaient négligemment au revoir, sans même agiter la main.

Peter et son frère aîné, Richard, ne frayaient pas avec cette jeunesse dorée. Les Tummelier restaient entre eux. Pourtant, j'avais parfois l'occasion de surprendre Peter en train de nous espionner, nous, les rats de l'île, ou de marcher seul sur la plage en contemplant la mer. Et ce fut sur la plage que je lui parlai pour la première fois. Nous avions huit ans l'un et l'autre.

Le soleil venait de se coucher. Peter sondait le sable avec un bambou. Il était encore plus bizarre, enfant, qu'il ne le devint à l'âge adulte. Je me souviens de ce garçon étrange seul dans la lumière du soir, de ses yeux sombres, de ses cheveux noirs plantés sur le front de façon si caractéristique. Il portait, boutonnée jusqu'au cou, une tunique blanche à la Nehru, ridiculement démodée, des pantalons gris anthracite et des chaussures italiennes à bouts pointus. Sur la plage.

Il me héla, me surprenant par cet accent affecté qu'il utilisait déjà.

– Petit garçon, me dit-il, ce qui me vexa car, après tout, nous étions du même âge, connais-tu la légende de Gasparilla ?

Je répondis par l'affirmative. Tout le monde avait entendu parler de Gasparilla. On racontait qu'il avait été amiral de la flotte espagnole avant de devenir flibustier à la fin du XVIIIe siècle. À la tête de son équipage de pirates, il écumait la mer au large des îles côtières du sud-ouest de la Floride, où il attaquait les navires et, selon la légende, enterrait son butin. Au début des années 1820, piégé par un navire de la marine américaine, il préféra, plutôt que de se rendre, enrouler une chaîne d'ancre autour de son corps et se jeter par-dessus bord.

Peter me demanda si je savais pourquoi Gasparilla était devenu flibustier.

Je croyais le savoir : sa dernière histoire d'amour avait mal tourné. Mais, à huit ans, cet aspect des choses ne me

90

passionnait pas. Les trésors enfouis m'intéressaient bien davantage.

– Démence syphilitique, clama Peter, levant ses épais sourcils d'un air entendu.

Cela ne signifiait strictement rien pour moi. Peter ajouta :

– Sans compter sa haine pour l'Église catholique, pour les papistes.

J'étais catholique. Pourtant, je n'avais jamais entendu parler de « papistes ». Je supposai qu'il s'agissait d'une de ces innombrables sectes protestantes que j'étais incapable de distinguer entre elles.

– Il a enseveli des prêtres vivants, ici, à Hambriento.

J'ignorais tout de cet épisode.

– D'autres prêtres se lancèrent à leur recherche. Les enterrés vivants tapaient sur le couvercle de leur cercueil – seul moyen pour eux d'être repérés –, tapaient sans relâche jusqu'à ce qu'on les trouve, ou bien qu'ils meurent de soif et d'épouvante. Ils tapaient, tapaient, tapaient sans cesse... Tap, tap, tap.

En prononçant ces trois syllabes, Peter heurta ma poitrine du bout de son bâton de bambou.

– C'est ce que je suis en train de faire, déclara-t-il. Je cherche une de ces tombes. Je vais l'ouvrir pour voir si le prêtre enseveli a été délivré ou s'il est mort en tapant sur son cercueil ; tap, tap, tap.

De nouveau, il heurta ma poitrine.

J'étais fils de marin et, toute ma vie, on m'avait raconté des histoires à dormir debout. Que cet étrange garçon essaie de me faire peur avec ses prêtres enterrés vivants ne me gênait pas. Mais sa façon de titiller ma poitrine avec son bâton commençait à m'agacer sérieusement.

Il me dit que les prêtres prisonniers de leur cercueil gardaient tout le temps les yeux ouverts.

– ... attendant qu'on les trouve, espérant revoir le soleil. Parfois, ceux qui avaient eu la chance d'être délivrés

91

étaient pour toujours incapables de fermer les yeux. Toute leur vie, ils les baignaient dans l'eau froide pour les empêcher de se dessécher, pour préserver leurs pauvres paupières si longtemps écarquillées par l'angoisse de mourir de façon abominable tandis qu'ils tapaient sur le bois de leur cercueil. Tap, tap.

J'attrapai au vol son bâton qu'il pointait encore sur moi et je lui dis :

— Si tu continues, je te botte le cul avec ton bambou et je te ramène chez toi à cloche-pied.

Impressionné, il me demanda mon nom. Puis, avec un petit sourire :

— Roscoe Bird, le fils du pêcheur... Je m'appelle Peter ; Peter Augustus Tummelier.

Il détacha les syllabes avec soin, ce qui donna : «Tom-eu-liai», et me tendit la main :

— J'ai presque neuf ans.

Je serrai sa main. La nuit tombait, j'avais peur. Je lui annonçai qu'il fallait que je rentre chez moi.

— Minute. Je vais te montrer quelque chose, Roscoe.

Il rit en prononçant mon prénom.

— Oui, quoi ?

— Lorsque tu m'as vu, je cherchais une de ces tombes de prêtres. Mais j'en ai déjà découvert une. Le corps y est toujours.

— À d'autres.

— Tu me croiras si je te montre ?

— Nous verrons.

Il m'entraîna vers un coin de la plage, jusqu'à un trou creusé dans le sable, une fosse de la dimension d'une tombe au fond de laquelle on apercevait des planches. Il chuchota :

— Le corps du prêtre se trouve sous ce couvercle.

— À d'autres, répétai-je.

— Il est peut-être encore vivant... tap, tap, tap.

Je m'apprêtai à éclater de rire lorsque j'entendis un bruit semblable au choc de phalanges contre le bois. Je restai pétrifié. Tout d'un coup, les planches se mirent à bouger ! Avant que j'aie eu le temps de tourner les talons pour m'enfuir à toutes jambes, quelqu'un, sous les planches, se redressa et hurla :

– Sauvez-moi ! Sauvez-moi !

J'étais tellement terrorisé qu'un jet d'urine coula entre mes cuisses. Je reculai. Le « cadavre » émergea du trou. Bras tendus dans ma direction, ses pieds martelant lourdement le sable comme Frankenstein dans un mauvais film, il répéta d'une voix caverneuse :

– Sauvez-moi ! Sauvez-moi !

Je détalai, poursuivi par leurs rires : celui de Peter et celui de Richard, son frère aîné âgé de douze ans, qui venait, sous mes yeux, de bondir hors de la tombe. Ils avaient imaginé cette farce macabre pour terrifier le fils du pêcheur au point de lui faire faire pipi dans sa culotte. Et, bien sûr, cela avait marché au-delà de toute espérance.

*

Tandis que je parlais, Marianne et moi avions achevé la bouteille de vin. Mon récit terminé, elle se montra surprise à l'idée que j'aie accepté de nouer des liens d'amitié avec les Tummelier après le tour qu'ils m'avaient joué.

– Ils me fascinaient. Je voyais en eux des êtres venus d'un autre monde, avec leur physique dissemblable, Peter petit et brun, Richard grand et blond, sans compter leur accoutrement grotesque, ces tuniques blanches à la Nehru, leurs canotiers de paille, leurs pantalons gris, leurs chaussures de cuir au bout pointu. Je t'ai déjà parlé de tout cela.

– Parle-m'en encore.

– Je ne cessais de me demander s'ils avaient réellement conscience d'être ridicules et je découvris par la suite qu'ils ne s'en rendaient pas compte. Leurs parents les tenaient à l'écart de toute influence extérieure : ni télévision ni magazines. D'un autre côté, ils étaient trop singuliers pour se lier avec les autres gosses de riches qui ne pensaient qu'à jouer – au golf, au tennis, à des charades, à la chasse au trésor ou aux navigateurs sur leurs bateaux à voile – alors qu'eux ne s'intéressaient qu'aux histoires de fantômes, aux séances de spiritisme et aux récits de crimes effroyables. Chaque fois que je me trouvais avec eux, j'avais l'intuition qu'il allait se passer quelque chose. L'été qui suivit ma rencontre avec Peter, lui et Richard me révélèrent qu'il existait dans l'île une maison hantée, une pension de famille où un homme avait assassiné sa femme. On affirmait qu'il l'avait étendue de force sur une table avant de lui ouvrir la cage thoracique avec un marteau et un burin pour en extraire son cœur qui battait encore. Cette femme l'avait cocufié avec son meilleur ami, précisa Richard, qui dut m'expliquer ce que signifiait ce mot. L'homme lui dit qu'elle lui avait brisé le cœur et que, pour la punir, il allait lui ôter le sien. Il la traita de « sans cœur ». Puis, sans tenir compte de ses hurlements et du sang qui giclait sur la table, il en fit pour de bon une sans-cœur.

— Ce Richard était timbré, me dit Marianne.

— Oui, il était plus bizarre encore que Peter. En fait, après mon départ de l'île d'Hambriento en compagnie de ma mère et de mes sœurs, on l'envoya dans un établissement pyschiatrique en Europe.

Ce détail piqua sa curiosité.

— Que s'était-il passé ?

— Je ne l'ai jamais su. J'étais à Saint Louis lorsqu'on l'expédia là-bas et Peter ne m'en a jamais parlé. Quoi qu'il en soit, je devais avoir neuf ou dix ans lorsque Richard et Peter m'avouèrent qu'après avoir découvert cette maison hantée, ils avaient volé la table où le meurtre avait été commis. Depuis, ils s'en servaient pour leurs séances de spiritisme. Ils m'invitèrent à assister à l'une d'entre elles. Ils se montraient très révérencieux envers ce témoin du crime. Il s'agissait d'une simple table de pin dont on avait gratté le dessus. Pourtant, on y voyait encore une grande traînée rouge. Je pensai tout d'abord qu'ils me faisaient marcher, qu'ils avaient acheté ce vieux meuble dans une salle des ventes avant de le badigeonner de peinture rouge. Mais je perdis mon cynisme au fil des séances. Il se passa des choses, des choses que je ne peux pas expliquer.

– Quel genre ?

Un frisson me parcourut, semblable à celui que, selon ma grand-mère qui raffolait de ce mauvais jeu de mots, provoque une poule foulant la tombe d'un mort : la chair de poule.

– Roscoe ?

– Peter et Richard appelaient l'esprit, celui qu'ils avaient nommé « tap tap » et qu'avaient invoqué pour la première fois à Hambriento ces prêtres enterrés vivants. Parfois, la table leur répondait. D'autres fois, elle bougeait. Je refusais de croire à l'évidence. Je persistais à dire que Peter et Richard me faisaient encore marcher, qu'ils donnaient de petits coups de genou sous le bois, mais les faits étaient là et je fus bien obligé de les admettre. En dépit de mes dénégations, je finis par y croire, par me persuader qu'ils entraient en contact avec une entité surnaturelle. J'étais... captivé. Terrifié mais captivé. Par la suite, ils m'affirmèrent qu'ils avaient convaincu l'esprit de se glisser dans leur corps. J'en restai pantois. Les heures que je passai devant cette table furent les heures les plus effrayantes de ma vie. Je cessai d'assister aux séances après avoir entendu notre curé, le père Mueretto, nous expliquer au catéchisme que nous ne devions pour rien au monde jouer avec les forces surnaturelles, car chaque fois qu'on les invoquait, on envoyait un signal lumineux vers l'enfer. Passe encore si on ne le faisait qu'une fois ou deux. Cela pouvait n'avoir aucune conséquence. Mais des tentatives répétées de contacts avec des êtres surnaturels qui n'étaient pas Dieu – car on n'a, dans le monde spirituel, le choix qu'entre

Dieu et le Diable – risquaient de réveiller des démons, de libérer des forces maléfiques. Le prêtre nous disait que participer à ces séances équivalait à prier le Diable. Et si Dieu, ajoutait-il, se montre sensible à nos prières, pourquoi Satan n'agirait-il pas de même ? Donc, lorsque Peter et Richard m'invitèrent de nouveau à l'une de leurs séances, qui avaient lieu presque chaque nuit autour de ce qu'ils appelaient la "table du crime", je leur répétai ce que nous avait dit le père Mueretto. Je leur affirmai que ces séances pouvaient très bien libérer des démons qui, dès lors, viendraient jusqu'à nous. Tu sais ce que me répondit Richard ? Il se pencha vers moi à me toucher et me dit : "Exactement."

Marianne fronça les sourcils avec une moue très explicite. Elle ne voyait pas ce que le commentaire de Richard avait de répréhensible.

– J'ai plus de sympathie pour les frères Tummelier que pour ton père Amaretto.

– Mueretto, rectifiai-je, réalisant un peu tard qu'elle avait fait exprès d'écorcher son nom.

– Ton curé essayait d'étouffer en vous toute curiosité. Il me fait penser à ces cartes d'autrefois mettant les navigateurs en garde contre les mers inexplorées : « Au-delà de cette ligne, danger : monstres. » C'est de cette ignorance que sont nées les religions, filles de la peur et de la superstition. En fait, je pense que, dans leur bizarrerie, les frères Tummelier cherchaient la connaissance. Leurs séances étaient...

– Nous n'allons pas commencer à discuter de l'Église catholique.

– Entendu, dit Marianne.

En bonne intellectuelle, elle s'acharnait à découvrir pourquoi les gens agissaient d'une certaine façon, pourquoi ils pensaient ce qu'ils pensaient, et ses analyses étaient d'une rigueur absolue. Les rares fois où elle avait assisté à la messe avec moi, j'avais eu droit, ensuite, à un flot de questions. Quelles pensées m'avaient traversé l'esprit lorsque j'avais communié, étais-je vraiment persuadé d'avoir reçu le corps du Christ ? Qu'est-ce qui, pour moi, relevait tout bonnement du symbole et véritablement du surnaturel ? Croyais-je à la magie ? Je n'avais jamais pu lui répondre de façon claire. Qui peut expliquer la foi ? Pas moi, en tout cas.

Mais la curiosité de Marianne faisait partie de ce qui m'attirait tant chez elle : son enthousiasme pour les idées nouvelles, la façon dont son visage s'éclairait lorsqu'elle défendait son point de vue ou, au contraire, contestait celui de son interlocuteur. Elle était incapable du moindre artifice.

Ce côté direct provoquait parfois entre nous des incompréhensions et des malentendus dans certains domaines : la religion, tout d'abord ; et puis le sexe. Marianne aimait faire l'amour tout comme elle aimait disputer une partie de tennis acharnée ou nager jusqu'à en être trempée jusqu'à la moelle. Qu'elle se montrât férocement athlétique ou douce et tendre, l'essentiel consistait pour elle à prendre sa décision et à aller jusqu'au bout. Mais l'illusion, le fantasme, tout cela la concernait peu et mes tentatives pour mettre un peu de fantaisie dans nos rapports aboutissaient généralement à un désastre, comme lorsque je lui avais suggéré, le jour de notre anniversaire de mariage, l'année précédente, d'enfiler, avant de se mettre au lit, des dessous outrageusement érotiques. Elle accepta et, le soir, gagna notre chambre. Quelques instants plus tard, elle m'appela. Je m'attendais à la découvrir sanglée dans une ceinture de cuir, un fouet à la main. Au lieu de cela, je la trouvai allongée sur le lit dans un déguisement de clown qu'elle avait loué chez un fripier : nez rouge, hideuse perruque multicolore, gigantesques chaussures. Je dois reconnaître que c'était drôle, surtout quand elle pressa en cadence la poire de caoutchouc de sa corne de clown tout en faisant l'amour, mais ce n'était pas exactement ce que j'avais imaginé. J'aurais préféré ne la voir vêtue que d'une de ses habituelles culottes de coton et d'un de ces soutiens-gorge miniatures comme en arborent les toutes jeunes filles, menus et pleins de promesses, ornés en leur centre d'une petite fleur bleue.

Cette réminiscence produisit son effet : lorsque je me glissai dans le lit à côté d'elle ce lundi soir, elle pointa un doigt dans ma direction et s'écria :

– Roscoe, tu bandes !

Curieusement, je me sentis gêné.

– Qu'est-ce qui a provoqué ça ? demanda-t-elle.

– D'avoir pensé à toi déguisée en clown l'année dernière.

Elle rit.

– Les hommes sont si étranges à propos du sexe. Les femmes sont censées jouer les saintes nitouches qu'il faut séduire de façon romantique mais ce sont les hommes qui, en matière sexuelle, se montrent fragiles au point que nous devons les cajoler tout en réveillant leurs fantasmes et...

– Bien, bien, lui dis-je. Un à zéro.

Elle souleva les couvertures.

– Oh, je suis désolée ! Mais cela pourrait peut-être revenir. Pourquoi ne te détends-tu pas en laissant courir ton imagination ? Voyons... Qu'est-ce qui te ferait plaisir ? Une nonne coquine ? Une prostituée vicieuse ? Une écolière vierge ? Une bibliothécaire guindée ?

Elle continua de rire tout en passant en revue d'autres clichés tout aussi conventionnels. Mais son allusion à une écolière vierge me rappela – en raison, je pense, de mes récits sur mon adolescence à Hambriento – la première fille avec qui j'avais fait l'amour, Debra Rosenthal, si touchante, si timide qu'elle rougissait jusqu'aux oreilles chaque fois qu'on prononçait un gros mot devant elle. Nous avions tous les deux quinze ans. Étendus sur la plage, les doigts enlacés, nous contemplions la lune. Notre premier baiser me réserva une surprise. Je pensais que ma langue allait buter sur des dents serrées, que

Debra allait se dégager et me demander d'arrêter. Mais je m'aperçus qu'elle ouvrait grand la bouche, sa langue cherchant la mienne. Cette découverte provoqua en moi une véritable décharge électrique. Le reste se déroula en silence. Je croyais, comme tous les adolescents de mon âge, que, si on s'abstenait de commenter ou d'avouer ce qu'on était en train de faire, la partenaire ne se refuserait pas, qu'à la limite, elle ne se rendrait compte de rien. En vertu de ce postulat stupide, je ne parlai pas à Debra de la délicatesse de son bronzage, ne cherchai pas à exprimer par des mots l'excitation que je ressentis en baissant le haut de son costume de bain, faisant apparaître ses seins sous la lune, notant leur changement de couleur qui passa du brun à un blanc immaculé, ôtant complètement le haut de son maillot pour découvrir le pourpre de ses aréoles étonnamment larges. Nous n'échangeâmes pas la moindre parole tandis que nous nous caressions avec maladresse, la tête farcie de mille interrogations sur les tailles et les odeurs, la douleur et le plaisir, à quoi s'ajoutaient des questions purement techniques – est-ce ainsi qu'on procède, dois-je pousser davantage, veux-tu que je serre plus ? – d'autres encore, que ni l'un ni l'autre ne posa et auxquelles ni l'un ni l'autre ne répondit.

En nous relevant, toujours silencieux, nous aperçûmes avec horreur un homme en uniforme qui, sur la plage, marchait dans notre direction. J'appris par la suite que la harpie de l'île, Kate Tornsel, nous avait observés depuis sa maison, si éloignée de la mer qu'elle avait certainement dû utiliser des jumelles. Le spectacle que nous lui avions offert l'avait suffisamment scandalisée pour qu'elle appelle le bureau du shérif. Le policier s'approcha de nous assez lentement pour nous laisser le temps de nous rhabiller et de prétendre ensuite que nous nous contentions de regarder la lune. Il se montra gentil avec nous, nous encouragea à rentrer chez nos parents. Il ne fit aucune allusion au fait que nous avions été observés et que quelqu'un avait porté plainte. Il ne me parla de tout cela qu'un an plus tard, lorsqu'il m'arrêta pour avoir menacé de tuer les Burton.

— Johnny Laflin !

Marianne, qui passait toujours en revue tous les fantasmes possibles, me dévisagea d'un air ahuri.

— Tu fantasmes sur Johnny Laflin ? Pourrais-je savoir qui c'est ?

— Un des amis de mon père.

— Et tu avais des fantasmes sexuels à son sujet ?

— Non, bien sûr que non.

Je me mis à rire.

— Il était un des adjoints du shérif de Floride. C'est lui qui m'arrêta lorsqu'on me surprit dans la maison des Burton avec un fusil, après le suicide de mon père. De toute façon, je devais quitter Hambriento le lendemain. Johnny interrogea les domestiques qui m'avaient trouvé dans la maison. Il enfouit son rapport dans un tiroir de son bureau, de telle sorte qu'aucune charge ne fut retenue contre moi. Ce qui me vient à l'esprit à l'instant, c'est que, si Johnny est toujours dans la police, je pourrais très bien l'appeler et lui raconter ce que Peter m'a dit à propos de sa métamorphose en vampire et du supposé meurtre des Burton. Si j'essaie d'en parler à un flic d'ici, de Washington, il me prendra pour un aliéné. Mais Johnny a bien connu les Tummelier : il comprendra tout à fait.

Marianne garda le silence. Elle posa ensuite une main sur mon épaule.

— Je me demande comment tu en es arrivé, alors que je détaillais toutes les fantaisies sexuelles imaginables, à te remémorer le nom de ce M. Laflin.

— C'était...

— Tu as rougi.

— Johnny, euh... Un an avant la mort de mon père, Johnny m'a surpris sur la plage avec une fille.

— Ah, ah !

– Il y avait à Hambriento une femme épouvantable – nous l'appelions « mémé la pédale ». C'est elle qui a prévenu la police pour se plaindre à propos de cette fille et de moi. Oh, mon Dieu !

– Quoi ?

– Kate Tornsel !

– Ta petite amie ?

– Non, non, Kate Tornsel était cette mégère qui nous a dénoncés cette nuit-là. Mais elle a également donné un coup de main aux Burton dans le sabotage de l'affaire de mon père. Elle est au moins aussi responsable qu'eux de son suicide.

– Roscoe, mon chéri, tu divagues.

– Au cours de la beuverie d'hier soir, Peter a mentionné son nom ! Il m'a demandé si je haïssais quelqu'un au point de le tuer, si je vomissais assez les Burton pour les assassiner, si je détestais Kate Tornsel au point de souhaiter sa mort.

– Tu crois qu'il pourrait s'en prendre à elle ?

– Je ne sais pas ! Je ne sais même pas s'il a fait quoi que ce soit aux Burton, mais admettons qu'il soit passé aux actes et qu'il ait maintenant l'intention de tuer Kate Tornsel. Avoir connaissance d'un crime après coup, c'est une chose... Mais si j'ai lieu de croire que quelqu'un va être tué...

– Tu ferais mieux d'appeler M. Laflin tout de suite.

– Quelle heure est-il ?

– Vingt-deux heures.

– Je crois que j'ai toujours son numéro privé.

En descendant au rez-de-chaussée, je réalisai que je n'avais pas raconté à Marianne toute l'histoire de « tap, tap, tap », que je ne lui avais pas dit à quel point j'avais peur – depuis des années, en fait – que l'esprit surnommé « tap, tap, tap » existe bel et bien et que Peter, tout comme Richard, soit capable de l'invoquer, de l'orienter vers moi. Même après avoir été convaincu par le prêtre de ne plus jamais assister à une séance de spiritisme, j'avais passé des nuits transi dans mon lit à imaginer que «tap, tap, tap» savait où j'habitais et qu'il essayait de me contacter. Je guettais, dans ma chambre, le bruit qui annoncerait sa venue. J'écoutais, j'écoutais, et je n'avais pas la moindre idée de ce que j'aurais fait si je l'avais entendu.

Pourtant, au lieu de m'éloigner des Tummelier, cette frayeur me rapprochait davantage d'eux, les rendait encore plus fascinants à mes yeux. Une part de cette fascination venait de l'excitation provoquée par la peur, de ce plaisir qui nous poussait à aller voir des films d'horreur ou à dévorer des histoires de monstres. Mais les Tummelier m'attiraient aussi parce qu'ils appartenaient à un autre monde. Je voulais en savoir plus sur leur pouvoir, leur faculté de transcender sans crainte le rationnel. Je les enviais car ils étaient réellement entrés en relation avec le surnaturel.

J'appelai, cette nuit-là, Johnny Laflin à son domicile. Après lui avoir parlé, je remontai à l'étage dans un tel état que je ne pus regarder Marianne en face. Elle devina à l'expression de mon visage que j'avais de mauvaises nouvelles à lui annoncer. Elle me demanda trois fois si je me sentais bien.

— Roscoe, est-ce que cette Tornsel a été tuée?

— Non.

Je restai immobile à quelques pas d'elle. Je savais que Marianne attendait une explication, mais j'étais incapable de trouver mes mots.

Elle quitta le lit, mit ses bras autour de moi.

— Les Burton? demanda-t-elle. Eux ont été tués?

Je me raclai la gorge.

— Ils ont disparu. Personne ne les a vus depuis deux jours. On suppose qu'ils sont morts.

— Oh, Roscoe!

— La police suspecte quelqu'un.

— Peter, dit-elle.

Ce n'était pas une question.
– Non.
– Alors qui ?
Je me résolus enfin à la regarder en face.
– Moi.

12

Le long de l'allée pavée de petits coquillages écrasés d'un blanc immaculé, Kate Tornsel, soixante-cinq ans, marche d'un pas plein de vigueur, presque martial. En ce mardi 15 mars, jour capital pour elle, elle s'est habillée d'un pantalon de coton bleu et d'une chemise elle aussi de coton, rouge à damiers. Elle porte autour du cou un foulard blanc en soie, aux pieds des chaussures de basket montantes rouges et, sur la tête, une casquette de base-ball des New York Yankees sous laquelle elle a noué ses cheveux en un chignon serré, maintenu par un peigne en écailles de tortue. Sillonné de rides minuscules autour de ses yeux gris et de sa petite bouche pincée, son visage est d'une blancheur de lait, comme celui d'un enfant. Vivant sur l'île d'Hambriento depuis quarante ans, Kate ne sort jamais au soleil sans un couvre-chef.

Ses mains et sa tête tremblent légèrement. Elle s'en moque. Ce tremblement cadre très bien avec la fascination qu'elle éprouve pour son idole, son modèle en toutes choses, une autre Kate – l'actrice Katharine Hepburn – aussi sèche, aussi peu aimable qu'elle.

Sécheresse, autorité. Telles sont les deux principales caractéristiques que son entourage prête à ce vieil oiseau de proie qui n'a jamais accepté de se marier car aucun homme, parmi ceux qu'elle a rencontrés, n'arrivait à la hauteur du seul mâle qu'elle ait jamais adoré, son Spencer

Tracy : Papa. Originaire de la Nouvelle-Angleterre, sec et pète-sec lui-même, moralisateur jusqu'au tréfonds de l'âme, d'une sévérité sans appel pour le comportement d'autrui (surtout pour la paresse et l'auto-indulgence), Papa vivait des revenus, hérités de son père, d'un brevet lié à un système compliqué de distillation des parfums utilisés dans la fabrication des eaux de Cologne et des parfums bon marché.

Enfant unique, Kate a reçu de Papa, par testament, une fortune d'un million de dollars qui, augmentant chaque année, lui assure à présent un revenu de vingt millions hors taxe. Elle a pourtant toujours fait preuve d'une extrême parcimonie. Elle n'a jamais entamé son capital. Elle n'a pas non plus donné le moindre sou aux enfants de ses cousins qui toucheront son argent à sa mort. Chaque fois que l'un d'eux se hasarde à venir lui demander une petite avance, Kate répond que l'argent facile n'a jamais aidé personne. Le malheureux quémandeur s'entend dire, avant d'être mis à la porte : « Toi qui es jeune, tu gâcherais tes chances. » Cette maxime, bien entendu, ne s'applique pas à elle, mais à des individus qui n'ont pas la chance de posséder une volonté aussi forte que la sienne, tels ses neveux à la mode de Bretagne qui deviendront, après son décès, multimillionnaires. Pour l'heure, ces quadragénaires rongent leur frein, désespérés à l'idée qu'à quatre-vingts ans, la vieille chouette aura encore bon pied bon œil et chevauchera toujours sa vieille bécane, dont ils rêvent de la voir tomber pour ne plus se relever.

Kate a fait don à l'association des propriétaires d'Hambriento d'une subvention de plus d'un million de dollars pour quadriller l'île de pistes cyclables. Son idéal, son but ultime serait de bannir tous les véhicules à moteur de l'île et de forcer chacun à rouler, comme elle, à vélo.

Comme tous les jours, c'est ce rêve qu'elle caresse avec amour en ce mardi 15 mars, traversant l'allée de coquillages en direction de la remise où trône sa précieuse bicyclette. Ce vieux clou aux pneus ballons, au cadre lourd et à une seule vitesse date des années 40, époque où Papa lui en fit cadeau. Un grand panier de fer sur le garde-boue avant, un Klaxon en caoutchouc sur le guidon : que désirer de mieux ? Kate trouve ridicules les bicyclettes modernes, avec leurs doubles plateaux et leur attirail. Elle voudrait d'ailleurs les bannir elles aussi de l'île. Mais chaque chose en son temps, se dit-elle. Débarrassons-nous d'abord des voitures.

Kate ne sait pas tenir un volant. Papa, jadis, quand elle était petite, essaya de lui donner des leçons de conduite, mais l'obligation de se concentrer à la fois sur le levier de vitesse et les pédales tout en regardant la route la rendait folle. Attitude bien normale : Kate n'avait jamais rien fait de sa propre initiative ; on lui laçait même ses chaussures chaque matin.

Ces leçons de conduite furent le seul moment où Papa perdit patience avec elle. Il devint cramoisi et hurla à perdre haleine lorsque, aux commandes de sa grande Packard, elle quitta l'allée et se retrouva dans les buissons d'azalées. Elle fondit en larmes. Pour la consoler, Papa dut la faire sauter sur ses genoux jusqu'à ce que tous deux en perdent le souffle. Il finit par lui offrir un vieux chauffeur et une bicyclette neuve.

Aujourd'hui, fidèle au puritanisme de la Nouvelle-Angleterre, elle exige que tout le monde fasse ce qu'elle fait. Elle ne doute de rien : grâce à sa force de persuasion et au pouvoir de son argent, elle ne mourra pas avant d'avoir vu l'île d'Hambriento définitivement libérée des automobiles.

Ce matin, à dix heures trente, l'association des propriétaires tient sa réunion annuelle. Kate a appris son discours par cœur. Cette année, elle va insister sur l'aspect écologique de sa croisade en faveur de la bicyclette. Son allocution débute ainsi : «Malheureusement, il en va de la pollution comme de la charité : elle commence par soi-même. Sauvons la planète, mais sauvons d'abord l'île d'Hambriento. » Elle potasse et répète sa harangue depuis des mois..

La plupart des résidents fortunés d'Hambriento possè-dent des bicyclettes et sont ravis que Kate ait financé la construction de kilomètres de pistes cyclables qui longent de jolies boutiques où l'on vend des chandails hors de prix, et traversent des jardins aux fleurs épanouies entre-tenus par des jardiniers aux genoux pleins de terre. Mais ils n'ont jamais eu l'intention de renoncer à leurs voitures. Libre à Kate de se rendre à des dîners élégants sur son vélo. Chacun a le droit d'être excentrique.

La vieille demoiselle est célèbre dans toute l'île. On l'appelle « l'égérie à la bécane » ou « Kate la Croisée » ; car, non contente de se battre pour la suprématie de la bicy-clette, elle a mené et financé des campagnes pour inter-dire la cigarette dans tous les lieux publics, rues et plages comprises, et cela sur l'ensemble de l'île, pour prohiber toute publicité en faveur des quelques restaurants et magasins autorisés à s'installer à Hambriento après l'ouverture du pont, imposer un code d'architecture dra-conien, mettre hors la loi le stationnement en ville. Elle s'est aussi battue sans succès pour entraver la construction du pont, qui n'a fait que renforcer l'afflux d'automobiles vers l'île. Cette bataille perdue lui a coûté trois millions de dollars, prélevés sur l'héritage de ses neveux à la mode de Bretagne. L'égérie à la bécane vocifère également contre la liberté sexuelle. Mais cette campagne-là lui semble difficile à organiser.

En ouvrant la porte de la remise pour sortir son vélo, Kate s'aperçoit immédiatement que le pneu arrière est à plat.

— Paco !

Ses mains et sa tête tremblent de façon inhabituelle.

— Paco !

Elle regarde sa montre-bracelet : dans quelques minutes, il sera dix heures. Or, il lui faut un quart d'heure pour se rendre à bicyclette de sa maison du bord de mer à l'église épiscopale où la réunion de l'association des principaux propriétaires de l'île doit commencer à dix heures trente. Mais elle a un pneu dégonflé. Et Kate, parcimonieuse en toutes choses, ne possède pas de vélo de rechange.

— Oui, mademoiselle Kate ?

Il a surgi de la maison, essuyant ses mains brunes avec une serviette.

«Paco», du même âge que sa patronne, travaille pour elle depuis vingt-cinq ans. Vietnamien, il répond au nom de Nguyen That Thanh, mais Kate, aussi incapable de prononcer correctement ces syllabes qu'elle le fut jadis de conduire une voiture, a décidé de l'appeler «Paco».

Elle trouve qu'avec sa petite taille et sa peau mate, il ressemble à un singe. De plus, il provoque chez elle une répulsion raciste qu'elle ne maîtrise pas. Mais, des dizaines de domestiques qu'elle a eus à son service, il est le seul à supporter ses exigences et ses caprices sans finir par lui répliquer avec une insolence qui a valu aux autres d'être mis sans préambule à la porte.

Elle se tourne vers lui avec, sur le visage, une expression féroce, pointe sans un mot un index furibond vers le pneu arrière de la bicyclette.

Paco lui répondrait bien, comme le faisait jadis son père, quelque chose de drôle, du genre : «Ce pneu n'est qu'un dégonflé.» Mais l'infirmité congénitale de Kate — une totale absence d'humour — l'empêche de se laisser aller.

— Eh bien ? demande-t-elle d'une voix rogue.

— Une épine, dit-il en se penchant vers la roue, passant un doigt autour du pneu. Démonter la roue, enlever le pneu, chercher le trou sur la chambre à air, mettre une rustine ; disons un quart d'heure.

— Un quart d'heure ! s'écrie Kate, horrifiée. Vous rendez-vous compte, monsieur Paco, que ma réunion débute à dix heures et demie, qu'il me faudra quinze minutes pour m'y rendre si je me dépêche, qu'il ne vous reste donc – elle consulte de nouveau sa montre – que dix minutes au bas mot pour réparer cette crevaison, dix minutes et non un quart d'heure comme vous venez de l'affirmer de façon ridicule ?

«Des clous», se dit-il. Mlle Kate refuse d'entendre parler de commodités aussi obscènes qu'une pompe à air comprimé. Après avoir démonté la roue et réparé la chambre à air, il devra donc regonfler le pneu à la main. En évoquant une réparation d'un quart d'heure, il se montrait exagérément optimiste : vingt minutes, voilà ce qu'il lui faudra pour venir à bout de cette corvée. Vingt minutes ou bien une demi-heure. Après tout, il n'est plus un jeune homme.

– Allez-y !

– Oui, mademoiselle. Mais cela ne pourra pas être fait en dix minutes. C'est impossible.

– Impossible ! Comment ça, impossible ? Mes ancêtres n'ont pas bâti ce pays avec des «impossible» ! Même un immigré doit savoir qu'impossible n'est pas américain !

Nguyen That Thanh fait la moue. Mais Kate n'en démord pas.

– Commencez tout de suite, s'exclame-t-elle après un autre coup d'œil à sa Timex bon marché. J'aurais dû partir à l'instant pour avoir le temps, une fois là-bas, de revoir une dernière fois mon discours. À présent, surtout si je me presse, j'arriverai en nage. Vous n'avez donc même pas dix, mais cinq minutes ! Vous me suivez, monsieur Paco ? Cinq minutes ! J'aimerais savoir à quoi vous servez ! Vous auriez dû avoir vérifié ce pneu depuis longtemps, de votre propre initiative. Dois-je être perpétuellement derrière mon personnel ?

Paco rentre humblement la tête dans les épaules. Lorsque Mlle Kate se met dans des états pareils, nul ne sait quand elle se calmera. À coup sûr, elle va rater sa réunion.

Elle finit par se taire pour reprendre son souffle. Paco en profite pour proposer de fourrer le vélo dans son break, de laisser la vieille demoiselle à l'église épiscopale, d'emmener la bicyclette chez le réparateur pour la déposer ensuite devant l'église où Kate pourra la reprendre à la fin de la réunion. Excellente idée, se dit-il, se félicitant lui-même avec un grand sourire.

Kate réplique en le fixant avec une telle agressivité qu'il s'attend à être giflé.

— Monsieur Paco, vous n'êtes qu'un imbécile ! Je vais, à cette réunion, proposer d'interdire la circulation automobile sur l'ensemble de l'île et vous avez l'audace grotesque de me suggérer de m'y rendre dans une voiture !

Paco pense : «Ce qu'elle dit n'est pas bête.» Elle hurle de plus belle, d'une voix à la fois rageuse et pleurnicharde :

— Vous voulez que je me couvre de ridicule ! Est-ce cela que vous souhaitez, monsieur Paco ? Ou avez-vous simplement l'intention de ruiner des années d'efforts en m'empêchant d'assister à cette réunion ? Je ne vois pas d'autre explication : vous cherchez à me ridiculiser ou à saboter mon combat.

Ses yeux gris se remplissent de larmes, ses bras tremblent si fort qu'elle parvient avec peine à consulter sa montre.

— Vous ne disposez même plus de cinq minutes. J'exige que vous répariez cette crevaison sur-le-champ !

C'est totalement impossible, mais Paco ne peut pas le lui dire. Ces riches sont vraiment cinglés. Que la moindre petite chose tourne mal et le ciel leur tombe sur la tête. Une de ses amies a travaillé dix ans pour une famille du coin avant d'être renvoyée parce que le maître de maison, un matin, n'a pas trouvé de papier dans les toilettes après avoir fait ses besoins. Lorsque des choses comme ça nous arrivent, songe Paco, nous disons : «La barbe !» Ensuite, nous marchons en canard vers l'endroit où l'on emmagasine le papier et nous prenons un nouveau rouleau. Il n'y

111

a pas de quoi en faire un drame. C'est la vie. Mais pour ces riches, rien ne doit jamais aller de travers. Quand il fait chaud, ils s'en vont là où il fait froid. Quand il fait froid, ils partent pour un pays chaud. Dans les deux cas, des maisons confortables les attendent. Pour eux, le temps est toujours idéal. Ils trouvent la table mise, la vaisselle propre, des vêtements bien repassés, des factures payées sans qu'ils s'en préoccupent, du papier immaculé dans les toilettes. Ils n'ont qu'à se torcher, et encore : dès qu'ils deviennent gâteux, c'est nous qui les essuyons. Une vie de rêve. Alors, si le plus petit détail cloche, ils tombent dans les pommes. Un rouleau de papier manquant, un pneu crevé et ils vous cassent la tête contre le mur, vous arrachent les cheveux, rassemblent leurs domestiques et en virent un au hasard en hurlant au complot.

D'une démarche mal assurée, Kate Tornsel se dirige vers une clôture de tek des tropiques toute proche et s'y appuie en soupirant :

– Je suis perdue.

En dépit de ce qu'il pense d'elle, Paco se sent désolé pour sa patronne. Après avoir regardé sa montre, dix fois plus chère que celle de Kate, il hasarde une suggestion.

– Il est dix heures dix. Je pourrais vous conduire toutes les deux, vous et votre bicyclette, chez le réparateur, en cinq minutes. Avec le matériel dont il dispose, il réparera votre chambre à air en cinq minutes, six au maximum. Sa boutique se trouve juste à côté de l'église. Vous y serez, à vélo, en deux ou trois minutes. Vous arriverez donc à l'heure, et à bicyclette.

Kate l'a écouté avec une moue de mépris, avant de réaliser que ce qu'il disait tenait tout à fait debout. Retrouvant son ton péremptoire, elle déclare :

– Très bien ! Prenez le vélo et dépêchez-vous ! Et cessez de lambiner, comme toujours.

Pendant le trajet, requinquée, elle accable Paco de réflexions sur l'« infantilisme » des gens de sa sorte.

— Avec des gens comme vous, lui dit-elle, il faut tout faire : on vous paie, vous habille, vous loge, vous nourrit, on s'occupe de vous, on vous assure une couverture sociale. Comment s'étonner que vous ne voyiez pas plus loin que ce qu'il y a dans votre assiette ?

Minuit. Kate est assise sur le rebord de son lit, ses cheveux gris dénoués, des pantoufles bon marché aux pieds. En chemise de nuit, sans robe de chambre, devant un plateau acheté dans une grande surface, elle dévore une énorme salade, son premier repas de la journée.

Elle n'a pas touché au buffet servi après la réunion des propriétaires. Elle est connue pour ne jamais manger en public. La vue de ceux qui s'empiffrent la met hors d'elle. Même les gens de son milieu peuvent se comporter comme des goinfres. S'il ne tenait qu'à elle, elle autoriserait les habitants de l'île à ne dîner qu'en privé.

Son discours a porté. Même si les membres du comité n'ont pas retenu l'interdiction totale de la circulation automobile, ils ont proposé de ne permettre l'accès d'Hambriento qu'aux véhicules d'urgence et de livraison, pour une période d'essai d'une semaine. Ce comité, auquel Kate appartient, fera part de ses conclusions lors de la réunion de l'année prochaine.

Mais le grand choc, cette année, a été causé par la proposition d'une femme qui, quoique membre du conseil exécutif, ne fait certainement pas partie de «notre monde», une intrigante, sans doute, qui ne s'est mariée que pour l'argent. Cette dame a proposé à l'association de se lancer dans une campagne de charité et de récolter des fonds en organisant des soirées à thème, du genre «Fantaisie en blanc», où tous les participants s'habilleraient uniquement de blanc, une réplique du bal de Gatsby le Magnifique ou encore une «Nuit des Oscars», avec projecteurs, tapis rouges et une véritable cérémonie au cours de laquelle on distribuerait l'Oscar du meilleur costume ou du donateur le plus généreux, etc.

Tout le monde a trouvé cette idée excellente jusqu'au moment où il fut question de savoir en faveur de qui on organiserait ces soirées. Un vieil homme défendit avec passion la lutte contre le cancer des chiens, arrachant des larmes à l'assistance en racontant la mort de son caniche nain. Mais lorsque la «dame» en question proposa à l'association de se consacrer à la lutte contre le sida, elle provoqua un beau chahut.

— Qu'arrivera-t-il, demanda un résident, si nous donnons notre argent à ces «gens-là» et s'il leur prend la fantaisie de vouloir venir ici nous remercier? Allons-nous nous asseoir à leur table et manger avec eux?

— Pis encore, surenchérit un autre. Si notre île leur plaisait, s'ils décidaient de s'y installer?

— La meilleure façon de combattre le sida, déclara un propriétaire particulièrement indigné, serait d'obliger tous les employés travaillant pour nous sur cette île à passer un test de dépistage, de licencier et de bannir tous les gens infectés.

Assise à la table des intervenants, Kate les écoutait en haussant les épaules. Trêve de balivernes. Ce qui comptait, à ses yeux, c'était son projet: bannir les automobiles de l'île, n'y autoriser que les bicyclettes. Tandis qu'ils s'égosillaient, elle rêvait: cette lutte qu'elle menait la rendrait peut-être célèbre. Peut-être aurait-elle même droit à des interviews à la télévision?

À présent, il est minuit. Engloutissant sa salade, elle évoque avec délice cette gloire à venir. Papa serait si fier de sa croisade! Il serait si heureux, aussi, de la voir se comporter vis-à-vis des journalistes avec un dédain plein de noblesse! S'ils sollicitent des interviews, pense-t-elle, je leur rirai au nez, tout comme «l'autre» Kate. Je leur répondrai avec un petit sourire: «Ne soyez pas ridicules.»

Tap, tap.

Le bruit vient de l'armoire.

Kate cesse de manger, tend l'oreille.

Tap, tap.

Des souris, sans doute. Il faudra qu'elle demande à Paco de poser des souricières. Dieu sait pourtant que l'idée de ce petit homme aux mains de singe fouinant dans ses affaires lui répugne...

Tap, tap.

Tap, tap.

Tap, tap.

Tap, tap.

13

Réveillé vers minuit, je restai étendu dans mon lit, guettant les bruits. Si mince est le vernis de l'âge adulte... Le mien, profondément entaillé depuis vingt-quatre heures, se craquelait de plus en plus. Ainsi me retrouvais-je replongé dans mon enfance, de retour chez moi après une séance avec les frères Tummelier, terrorisé à l'idée d'entendre, dans ma propre chambre, le tapement produit par « la table du crime », terrifié mais aussi, d'une certaine façon, désireux de l'entendre. En cet instant, l'enfant et l'adulte se rejoignaient. L'enfant que j'avais été implorait du Ciel une protection contre l'esprit « tap, tap » et les autres monstres nocturnes ; mais l'adulte que je prétendais être devenu pensait au Magnum 357 de mon père que, sans l'avoir jamais dit à Marianne, j'avais enfermé dans un coffre de bois dissimulé au grenier. Si je lui avais révélé l'existence de ce pistolet, sa fascination pour les motivations psychologiques m'aurait valu d'innombrables questions. Ne trouvais-je pas étrange de ma part le fait de garder près de moi l'arme avec laquelle mon père avait mis fin à ses jours ? Quelle valeur lui attribuais-je ? Quel rôle tenait-elle dans ma vie ? Celui d'un talisman, d'un porte-bonheur, d'un symbole de puissance ? Je n'aurais pas pu lui fournir la bonne réponse. J'aurais même été incapable de lui expliquer pourquoi, à la fin de mes études, j'avais demandé à mon oncle de me confier cet objet, ni pourquoi je le gardais depuis tant d'années.

Je savais simplement que j'aurais donné tout l'or du monde pour, à ce moment précis, le sentir bien calé dans ma paume. J'avais l'impression d'être en danger et l'arme de mon père m'aurait réconforté.

Couché dans mon lit, je cherchais à comprendre l'attitude de Peter à mon égard. Je me mis à le haïr pour ce qu'il était en train de faire. Son amitié devenait plus qu'encombrante.

«Pourquoi n'est-il pas mort?» me dis-je.

Je regrettai aussitôt cette impulsion, qui me parut pitoyable et mesquine. Peter était plus qu'un ami pour moi. Jadis, je l'avais même considéré comme mon frère.

Pendant près de quatre ans, entre notre douzième anniversaire et le moment, où, à seize ans, je quittai Hambriento, il avait passé plus de temps auprès de ma famille qu'avec la sienne, courtisant mes sœurs, partant en mer avec mon père et moi, partageant nos repas. Loin de me moquer de ses étranges accoutrements, je l'accompagnais dans les boutiques pour l'aider à en choisir d'autres. Je lui appris l'argot, lui enseignai les poses insolentes *de rigueur,* comme disent les Français, chez les jeunes gens dans le vent. Ensemble, nous découvrîmes le goût des cigarettes, le plaisir de cracher et de jurer. Mais, de toutes les joies de l'adolescence que je lui fis découvrir, une chose le marqua par-dessus tout : le rock and roll. N'ayant pas le droit d'écouter ce genre de musique chez lui, il ignorait tout des succès du jour, des groupes à la mode. Écouter du rock dans ma chambre, le son poussé à fond, changea son existence.

Il aimait les vieux tubes : «Reach Out I'll Be There», des Four Tops, «Hanky Panky», par Tommy James et les Shondells, «Jam Up Jelly Tight», de Tommy Roe, mais surtout les chansons de Mary Wells, de Martha Reeves et des Vandelles, sans compter celles des Shangri-Las. Il connaissait ces airs par cœur. Le premier vers de «Give Him a Great Big Kiss», des Shangri- Las : «Quand je dis que je t'aime,

118

tu ferais mieux de me croire, de me croire», devint une phrase fétiche qu'il citait en toute occasion, aussi bien pour complimenter ma mère sur sa cuisine que pour faire rougir mes sœurs.

Aurais-je à parler de tout cela si Peter se retrouvait devant un tribunal, me demanderait-on d'expliquer les raisons de ses sentiments obsessionnels à mon égard, qui nous amenèrent à devenir des frères? Aurais-je à raconter ce qui se produisit alors que j'avais presque seize ans, la nuit où je rentrai chez moi après un rendez-vous qui s'était terminé par un flirt très poussé d'autant plus frustrant que je n'avais pas pu passer à l'acte? Peter, qui dormait chez moi ce soir-là, m'interrogea sur mes prouesses. Je lui répondis en évoquant mes testicules aussi douloureux que si j'avais reçu un coup de pied mal placé. Peter n'avait guère de notions à ce sujet. Mais lorsque je l'eus mis au parfum, il me dit: «Si ce n'est qu'un problème mécanique, à quoi servent les amis?» Aurais-je à raconter cet épisode à la police, devrais-je confirmer cette histoire?

Non, je ne voulais pas sa mort. Mais je ne souhaitais qu'une chose: qu'il disparaisse de mon existence.

Quelques jours avant le suicide de mon père, je surpris une conversation entre lui et Peter. Mon ami pleurait, suppliait mon père de l'adopter de façon légale, de prendre un avocat, de remplir tous les papiers nécessaires. Il lui fallait à tout prix fuir Richard. Mon père lui demanda pourquoi. Peter répondit qu'il ne pouvait rien dire, qu'il serait tué s'il parlait.

Mon père lui donna sa parole en disant: «La parole de Bird Curtis a mille fois plus de valeur que n'importe quel parchemin. Elle est immuable. On peut changer une disposition légale. Mais aucun tribunal ne me fera revenir sur un serment.» Il ajouta qu'à partir de cet instant Peter Tummelier faisait officiellement partie de la famille Bird.

— Tout ce dont tu auras besoin ici est à toi. Quiconque te cherchera querelle me trouvera sur son chemin. Je mourrai pour toi s'il le faut ; je tuerai pour toi. Quoi qu'il arrive, confie-toi à moi. Désormais, cette maison est la tienne. Nous n'avons pas besoin de paperasse pour ça.

Ni lui ni Peter ne savaient que je les écoutais. Je décidai quand même que ce serment s'appliquait à moi, que Peter était devenu mon frère par le sang.

Mon père se tua trois jours plus tard. Et je n'avouai jamais à mon ami que je le considérais comme un frère.

Je restai chez moi ce mardi, attendant un coup de téléphone de Floride, un message m'annonçant qu'on venait de l'arrêter et qu'on me convoquait pour un interrogatoire, ou, au contraire, qu'il n'avait pas été pris mais que c'était moi qu'on recherchait pour meurtre.

En rentrant de l'université en fin d'après-midi, Marianne me trouva en train de faire de la gymnastique dans la chambre. Je lui dis que je tentais de me débarrasser de ma nervosité ; en fait, je pensais à la prison. Il valait mieux entretenir ma forme si je devais, une fois incarcéré, me défendre contre d'autres détenus. Je finis par l'avouer à Marianne, qui me traita en riant de paranoïaque. Jamais je ne me retrouverais derrière les barreaux, ajouta-t-elle. Bien sûr, Peter se montrait encombrant. Mais il n'irait pas jusqu'à me faire accuser à sa place. Ce genre de choses n'arrivait jamais dans la vraie vie. Un esprit supérieur comme le mien ne tomberait pas dans un piège de ce genre.

«Esprit supérieur», pensai-je. Voilà qui définit très bien Peter.

Marianne et moi ne cessâmes de parler du coup de téléphone de la nuit précédente à Johnny Laflin, qui aurait dû me laver de tout soupçon, remettre les choses en ordre et qui, au lieu de cela, m'avait plongé dans le plus profond désarroi.

Étendu à minuit dans mon lit, guettant ce bruit maudit – tap, tap – je passai et repassai cette conversation dans ma tête.

— John Laflin ?

— Lui-même.

— S'agit-il de ce même John Laflin qui est tombé jadis d'un bateau à fond plat en essayant de remonter un barracuda d'au moins deux mètres de long ?

— Non... C'est... Roscoe ?

Il prononça mon nom comme un secret.

— Johnny. Au bout de vingt ans, tu es toujours au même numéro. Je n'arrive pas à y croire. Je pensais que j'aurais à téléphoner mille fois aux renseignements pour te retrouver.

— Où es-tu ? Ici, en Floride ?

— Non, j'appelle de Washington, depuis ma maison, notre maison. Je suis marié depuis six ans.

— Félicitations, dit-il sans enthousiasme. Que me vaut le plaisir de ton coup de fil ?

— C'est au sujet des Burton.

— Seigneur !

— Qu'y a-t-il ?

Il me fit alors une déclaration stupéfiante.

— Tu vas me dire où sont les corps.

Je me sentis glacé.

— Les corps ?

— Continue.

— Que je continue quoi ?

— Sur les Burton, murmura-t-il de façon dramatique.

— Je ne sais rien à propos de leurs corps.

Silence.

— Johnny ?

Nouveau silence.

— Que leur est-il arrivé ? criai-je.

— Ils ont disparu dans la nuit de samedi. Une de nos équipes d'enquêteurs travaille sur l'affaire depuis hier, dimanche.

— Quel rapport avec leurs corps ?

— Cette équipe... Bon sang, je ne devrais même pas te parler. As-tu déjà appelé quelqu'un de la police ?

— Non, je...

— Nos enquêteurs pensent que les Burton ont été assassinés, qu'on a emporté leurs corps hors de chez eux pour les enfouir quelque part.

Mon Dieu, Peter disait donc la vérité.

— Roscoe, tu es là ?

— Pourquoi crois-tu que je devrais savoir quelque chose à propos des corps ?

Pas de réponse.

— Johnny ?

Une sueur froide mouillait mes aisselles.

— Pourquoi appelles-tu ? demanda-t-il.

Je repris mon souffle avant de répliquer avec précautions :

— C'est à propos de Peter, Peter Tummelier.

— Continue.

Je lui racontai tout. Que Peter était devenu fou au point de se prendre pour un vampire, d'affirmer avoir tué les Burton et vouloir que je lui serve de navigateur à l'occasion d'une vaste croisière en sa compagnie. Mes révélations terminées, j'avais la bouche si sèche que mes lèvres, lorsque je me tus, restèrent collées. Il fallut quelques secondes à Johnny pour tout enregistrer. Il dit enfin :

— Ces Tummelier ont toujours formé une famille bizarre, non ? Je n'ai jamais compris ce que toi et ton père trouviez à ces deux garçons. Tu aurais dû m'appeler tout de suite.

— Je ne l'ai vu que la nuit dernière. Dis donc, Johnny, si un type se pointe et commence à raconter qu'il est devenu un vampire, est-ce qu'on est vraiment obligé de le prendre au mot ?

— Tu l'as vu hier soir à Washington ?

— Oui.

— Dimanche soir ?

— Oui.

— Et tu n'es pas revenu en Floride ?

– Non. La dernière fois que j'ai vu Hambriento, c'est le jour où j'ai quitté l'île avec ma mère et mes sœurs. C'est même toi qui nous as conduits à l'aéroport.

– Bon. Je vais te dire quelque chose de tout à fait confidentiel.

Il se tut un instant, comme s'il hésitait à poursuivre. Puis :

– Les enquêteurs ont trouvé des traces de sang et de sperme dans le lit des Burton et, comme je te l'ai dit tout à l'heure, nous traitons cette affaire comme un homicide, dans la mesure où les corps ont disparu.

Laflin hésita de nouveau.

– Il y a autre chose, Roscoe. On a retrouvé une vieille carte de visite de ton père sur le sol de la chambre.

– Seigneur !

– Donc, il y a peut-être un rapport.

– Bien sûr qu'il y a un rapport ! Peter a laissé cette carte exprès ! Il essaie de me mouiller.

– Et puis ?

– Tu dois tout me dire, Johnny !

– Ce n'est pas très prudent de ma part. Tu fais partie des suspects.

– Quoi ?

– La routine. Tu as pénétré dans la maison des Burton cette nuit-là.

– Il y a vingt ans ! Nom de Dieu, j'avais seize ans !

– Calme-toi et écoute-moi. En cas d'homicide, on cherche toutes les personnes qui, un jour ou l'autre, ont menacé la victime. Il y a vingt ans que tu as pénétré par effraction chez les Burton, un pistolet à la main, mais les gens s'en souviennent.

– Toi, tu t'en souviens.

– Que veux-tu dire ?

– Je veux dire qu'il n'existe aucune trace écrite de cet épisode, aucun document qui puisse aiguiller les enquêteurs sur moi. Mais toi, tu t'en souviens. C'est toi qui en

123

as parlé à tes sbires, toi qui leur as dit : « Fouillez un peu du côté de Roscoe Bird, il a autrefois menacé de tuer les Burton. » Je me trompe ?

— Hambriento fait partie de ma circonscription. Les enquêteurs sont venus me demander si quelqu'un, par hasard, avait un jour menacé les Burton. Que voulais-tu que je réponde ?

— Qu'un adolescent les avait effectivement menacés, mais vingt ans plus tôt, qu'il était en état de choc, que son père, un de tes meilleurs amis, venait de se suicider. Ce n'est pas le genre de menace qu'on prend à la lettre, surtout au bout de vingt ans. Voilà ce que tu aurais dû répondre.

Johnny garda le silence un long moment.

— Tu es toujours là ? lui demandai-je.

— Ils font quelques recherches sur toi, c'est tout.

— Des recherches ?

— Oui. Hier, ils ont appelé ton bureau pour être sûr que tu ne t'étais pas fait porter manquant la semaine dernière. Mais comme les Burton ont été tués dans la nuit de samedi, ils ont enquêté auprès des compagnies aériennes pour vérifier qu'aucune personne voyageant sous ton nom n'a fait un saut jusqu'ici au cours du dernier week-end.

Je me sentais en état de choc, comme si on venait de m'apprendre que j'étais atteint d'un cancer. On enquêtait sur moi, on me soupçonnait de meurtre.

— La routine...

— Arrête de parler de routine. Ce n'est pas de la routine pour moi !

— Dis donc, Roscoe, tu ferais mieux de...

— Je ne suis pas allé en Floride. Les compagnies aériennes l'ont confirmé, oui ou non ?

— Roscoe, tu devrais plutôt parler de ça avec...

— Johnny !

— Ton nom n'est pas encore apparu, mais on n'a pas, pour l'instant, contacté toutes les compagnies. De toute façon, on peut très bien voyager sous un faux nom.

— Je ne crois pas un mot de tout cela. Quand comptais-tu m'annoncer qu'on me soupçonnait de meurtre ?

— Je ne travaille pas sur cette affaire ; ce n'était pas à moi de te mettre au courant. D'un autre côté, l'enquête n'a commencé qu'hier. Personne ne sait rien de précis.

— Mais je suis quand même suspect, non ?

— Pas pour longtemps. Tu as un alibi à propos de samedi, une preuve que tu te trouvais à Washington ?

— J'étais avec ma femme.

— Le témoignage d'une épouse ne pèse pas lourd. Rien d'autre ?

— Je vois.

— Tu vois quoi ?

— Tu espères peut-être qu'on t'intégrera dans leur équipe d'enquêteurs de première classe si tu arrives à te servir de notre amitié pour...

— Tu n'es pas très gentil, Roscoe.

Sa voix était calme, mais amère.

— Combien de fois t'ai-je sorti du pétrin, hein ? Ton père était mon meilleur ami et je t'ai couvert au moins deux fois : lorsque que tu aurais pu te retrouver en taule pour avoir pénétré chez les Burton en brandissant un pistolet ; souviens-toi aussi de la nuit où Kate Tornsel vous a dénoncés, ta petite amie et toi.

— Tornsel !

— Oui ?

— C'est aussi à cause d'elle que je t'appelais. Il ne s'agissait pas uniquement des Burton. Je voulais te prévenir que Peter est peut-être en route pour la Floride, avec l'intention de tuer également la vieille demoiselle.

— Mon Dieu, il t'a parlé de ça ?

— Pas de façon aussi explicite.

— Mais qu'a-t-il dit exactement ?

— Il m'a demandé si je haïssais quelqu'un assez pour le tuer, si je détestais les Burton de cette façon. C'est à ce moment-là qu'il a mentionné Kate Tornsel. Il m'a demandé si je la haïssais elle aussi au point de souhaiter sa mort.

— Qu'as-tu répondu ?

— Que je ne haïssais personne au point de vouloir sa peau.

— Et cela se passait dimanche, au cours de la conversation que tu as eue avec Peter ?

— Oui, hier soir.

— Tu as son adresse à Washington ?

— Non, je n'ai aucune idée de l'endroit où il loge. Mais je crois qu'il est toujours ici. Il a rendu visite à ma femme aujourd'hui alors que j'étais au bureau.

— Que lui a-t-il dit ?

— Qu'il voulait que je parte en bateau avec lui, qu'il avait un moyen de m'y contraindre.

— Il faut que j'aille chez Kate Tornsel.

— Minute. Et moi, dans tout ça ?

— Tu ferais mieux de prendre tes précautions. Tout va bientôt éclater au grand jour.

— Tout quoi ?

— Ce que tu m'as dit sur Peter, le rapport possible entre cette carte de visite et le mobile – la vengeance – du crime dans l'affaire Burton, une possible menace contre Kate Tornsel, tout. Il faut que je rédige un rapport détaillé.

— Et moi, que dois-je faire ?

— Te remémorer dans le détail ton emploi du temps, depuis que tu as quitté ton bureau vendredi jusqu'à dimanche matin : les lieux où tu t'es rendu, les gens à qui tu as parlé. Dresse une liste de tous les témoins qui peuvent assurer t'avoir vu à Washington vendredi soir, samedi et dimanche soir. Avec un solide alibi, tu auras gagné la première bataille.

— La première bataille ? Et quelle sera la seconde ?

— Prouver que Peter et toi n'étiez pas de mèche dans cette affaire.

— Pour l'amour du Ciel, Johnny. Si j'étais le complice de Peter, t'aurais-je appelé ce soir ?

126

– Je cherche simplement à t'expliquer la façon de procéder des enquêteurs. Autre chose : renseigne-toi très vite sur tes amis et collègues. Essaie de savoir qui pourrait profiter de la situation pour te plonger la tête sous l'eau. Maintenant, je te laisse. Je vais m'occuper de Tornsel. Je garderai le contact.

– Merci.

Il avait déjà raccroché.

Ainsi j'étais là, trente-six heures plus tard, dans mon lit, hanté par les fantômes de mon enfance et la possibilité de me retrouver bientôt derrière les barreaux, incapable de dormir. Pourrais-je d'ailleurs dormir de nouveau un jour ?

Bien sûr, je finis par sombrer dans le sommeil. Un peu avant l'aube, un bruit me réveilla en sursaut, des coups, des voix. Il y avait quelqu'un dans la maison. En me tournant vers la droite, je me rendis compte qu'on avait repoussé les couvertures et que Marianne n'était plus là.

14

Mardi, minuit. Repoussant la table pliante où elle a reposé son bol de salade et son verre d'eau gazeuse, Kate se lève prestement de son lit et fait un pas en direction du placard, saisissant, après un instant d'hésitation, un tisonnier près de la cheminée. Elle a toujours gardé la nostalgie de sa Nouvelle-Angleterre natale, des soirs de neige et des bûches craquant dans l'âtre. Pourtant, elle déteste le froid. En guise de compromis, tout en se fixant en Floride, elle a garni sa maison de cheminées inutiles qui lui rappellent son enfance.

Le tisonnier à la main, elle imagine déjà les questions des journalistes sur la défense héroïque qu'elle aura opposée à l'intrus qui se cache tout près d'elle, le forçant à prendre le large. Elle oublie simplement que deux conditions doivent être réunies pour que ces articles voient jamais le jour : qu'elle ait assez de courage pour affronter l'intrus et que ce personnage se montre assez galant pour s'incliner avant de déguerpir avec grâce devant une vieille femme armée d'un tisonnier, au lieu de la tuer.

Après avoir traversé la moitié de la chambre, Kate se remémore la visite que lui a rendue la nuit précédente ce policier bedonnant, Laflin. Il l'a tirée du lit pour lui demander si elle était au courant de quelque chose à propos de la disparition de Philip et de Diane. Il voulait aussi savoir si elle avait remarqué un mouvement suspect autour de sa maison, ou si elle avait été contactée par Peter Tummelier.

– Vous souvenez-vous de lui ?

Bien sûr qu'elle se souvenait. Pour qui la prenait-il ? Pour une vieille sénile ? Il lui a posé des questions sur son système de sécurité et a ajouté qu'il laisserait deux policiers au volant d'une voiture de patrouille garée devant la maison.

– La belle affaire ! s'est-elle écriée. Je ne vois pas pourquoi vous pensez que je pourrais posséder la moindre information sur la disparition des Burton, mais je suis assez grande pour m'occuper moi-même de ma sauvegarde. Où en serais-je aujourd'hui si j'avais dû faire confiance à des agents de la force publique dans votre genre ?

Laflin a insisté sur la nécessité de placer deux policiers en faction devant chez elle. Elle a répliqué vertement qu'il était libre de dilapider l'argent du contribuable dans les lieux publics, mais que, si elle apercevait un seul de ces Gestapistes en armes dans sa propriété, il aurait affaire à ses avocats.

Comment osait-il la déranger pour de telles balivernes ?

Elle a très vite oublié cette visite, tout excitée par la réunion des propriétaires. Mais à présent, à cette heure tardive, inquiète de ce tapement étrange venu du fond de l'armoire, elle se dit que Laflin n'avait peut-être pas tort. Peut-être devrait-elle l'appeler et lui demander d'ouvrir lui-même la porte de ce placard ?

– Oh et puis zut ! marmonne-t-elle. Je n'ai pas besoin de la protection de la police. Je suis assez vaillante pour me débrouiller toute seule.

Brandissant le tisonnier au-dessus de sa tête, elle se précipite vers l'armoire et l'ouvre brusquement de sa main libre. Une odeur de poisson pourri la saisit aux narines. Mais dans l'ombre du placard, personne. Bien sûr... Les intrus n'ont pas le droit de venir à Hambriento. Et jamais un cambrioleur n'aurait l'audace de...

Pourtant, au moment même où elle baisse le bras, il surgit du fond de l'armoire, écartant les vêtements pendus, et lui arrache le tisonnier. Sans lui laisser le temps de prononcer une parole, il la gifle en plein visage et envoie le tisonnier rouler au milieu de la pièce.

C'est la première fois de sa vie qu'on la frappe ! Jamais Papa ne se serait permis de porter la main sur elle. Kate n'a jamais eu à affronter la violence physique. La gifle qu'elle vient de recevoir la sidère davantage que si elle venait d'apprendre que la loi de la gravitation n'est qu'une fumisterie, que Paco a racheté sa maison et la prend comme domestique, ou toute autre aberration de ce genre.

– Vous vous souvenez de moi, Kate ?

Protégeant son visage d'une main, elle fixe ce petit homme bien habillé, assez attirant même, avec ses cheveux sombres et ses yeux plus noirs encore, ses traits harmonieux, bien dessinés, sa bouche féminine. Ce n'est sûrement pas un cambrioleur.

De nouveau, il lui demande si elle se souvient de lui.

Les propos de Laflin lui reviennent soudain en mémoire. *Cet horrible petit Tummelier.*

– Il y a longtemps, dit-il. Vingt ans...

Elle se souvient. Ces affreux garnements se livraient à des activités extrêmement louches le long de la portion de plage qu'elle voyait de sa maison et qu'elle surveillait à la jumelle. Elle avait averti le shérif. Mais tout cela était resté confidentiel et jamais...

– Vous souvenez-vous ? répète le petit homme d'une voix douce et cultivée. Ou bien avez-vous craché tant de venin dans votre vie que vous êtes incapable de vous rappeler tous ceux que vous avez éclaboussés ?

Faisant appel à tout son courage d'indomptable fille de la Nouvelle-Angleterre, Kate le regarde droit dans les yeux et dit :

131

— Vous feriez mieux de vous en aller avant l'arrivée des adjoints du shérif.

— Oh oui, je les ai vus, là bas, dehors. Ils buvaient du café.

Elle se tourne vers la porte.

— Paco ! Paco !

Il avance la main, saisit ses cheveux filandreux et gris.

— Nguyen Thanh ne vous entendra pas, répond-il calmement. Sa chambre est au-dessus du garage. Vous lui interdisez de rester dans la maison une fois la nuit tombée. Pourquoi, Kate ? L'idée d'un homme dormant sous votre toit vous paraît-elle trop... stimulante ?

Il la tire par les cheveux jusqu'au lit. Sa tête tremble si fort que Kate donne l'impression de supplier l'intrus, de murmurer : «Non, non, non», ce qui, dans une certaine mesure, est le cas.

— Je viens de la part de Dondo...

De qui ?

— ...et des Bird, lui dit-il.

Birds ? Oiseaux ? Quels oiseaux ? Elle a déjà versé des milliers de dollars à la Société de protection de la nature. S'il est venu lui demander de l'argent pour la préservation de la vie sauvage, il a une curieuse façon de s'y prendre.

L'intrus extirpe de la poche de sa veste de sport un rouleau de papier adhésif transparent, celui qu'on utilise à la poste pour fermer les paquets, si solide qu'il est impossible de le déchirer à main nue. De son autre poche, il sort un rasoir de barbier.

— S'il vous plaît...

Le ruban adhésif dans une main, le rasoir dans l'autre, il s'interrompt un instant pour la dévisager.

— Kate Tornsel disant s'il vous plaît ?

Le tremblement de tête de Kate a atteint de telles proportions que des larmes jaillissent du coin de ses yeux et se répandent sur ses joues. Le bruit que provoque le petit homme en déroulant un morceau de ruban adhésif la fait défaillir.

Avec une sollicitude surprenante, il presse un bout de ruban contre le front de la vieille demoiselle et déroule le reste tout autour de sa tête, bandant ses yeux et collant le bout de ruban sur ses cheveux, juste au-dessus de son oreille gauche. Il coupe le ruban d'un coup de rasoir. Ses mains sentent terriblement le poisson.

Les yeux grands ouverts, Kate le fixe intensément à travers le plastique transparent tandis qu'il déroule un autre morceau de ruban, en colle une extrémité sur l'arête de son nez, l'enroule encore une fois autour de sa tête, recouvrant totalement ses narines et fixant l'autre extrémité contre son oreille gauche.

La tête à demi emmitouflée dans le plastique, Kate pose une main tremblante sur l'avant-bras de l'homme.

– Que va-t-il m'arriver ? demande-t-elle.

Il déroule un autre morceau de ruban, le tranche net. Le bout de ruban pendant au centre de sa large main droite, il réfléchit un instant à la question. Il espérait une lutte. Il pensait que quelqu'un d'aussi hargneux et robuste que Kate Tornsel se battrait, crierait, renverserait les meubles. Il s'y était préparé. Un combat l'aurait stimulé, lui aurait rendu les choses plus faciles.

– Que va-t-il m'arriver ? répète-t-elle.

Que répondre ? Il se contente de hocher la tête en pressant une extrémité du ruban contre sa joue droite. Elle murmure alors :

– Je parle du Paradis. Irai-je au Parad...

Trop tard. Il vient de bloquer sa bouche, collant le ruban contre ses lèvres.

– Ce n'est pas à moi de le dire, réplique-t-il tout en enroulant le ruban autour de sa tête et de son menton avant d'en fixer le bout restant sur la partie gauche de son cou. Le visage de la vieille demoiselle est désormais entièrement recouvert.

Comme elle parlait lorsqu'il a soudainement bloqué sa respiration, elle a gardé les lèvres entrouvertes sur ses

dents jaunâtres. En se penchant vers elle, il aperçoit l'intérieur de sa bouche à travers le plastique transparent. C'est
à ce moment-là que, le souffle définitivement coupé, Kate
panique pour de bon. Sous le bâillon, ses narines palpi-
tent comme des branchies, mais pas une bulle d'air ne
pénètre dans ses poumons. Ses mains cherchent désespérément à arracher le ruban. Ses jambes, lorsque
l'homme la saisit par la taille, s'agitent dans le vide, ren-
versent le plateau, envoient à travers la pièce des feuilles
de salade et des giclées d'eau minérale.

Elle voudrait hurler, ameuter le monde entier. Mais elle
hoquette, s'asphyxie. Et lui, comme si de rien n'était, lui
parle de Dondo, de Richard, de Roscoe, du père de Roscoe... Elle s'écroule, rampe jusqu'à la porte où elle se
retrouve à genoux, ses ongles griffant le ruban avec frénésie. La bête la contemple. Son appétit balaie toute autre
forme de sentiment, sa honte, sa culpabilité. Elle va
vomir, comme lui au début, à l'époque où le goût du sang
lui soulevait le cœur. Elle saisit la poignée de la porte,
s'en sert pour se relever, suffoquant de plus en plus, cherchant pourtant à évacuer cette nausée qui l'étouffe.

Quant à lui, il s'interroge. Pourquoi la question de la
vieille femme sur le Paradis l'a-t-elle remué à ce point ?
Au dernier moment, constate-t-il, même un être aussi
égoïste et sans cœur que Kate Tornsel se soucie de
l'immortalité. Et lui ? S'en inquiétera-t-il ?

Il se précipite vers elle, la prend dans ses bras, insiste.

— Ce n'est pas à moi de répondre.

Tout d'un coup, il entend comme dans un rêve
quelques notes de piano, dont le son cristallin le ramène
à lui-même, à sa gaîté. Elle lutte à présent de toutes ses
forces. Mais lui l'entraîne, danse avec elle, pensant que,
s'il y a une justice en ce monde, il se réincarnera un jour
dans la peau d'un artiste aussi doué que Johnny Mathis.
Il fredonne :

— Ce n'est pas à moi de le dire. Écoute, écoute bien.
J'imite sa voix comme personne.

134

Avec un sourire enjôleur, il chante.

Et il accélère le pas tandis qu'elle se débat comme un chat pris au piège, l'entraîne dans une farandole folle tout autour de la chambre, chantant toujours d'une voix sirupeuse :

— Si j'en crois ce que je vois, nous sommes au Paradis.

L'estomac de Kate se contracte de façon horrible. Mais il lui est impossible de vomir. Le ruban sur la bouche l'empêche de se soulager, de crier, de respirer. Lui la serre de plus près encore, observant à travers le plastique transparent l'afflux du liquide jaune foncé chargé de relents de laitue, de carottes et de radis qui le colorent en vert, en orange, en rouge, la regardant se noyer dans sa propre bile, la pressant contre lui pendant qu'elle lutte contre la mort.

Au moment où sa tête retombe, il incise prestement sa gorge et plonge sa bouche dans la blessure.

Il la suce longtemps, levant le bras de Kate pour jeter un coup d'œil à sa montre Timex avant de se dégager avec violence en crachant une jolie gerbe de sang.

Il la serre une dernière fois contre lui puis laisse le corps s'affaisser, chantant d'une voix nouvelle :

— Quand je te dis que je t'aime, tu ferais mieux de me croire, de me croire.

15

Je regardai le réveil, puis dehors, par une des fenêtres : six heures du matin ; noir. Je sautai à bas de mon lit en rejetant les couvertures, bien décidé à me précipiter au grenier pour m'emparer du pistolet de mon père avant que...

Des pas, précipités, dans l'escalier.

C'est Peter. Il vient vers moi. Il a tué Marianne au rez-de-chaussée. À présent, c'est mon tour. Du regard, je cherchai dans la pièce une arme possible. Pas même une batte de base-ball ou un club de golf. Rien.

J'étais là, nu, les mains vides, souhaitant désespérément tenir entre mes doigts le pistolet de mon père sans lequel je me sentais impuissant. Les pas se rapprochaient, atteignaient l'étage. Je serrai les poings, prêt à me défendre, les yeux fixés sur la porte d'entrée.

Marianne surgit, alluma la lumière. Je fus si soulagé de la voir que je crus m'évanouir. Répit de courte durée. L'expression tendue de son visage fit renaître mon angoisse.

– Que se passe-t-il ?

– Roscoe...

– Quoi ?

– Tu ne t'es pas réveillé. Alors, je suis descendue...

– Au nom du Ciel, que se passe-t-il ?

– Les flics. Ce sont eux qui frappaient à la porte. Deux policiers.

De nouveau, je serrai les poings.

– Ils veulent t'emmener pour t'interroger, dit-elle.

16

Je m'attendais à ce qu'ils me bousculent, qu'ils me frappent un peu. Mais les deux agents en uniformes se montrèrent d'une courtoisie exemplaire, me demandant sans agressivité aucune de les suivre volontairement (ils insistèrent sur ce terme), pour être interrogé à propos d'un homicide. Ils restèrent imperturbablement aimables lorsque je les questionnai avec anxiété. Non, ils ne savaient pas de quoi il s'agissait, ni pourquoi l'interrogatoire devait avoir lieu sur l'heure, juste avant l'aube. Ils avaient l'air de se désintéresser du problème, d'effectuer avec lassitude une mission qui ne les concernait en rien. Je leur répondis que je me tenais à leur disposition.

Ils me firent asseoir à l'arrière de leur véhicule de patrouille. Ils me laissèrent me pencher vers le pare-brise, entre leurs épaules, pour regarder tomber la neige violemment éclairée par leur gyrophare. Durant tout le trajet, ils échangèrent des propos détendus sur la circulation et les embouteillages que causerait le lendemain matin, à l'heure de pointe, une telle « mélasse ». Je tentai machinalement de me mêler à leur conversation. Mais je ne pus articuler que des propos d'une banalité affligeante, aussi absurdes que la situation dans laquelle je me trouvais.

Ils rangèrent leur voiture sur une petite aire de stationnement proche du poste de police. Je les suivis comme un coupable, avec l'impression d'avoir un manteau sur la tête.

Mais la vie ne ressemble en rien à un feuilleton. Je ne vis aucun photographe, pas plus que je n'entendis les prostituées jacassantes qui, dans les films, insultent depuis leur cellule, au milieu de la nuit, les policiers blasés. Seule la petite salle d'interrogatoire où l'on me fit asseoir me rappela le décor stéréotypé d'une série télévisée, avec ses murs verts et beiges, son odeur de tabac froid et son miroir sans tain.

Je m'étais habillé à la hâte en partant de chez moi, oubliant ma montre-bracelet. Je ne sais combien de temps – une heure, peut-être, ou plus – j'attendis dans cette pièce, livré à mon inquiétude et aux idées qui tournaient dans mon crâne. La porte était-elle verrouillée ? M'avait-on oublié ? N'avais-je pas la possibilité de me lever et de m'enfuir ? Ou bien s'agissait-il, de la part de la police, d'une attitude délibérée destinée à me miner avant l'interrogatoire ? Je pensai à Marianne, qui aurait ri en constatant que ma paranoïa, comme d'habitude, battait son plein. La porte s'ouvrit enfin, laissant entrer un homme de haute taille qui s'avança vers moi. Je ne le reconnus qu'après avoir entendu sa voix.

– Roscoe !

Il me tendit sa poigne de bûcheron et s'adressa à moi avec un air de circonstance, légèrement compassé, comme si nous nous rencontrions devant la tombe toute fraîche d'un vieil ami.

– Désolé de te retrouver dans de telles circonstances. Laflin.

– Johnny, Johnny, c'est toi, c'est bien toi ?

J'emprisonnai sa main dans les miennes. Même si, au bout de vingt ans, j'aurais dû m'y attendre, je fus atterré de découvrir à quel point il avait changé. Le Johnny Laflin dont je gardais l'image n'avait rien de commun avec ce quinquagénaire. Je me souvenais d'un jeune homme aux larges épaules, aux cheveux décolorés par le soleil et aux yeux bleus pleins de gaîté, d'un joyeux drille toujours prêt à lâcher une plaisanterie dès que la conversation s'alan-guissait. Encore adolescent, il avait quitté pour la Floride son New Jersey natal, mais n'avait jamais pu se débarras-ser de son accent et de l'affectation de ses manières. Ce fut cet accent que je reconnus lorsqu'il répéta :

— Roscoe...

— Johnny, lui dis-je, c'est bon de te revoir.

Nous nous serrâmes la main une nouvelle fois. J'avais l'impression de m'adresser à une épave. Que restait-il du Johnny d'autrefois ? Sa panse énorme engloutissait l'ensemble de sa silhouette. Quant à son visage, jadis si avenant, l'alcool, la lassitude et les années l'avaient racorni, parcheminé, rougi, bouffi, parsemé de capillaires violets. De sa chevelure étincelante ne subsistaient que quelques mèches grises. Son nez était devenu proémi-nent, presque monstrueux. Des poils drus sortaient de ses narines. Ses yeux au blanc jauni avaient perdu tout éclat. Fasciné, je le dévisageai avant de lui murmurer :

— Tu as l'air en pleine forme.

— Tu parles...

— Si, je t'assure.

— C'est toi qui es resplendissant, répondit-il en tapotant mes mains. Belle silhouette, traits de mannequin. J'ai tou-jours dit à ton père qu'avec ta tête de rêve américain, tu aurais dû te lancer dans la politique.

— Plutôt mourir, répliquai-je.

Je le fixai toujours. Si deux décennies l'avaient ruiné à ce point, que resterait-il de moi dans vingt ans ?

— Je ne t'avais jamais vu sans uniforme. Tu m'impres-sionnes.

Baissant la tête, il détailla ses vêtements civils : chemise bleue bon marché, cravate mal nouée, manteau trop petit datant sans doute du temps de sa minceur, pantalon gris de polyester, grosses chaussures noires que sa panse l'empêchait de voir en entier.

— Pas mal, hein ? J'aurais dû me payer des caleçons longs, avec le blizzard qui souffle ici...

141

– La météo ne parle que d'une petite brise d'hiver.

– Pour moi, c'est le Grand Nord.

Il me saisit par les épaules.

– Je suis vraiment content de te revoir, Roscoe. Sans mentir.

– Venons-en au fait, Johnny. Qu'est-ce que tu fabriques à Washington ? Pourquoi m'avoir fait embarquer à une heure pareille ?

– Ceux qui traquent les vampires ne travaillent que la nuit, mon petit.

Mon expression le fit rire. Il feignit de me bourrer de coups de poing, comme autrefois, sur le bateau de mon père.

– Je parle sérieusement, Johnny. Pourquoi n'as-tu pas frappé à ma porte comme un vieil ami ? Je t'aurais présenté ma femme...

Il haussa les épaules d'un air désabusé.

– Je viens juste d'arriver. Je comptais attendre un peu pour sonner chez toi à un moment décent, présenter mes hommages à ton épouse et tout le tremblement. Mais nous devons jouer cette partie dans les règles. Cela vaudra mieux pour nous deux.

– Que veux-tu dire ?

– Tu avais raison à propos de Kate Tornsel.

Je m'assis sur une des chaises au dossier droit.

– Nous avions placé en faction devant chez elle deux agents qui pouvaient surveiller les fenêtres de sa chambre. Vers minuit, ils se rendirent compte que quelque chose ne tournait pas rond. La vieille fille vit seule. Son petit domestique vietnamien n'habite pas la maison. Or, les agents crurent apercevoir deux silhouettes se déplacer dans la pièce. Ils se précipitent, cognent à la porte. Pas de réponse. Ils vont chercher le Vietnamien, qui leur ouvre. Dans la chambre, pas de Kate. Les vestiges du crime sont encore là : du vomi et du sang sur la moquette. Exactement comme chez les Burton.

— Peter.

— Tu sais où il loge à Washington ?

— Pas la moindre idée.

— Il faut que je le trouve.

— Tu es donc chargé de l'affaire ?

— Pas tout à fait. Les enquêteurs sont persuadés que l'auteur des enlèvements ou des assassinats est encore en Floride. Même s'il s'agit de Peter et même s'il est venu te voir après ce qui est arrivé aux Burton, ils pensent qu'il n'a pas quitté la Floride après s'être attaqué à Tornsel la nuit dernière. L'enquête se concentre donc sur Hambriento. Mais tu m'as donné une information assez importante pour qu'on me charge d'aller la vérifier à Washington. Disons qu'il s'agit d'un lot de consolation, d'une plume à mon chapeau. J'ai passé trente ans à traquer les amoureux sur les plages et les cinglés du volant. Aujourd'hui, je collabore enfin à une enquête criminelle.

— Je suis content pour toi.

Il hocha brièvement la tête, sensible tout d'abord à mes félicitations. Puis, subitement conscient de mon ironie :

— N'oublie pas ce que je t'ai dit. Tu dois savoir qui est de ton côté : moi ou Peter Tummelier.

— J'ai l'impression que vous souhaitez tous les deux me coller un meurtre sur le dos ; Peter pour me forcer à faire ce qu'il veut et toi pour pouvoir accrocher une plume à ton chapeau.

Il haussa de nouveau ses lourdes épaules et ajouta :

— Les flics de Washington se moquent de cette affaire. Elle ne les concerne pas. Ils ont assez d'homicides sur les bras. Mais les enquêteurs d'Hambriento sont pressés d'en finir avant que quelqu'un d'autre ne soit enlevé ou tué. Tu ferais mieux de réfléchir au meilleur moyen de m'aider. Sinon, le prochain type qu'on enverra ici ne sera pas un vieil ami de ta famille, mais un poulet muni d'un mandat d'extradition.

Je sentis mon estomac se contracter.

— Extradition ?

— Tout juste. Et il pourrait bien penser que tu es de mèche avec Peter.

— Sur quelles bases ?

Laflin saisit une des chaises, la retourna et, assis à califourchon devant moi, déclara :

— Premièrement, tu m'appelles pour me dire que Kate Tornsel pourrait bien être la prochaine personne à disparaître. Et c'est exactement ce qui se produit.

— Si tu crois vraiment que je suis le complice de Peter, il faut que je sois un imbécile pour t'avoir prévenu en te donnant le nom de la victime à venir.

— Ou le petit malin qui fait tout pour que son copain se fasse pincer.

— Arrête, Johnny, tu ne vas pas croire ça ?

Le croyait-il ?

— Tu la boucles et tu m'écoutes. Deuxièmement, cela n'arrange pas tes affaires que quelqu'un se soit renseigné sur les vols privés en direction de la Floride avant de proposer un bon prix pour que son billet ne soit pas enregistré, tout en laissant ton nom.

— Peter. C'est Peter. Je t'ai dit qu'il essayait de me mouiller.

— Est-ce qu'il est venu te voir à ton bureau ?

— Non. Juste chez moi. Deux fois. Pourquoi ?

— Parce que, troisième élément en ta défaveur, quelqu'un a téléphoné chez les Burton lundi après-midi et que l'appel venait de ton bureau. Nous en avons retrouvé la trace sur la ligne téléphonique des Burton.

Je reconnus calmement être l'auteur de ce coup de fil.

— Alors pourquoi ne m'en as-tu rien dit ?

— Je pensais qu'il s'agissait d'un fait sans importance. Je me demandais si Peter me mentait ou non à propos de la mort des Burton. J'ai téléphoné là-bas pour savoir s'ils étaient toujours en vie.

— Mais tu te rends compte à quel point tout cela peut jouer contre toi et convaincre la police que tu es impliqué jusqu'au cou dans l'affaire, surtout si la seule explication que tu es capable de fournir, c'est que Peter agit comme il le fait parce qu'il est devenu un vampire !

— S'il est fou, je n'y peux rien. Crois-tu vraiment que je te mente à propos de ce qu'il m'a dit ?

— Bien sûr que non. Je veux simplement que tu m'aides à le retrouver. Tous les autres estiment qu'il se cache toujours en Floride, qu'il va continuer à enlever des gens jusqu'à ce qu'on le capture. Mais moi, c'est toi que je crois. Je pense qu'il essaie de te pousser à déguerpir avec lui. Il a toujours tourné autour de toi comme un caniche.

Je m'apprêtai à répondre. Il m'arrêta d'un geste.

— Tu as toujours été un joli cœur, Roscoe, charmeur et tout. Tu as toujours trouvé normal qu'on soit aux petits soins pour toi. Même quand je t'ai tiré du trou après ta virée chez les Burton, tu t'es comporté comme s'il s'agissait d'un dû, de quelque chose de tout à fait naturel, car tout le monde ne pouvait qu'aimer Roscoe Bird. Tu me suis ?

Pourquoi cette hostilité soudaine ?

— Et maintenant, poursuivit-il, tu me prends pour un tocard qui joue au grand détective. Tu ferais mieux de descendre de tes grands chevaux et de collaborer avec moi. Nous avons une chance de nous aider l'un l'autre. Officiellement, je ne suis ici que pour recueillir des informations. Mais, grâce à ton aide et si Peter traîne dans les parages avec l'intention de te rendre une nouvelle visite, j'ai la possibilité de boucler l'affaire moi-même et te sortir du pétrin pour de bon par la même occasion.

— Je te seconderai dans la mesure de mes moyens, lui dis-je d'une voix calme.

Épuisé par une nuit sans sommeil, il frotta à deux mains sa face rubiconde. Il me posa ensuite une question surprenante.

— Tu n'as jamais pensé qu'il y avait quelque chose de suspect dans le suicide de ton père ?

— Suspect ?

— Dis-moi tout ce dont tu te souviens.

— Je ne vois pas le rapport avec...

— Dis-moi.

— À propos du jour où cela s'est produit ? C'est toi qui es venu me chercher à la sortie de la classe. Tout était déjà fini et...

— Non. Parle-moi de ce qui a précédé.

— Eh bien, les difficultés avec les Burton ont commencé dès l'arrivée, cette année-là, de clients du Montana, un vieux couple charmant, propriétaire d'un ranch. Nous pêchions le tarpon le matin, à marée haute. Nous rentrions au port à midi. Ma mère nous servait le déjeuner. Ensuite, le couple partait visiter l'île jusqu'au départ du ferry du soir, qui le ramenait sur le continent. Un jour, ces deux quinquagénaires se retrouvèrent sur la grande jetée qui dépend de la propriété des Burton. Philip déboula vers eux et leur enjoignit de s'en aller. D'après ce que je sais, les deux époux s'excusèrent, disant qu'ils pensaient qu'une jetée aussi grande ne pouvait être que publique. Ils racontèrent aussi à Philip qu'ils avaient pêché en compagnie de mon père le matin même. Ils se montrèrent d'une politesse parfaite.

» Philip, au contraire, fit preuve de sa grossièreté habituelle. Il se mit à hurler, à insulter ces maudits touristes qui polluaient Hambriento, menaça le couple de poursuites judiciaires et autres fariboles. Dans sa colère, il alla jusqu'à prendre brutalement la femme par le bras. Scandalisé, le vieux propriétaire de ranch lui envoya son poing dans la figure.

» En entendant le récit de cette altercation, mon père éclata de rire. Ces clients pêchaient en sa compagnie depuis huit ans. Ils avaient toujours été d'une grande courtoisie et possédaient un sens des valeurs très prononcé : à leurs yeux, ce qui était bien était bien, ce qui était mal était mal. De toute façon, pour mon père, un coup de poing dans le nez ne représentait pas grand-chose. Tout le monde se fait rabattre son caquet un jour ou l'autre.

– Pas Philip Burton.

– Exact. Ce coup de poing équivalait pour lui à une déclaration de guerre. Ses avocats s'attaquèrent à l'affaire de mon père, faisant valoir que mon grand-père l'avait montée dans des conditions douteuses, que nos clients n'avaient pas le droit d'embarquer leur voiture dans le ferry, que ma mère leur servait illégalement des repas, puisqu'elle ne possédait pas de restaurant. Tout cela, évidemment, ne tenait pas debout. Mais les choses allèrent très loin. Burton traîna mon père devant les tribunaux. En même temps, sa femme et Kate Tornsel s'en prirent à nous par l'intermédiaire de l'association des propriétaires. Tu connais l'histoire mieux que moi ; je n'avais que seize ans, à l'époque. Quant à toi, tu étais le meilleur ami de mon père. Je pense que l'acharnement des Burton l'a miné. Il ne le supportait plus.

Johnny attendit un moment avant de répondre :

– Tu crois vraiment qu'il s'est suicidé à cause de cette histoire ? Bien sûr, les frais de justice étaient élevés, mais il avait très bonne réputation. Le nombre et la qualité de ses clients témoignaient en sa faveur. Il m'avait dit qu'en dernier recours, il pourrait travailler à partir de n'importe quel endroit du continent, qu'il s'en sortirait toujours. Et tu penses qu'il a sacrifié une entreprise vieille de trois générations uniquement parce qu'un trou du cul comme Burton le harcelait ?

– Je ne sais pas, Johnny.

– Pour lui, une chose comptait par-dessus tout : te transmettre son affaire.

Je hochai la tête. Mon père m'avait toujours affirmé qu'il ne cherchait pas à devenir riche, qu'il n'avait aucune envie de créer la plus grande entreprise de pêche de Floride. «Je considérerai que j'ai réussi ma vie si je gère assez efficacement mon bien pour que tu puisses prendre ma suite,

147

comme j'ai assuré celle de mon père qui, lui, a succédé au sien, et pour que tu aies la chance, à ton tour, d'en faire don à ton fils. Cette affaire ne m'appartient pas. Je n'en suis que le dépositaire. Tu le seras toi aussi le moment venu, au nom de tes propres enfants. »

Johnny se pencha par-dessus la table et posa sa main sur mon épaule.

— Désolé de te forcer à exhumer ces vieux souvenirs.

Je détournai les yeux.

— Je voulais simplement savoir si tu considérais réellement les Burton comme les responsables du suicide de ton père.

— Bien sûr que oui ! Pourquoi crois-tu que j'aie pénétré dans leur maison, prêt à les abattre pour les punir de ce qu'ils avaient fait ?

— Ouais, répliqua Johnny. Mais c'est Richard Tummelier qui s'est procuré le pistolet de ton père confisqué par la police. J'ai appris plus tard qu'il avait soudoyé quelqu'un.

— Je sais. Richard avait vingt ans et de l'entregent. En réalité, l'idée de me pousser à tuer les Burton venait de lui.

— De lui ?

— Je voulais vraiment les tuer. Je ne dis pas qu'il m'a convaincu de faire quelque chose que je refusais. Mais il m'a mis le pistolet dans la main et m'a suggéré de châtier Philip et sa femme avec l'arme dont s'était servi mon père pour se supprimer. En fin de compte, ils n'étaient pas chez eux et j'ai été arrêté.

— Heureusement pour toi.

— Vas-tu m'expliquer où tu veux en venir ?

— En dehors du fait que Richard t'a donné le pistolet, y a-t-il quelque chose dans le comportement des frères Tummelier, peu avant la mort de ton père, qui t'ait paru curieux ?

— Je me rappelle avoir entendu Peter lui demander de l'adopter.

– Quand ?

– Je ne sais pas exactement ; quelques jours avant sa mort...

– À seize ans, alors qu'il avait encore ses parents, il a demandé à ton père de l'adopter ?

– Je t'ai déjà dit qu'il était bizarre.

Johnny contourna la table et s'assit près de moi.

– Cela ne signifie peut-être rien, mais quelque chose me tracasse depuis vingt ans. Deux jours avant la mort de ton père, Kate Tornsel m'a téléphoné pour me raconter que les frères Tummelier se livraient, sur la portion de plage qu'elle apercevait de chez elle, à une activité éminemment suspecte. Elle avait l'impression qu'ils jouaient avec un petit enfant, qu'ils déterraient quelque chose du sable. Elle ne pouvait pas préciser de quoi il s'agissait. Il faisait nuit et elle les observait à la seule lueur de la lune. Le lendemain, j'abordai la plage en bateau. Impossible de ne pas tenir compte d'une plainte de Kate Tornsel. Elle aurait été capable d'en référer à mes supérieurs. J'examinai la plage. Je parlai à Kate, aux frères Tummelier. Sans résultat. Ton père se tua deux jours plus tard, ce qui ne lui ressemblait pas du tout. Je me demande toujours s'il y a un rapport entre les deux événements, d'autant que c'est Richard qui a découvert le corps.

– Richard ? Je ne savais pas.

– Oui. Il a affirmé avoir entendu un coup de feu, s'être précipité sur le quai et avoir vu le cadavre. Je l'ai cuisiné pendant des heures, à la fois sur les circonstances de sa découverte et sur ce qu'il bricolait avec son frère sur la plage le soir où Kate m'avait téléphoné. Je voulais qu'il me dise s'il y avait un marmot avec eux. Kate avait l'impression d'en avoir vu un. Pourtant, on ne nous a jamais signalé la disparition d'un enfant. Ensuite, on m'apprend que tu te trouves dans la maison des Burton avec un pistolet. Pour finir, vous quittez Hambriento, toi, tes sœurs et ta mère ; on envoie Richard en Europe dans une maison de fous pour milliardaires et voilà. L'ennui c'est que, vingt ans plus tard, des gens sont tués et j'ai toujours l'intuition que tout cela est lié. Je n'en ai pas parlé aux enquêteurs. Mais j'espère bien que nous finirons par attraper Peter et que nous le forcerons à combler les blancs.

— Que veux-tu que je fasse ?

— J'ai besoin de tout savoir, quel genre de voiture il conduisait, si tu te souviens de la marque et des plaques minéralogiques, si c'était un véhicule de location. A-t-il fait une allusion à l'endroit où il logeait, as-tu remarqué des boîtes d'allumettes provenant de motels, etc.

— Il conduisait une Mercedes noire d'un modèle récent, à l'intérieur rouge.

Johnny sortit de la poche de sa veste de sport un carnet bleu à spirale comme on en trouve pour trois sous dans tous les supermarchés.

— Bien. Quoi d'autre ?

— C'est tout. Je ne sais pas où il habite, où il s'est procuré sa voiture, s'il reviendra me voir. Et Richard ? Il est toujours en Europe ?

— Selon les dernières informations que j'ai pu obtenir, il est soigné dans un sanatorium de luxe en Suisse.

— Et tu n'as jamais découvert pourquoi on l'avait expédié au diable ?

— Roscoe, tu as grandi à Hambriento, tu as côtoyé des rupins. Tu sais comment ils règlent leurs problèmes. Un membre de leur famille se met à débloquer, ils signent des dizaines de chèques, des avocats et des médecins débarquent en force chez eux et nous, pauvres péquenots, nous n'entendons plus jamais parler de rien.

Je lui demandai si on m'autorisait à rentrer chez moi. Il me répondit que cela ne posait aucun problème, mais je savais qu'il avait une idée derrière la tête. Il finit par me dire :

— Je suis sûr que Peter te contactera de nouveau. J'ai donc pensé que, plutôt que de demander aux flics de

Washington de surveiller ta maison, je pourrais m'installer chez toi quelque temps. Si Peter se montre, pan, on lui tombe dessus. Mais je ne voudrais pas m'imposer.

– Tu as une arme ?

Il répliqua avec un sourire rusé :

– Officiellement, je n'ai pas le droit de me balader avec un flingue ici, à Washington D.C.

– Ce n'est pas ce que je te demande.

– Ouais, j'ai amené un pétard.

– Alors sois le bienvenu.

– Bien. Cela me donnera l'occasion de faire la connaissance de ta femme.

– Tout juste. Elle adore rencontrer mes vieux amis de Floride.

Il me regarda en souriant. Sans doute avait-il pris ma remarque au pied de la lettre.

17

Il dort, ou du moins il somnole, allongé sur une méchante couche brune, à l'intérieur d'une petite roulotte de chantier que ses rideaux baissés protègent de la lumière. Du sommier au bois vermoulu émergent des ressorts qui trouent le douteux dessus-de-lit de coton. Peter déteste cet endroit. Le désordre et la saleté le révulsent à un point tel qu'il ne quitte jamais une chambre d'hôtel sans avoir tout nettoyé, refait le lit, frotté la baignoire et le lavabo. Il n'accepte cet abri de fortune que parce qu'il le sait provisoire. Bientôt la mer.

Il l'a échappé belle. À quelques minutes près, les adjoints du shérif d'Hambriento l'auraient surpris dans la chambre de Kate Tornsel. Il n'a eu que le temps de s'enfuir par l'escalier de derrière, portant le corps osseux de la vieille demoiselle, et de courir jusqu'au skiff avant de filer, moteur à fond, à travers la passe, entraînant dans son sillage des requins affamés. Les sales bêtes.

Épuisé par ces émotions et le voyage de retour à Washington, il reste étendu, attendant la nuit, le moment où les gens sortent de chez eux, talonnés par leurs appétits. La nuit, tout va mieux. Et c'est cette nuit que tout se passera, que son plan, dont il a parlé à Marianne, aboutira.

Lui, c'est le jour qu'il dort, ou du moins qu'il essaie. Sa grande main se crispe sur son estomac. Comme elle est étrange, cette faim qui le tenaille ! Plus il l'assouvit, plus elle devient vorace.

Bientôt la mer. Maintenant qu'il a touché son héritage, Peter a besoin de quelqu'un pour l'assister, d'un ange gardien qui, pendant la journée, veillerait sur lui. Mais il ne peut pas se fier à n'importe qui. L'argent n'achète pas tout. S'il s'adressait à un homme indifférent, uniquement alléché par le profit, qui sait s'il ne se retrouverait pas en plein midi avec un couteau dans le ventre, agonisant au milieu de son bateau pillé de fond en comble ? Non, la fonction d'ange gardien requiert un dévouement véritable dont seul peut se montrer capable un ami décidé à demeurer mortel mais convaincu, d'un autre côté, de la nécessité de protéger la bête des intrusions diurnes, de s'occuper du transport et de tous les détails matériels si fastidieux aux yeux d'une créature de l'ombre obligée de composer avec le monde solaire où évoluent les hommes.

Roscoe remplira ce rôle à merveille et la mer sera pour eux deux une inépuisable source de bienfaits. Ils vogueront de crique en crique, repérant chaque soir celle, isolée, où mouillera déjà un voilier silencieux. Ils s'excuseront pour le dérangement, inviteront les occupants du bateau à souper. Oh, oui, nous aimerions tellement vous avoir à dîner ! Roscoe peut se montrer si charmeur, quand il le veut. Qui résisterait à la candeur de son sourire ? Ensuite, après le dîner, ils remorqueront le voilier de leurs hôtes en haute mer et ils le couleront. Ainsi vivront-ils, heureux, loin de la curiosité malsaine de ces insupportables policiers.

Dans son demi-sommeil, Peter imagine le bonheur qu'il éprouvera à se retrouver avec Roscoe comme au bon temps d'Hambriento, vieux amis enfin réunis, parlant pendant des heures, ne se lassant pas d'écouter du rock and roll, ressuscitant leur ancienne amitié au cours de cette éternelle croisière. Les vampires rock and roll !

Un rêve... Mais, pour qu'il se réalise, il faut d'abord

convaincre Roscoe d'accepter le destin que Peter lui réserve, lui faire comprendre qu'il n'a pas d'autre choix.

Bientôt, très bientôt. La bête en tremble d'émotion. «Calme-toi», se dit-elle. Jadis, du temps où il était enfant, un de ses psychiatres essaya d'enseigner à Peter des techniques destinées à contrôler sa colère, à la canaliser. «N'enfouis pas cette rage au fond de toi, lui conseillait-il, car elle ne fera que grandir, devenir de plus en plus tyrannique. Ce qu'il faut, c'est t'en débarrasser. Cours jusqu'à t'étaler face contre terre, saute sur tes pieds en hurlant, épuise-toi pour anéantir ta fureur.»

Ce psychiatre se trompait. Contrôler sa rage ne sert à rien. On doit, au contraire, la nourrir, la bercer, la dorloter, l'encourager, la rendre plus féroce encore. Et ensuite, la rassasier.

Les heures passent, les ombres s'allongent. La nuit vient et la bête s'éveille, affamée.

Tap, tap.

— Voilà qui est bien grossier.

Peter se retourne pour regarder la jeune femme assise au comptoir tout près de lui. «Oh, si seulement j'avais le temps!» se dit-il. Mais il se fait tard. Bientôt, Roscoe et Marianne seront au lit et ce sera à lui de jouer. Il n'a pas le droit, ce soir, de se laisser tenter par une de ces jeunes femmes boulottes dont le chemisier entrebâillé s'ouvre sur une lingerie bien propre. Il frappe de nouveau le zinc avec une pièce de monnaie pour attirer l'attention du barman.

— J'ai été serveuse, lui dit la jeune femme, dont le sourire enjôleur dément la nuance de reproche. En dehors de ceux qui vous sifflent, je n'ai rien connu de plus exaspérant que ces clients qui vous rappellent à l'ordre avec une pièce de monnaie.

— Oh, la ferme! souffle-t-il.

Elle se détourne.

Arborant des cheveux filasse et bouclés, coiffure très prisée des jeunes filles, Audrey-Eileen, à vingt-neuf ans, n'est pourtant plus toute jeune. Secrétaire d'un représentant du lobby du gaz naturel, elle raffole de son nom, qu'elle a elle-même créé en reliant par un trait d'union ses deux premiers prénoms pour se donner du panache, se faire remarquer ; raison pour laquelle elle porte également une minijupe de cuir noir au-dessus de jambes bronzées et nues, malheureusement un peu courtes, et de cuisses qui commencent à s'alourdir. Ses souliers à talons rouges s'harmonisent avec un chemisier de la même couleur dont le col largement déboutonné laisse apparaître un soutien-gorge sombre. Bien sûr, comme dirait sa mère, elle a l'air d'une pute, d'une pouffiasse si avide de se faire mettre qu'elle braverait une tempête de neige pour aller se faufiler dans cette tenue contre le comptoir d'un bar. Mais des milliers de secrétaires s'habillent de cette façon. Quant à se faire sauter, n'est-ce pas la fonction naturelle des filles ?

Toutes, pense Audrey-Eileen, doivent affronter ce grave dilemme : les hommes ne s'intéressent à elles que si elles les provoquent en agissant et en s'habillant de façon impudique ; mais, après la partie de jambes en l'air, ils refusent d'entendre parler de mariage, partant du principe que, si elles les ont séduits, elles en ont forcément aguiché d'autres avant eux.

Elles doivent donc marcher sur des œufs, les appâter tout en les rassurant. Je suis une pute, oh oui, une pute, mais uniquement pour que tu apprennes à me connaître, pour que tu découvres ensuite quelle femme merveilleuse a partagé ton lit. Rude technique, qui consiste à ouvrir les jambes pour jouer ensuite les parangons de vertu. Mais que faire d'autre ? Audrey-Eileen a toujours agi ainsi, depuis sa sortie du lycée. Jamais elle n'a chassé autrement.

À présent, à vingt-neuf ans, elle rêve désespérément de mariage. Et elle se heurte, de façon tout aussi désespérée, au même dilemme. Les hommes qui l'épouseraient volontiers, fonctionnaires grisâtres ou cols-bleus obsédés par leurs fins de mois, elle n'en veut pas. Et ceux à qui elle rêve de passer la bague au doigt, les riches, les beaux, les brillants, hommes d'affaires ou membres du Congrès, ne pensent qu'à une chose : la baiser. Pour le mariage, tu repasseras.

La vie, se dit-elle, ressemble à ces magasins où ce qu'elle désire est hors de prix alors que ce qu'elle pourrait s'offrir lui paraît indigne d'elle. Résultat, elle en ressort sans rien, aussi démunie qu'auparavant, gardant au fond d'elle-même l'espoir stupide que le prochain lèche-vitrine sera le bon.

Désormais, alors que la trentaine approche, elle refuse de se fier au hasard. Elle drague ouvertement les hommes de passage à Washington dans les conventions et les congrès, les suit jusqu'à leur chambre d'hôtel et se fait chevaucher avec ardeur. Mais, le matin, elle se transforme en gentille petite femme charmante à laquelle aucun célibataire ne résisterait : gaie, attentionnée, parlant de choses captivantes et capable d'écouter sans mot dire, une femme dont on devine qu'elle serait une parfaite maîtresse de maison, une épouse qui ferait honneur à son mari auprès de ses amis et de ses clients, qui s'occuperait d'enfants avec un incomparable doigté. Elle se bat les flancs pour convaincre ses amants d'un soir qu'elle remplirait ce rôle à la perfection sans cesser de faire l'amour avec enthousiasme.

Le cadeau idéal ! Elle aurait tant à offrir à l'homme de sa vie ! Alors pourquoi s'obstinent-ils tous à la laisser tomber ?

Ses amies mariées se désolent pour elle de cette recherche effrénée du mari, traque à laquelle elles se sont elles-mêmes livrées jadis avec férocité. «Cette sempiternelle dualité pute-madone, lui disent-elles, quel cliché ! Laisse-toi aller, ma belle, amuse-toi. Chacun, un jour, trouve chaussure à son pied. Il existe forcément quelque part un homme qui t'est destiné. Les choses se feront tout naturellement, doucement, tendrement, sans même que tu t'en aperçoives.»

Elles en parlent à leur aise. Elles ont déjà mis le grappin sur leur enquiquineur à trente-deux mille cinq cents dollars par an, trônent dans leur pavillon de banlieue, emmènent leurs marmots dans des grandes surfaces où les courses se font uniquement en fonction des besoins et des caprices de ces petits chéris. Plus grave encore : certaines ont réellement déniché un époux roulant sur l'or, comme cette pétasse prétentieuse qui vit au milieu d'un élevage de chevaux dont elle fait les honneurs à Audrey-Eileen au cours des week-ends où elle daigne l'inviter. Audrey-Eileen s'est payé ce mari-là, juste pour pouvoir supporter sans trop de hargne les sourires perfides de sa copine.

Des maris, elle en a eu d'autres. Tous des menteurs, comme Gary Hart, le candidat démocrate à la présidence des États-Unis promettant à Dona Rice qu'elle deviendrait la première dame du pays. Que reste-t-il à toutes les Audrey-Eileen du monde sinon l'amertume des laissées-pour-compte et l'humour sarcastique qui leur fait dire : «Le prince Charles va divorcer de Lady Di et il viendra bientôt me chercher ici, à Washington»?

Elle a trop bu, sans s'en apercevoir. Un peu saoule, elle lève son verre en face du grand miroir du bar, se sourit à elle-même. Et elle trinque à toutes les Dona Rice, à toutes les traqueuses de maris, à toutes les gourdes dans son genre.

— J'ai toujours entendu dire que, lorsqu'on commence à porter des toasts à soi-même dans les miroirs, il est temps de mélanger les boissons. Tenez, goûtez la mienne. C'est un cocktail : un «Cocotier en pente douce».

Elle se retourne, surprise. Ce petit homme qui, il n'y a pas longtemps, lui a intimé l'ordre de se taire, elle l'avait

déjà oublié. Pourtant, il l'a impressionnée avec ses vêtements de bonne coupe, et surtout ce chapeau mou dont
il semble si fier. Seul un riche Européen pourrait porter un
couvre-chef pareil. Mais les Européens, se dit-elle, sont
réputés pour leurs bonnes manières. Baisemain et zozote-
ment, accent impossible. Or, celui-là s'est montré avec
elle plus grossier qu'un camionneur éméché. Et voilà que,
souriant, il lui propose un verre. «J'ai ma dignité», se dit
Audrey-Eileen. Elle se ravise aussitôt. Par jeu, uniquement
par jeu, elle trempe ses lèvres dans le verre, avale une gorgée, s'efforce de réprimer sa moue de dégoût et murmure :
    — C'est délicieux.
    Sans doute est-ce la réponse qu'il attendait. Elle lui
sourit, le jauge d'un œil professionnel : la trentaine, ce
costume qui lui va si bien, ce chapeau mou qui lui donne,
ma foi, une certaine allure et, surtout, pas d'alliance. Un
peu petit pour elle, bien sûr, mais elle pourra toujours se
baisser. Pas mal, pas mal du tout, surtout si on poursuit
l'inspection jusqu'à s'intéresser à sa mignonne petite
bouche. Et riche ? Cette seule question fait saliver la
demoiselle.
    En tout cas, il semble, lui aussi, intéressé. Il commande
un autre «Cocotier en pente douce», ordonne d'un geste
qu'on le dépose devant Audrey-Eileen. Puis, d'une voix
délicieusement formelle, il déclare :
    — Cela pour me faire pardonner mon absence de cour-
toisie de tout à l'heure.
    Elle hausse imperceptiblement les épaules, comme si
elle hésitait, tout à la fois flattée et encore courroucée, à
accepter ses excuses. Doucement, ma fille, doucement.
Que répondre de spirituel, comment rompre définitivement la glace ? Le juke-box la sauve d'un nouvel impair,
d'une parole maladroite qui anéantirait tout.
    — Qu'est-ce que c'est que cette cacophonie ?
    — Vous n'aimez pas le rock ? crie-t-elle en retour.
    — Si, mais le vrai. Pas ce chahut. Qui est-ce ? Jojo la
Baratte ?

Elle s'esclaffe, à sa grande surprise. Il y a bien long-temps qu'elle ne s'est pas forcée à rire en présence d'un homme.

— Non, c'est...

— Ne me le dites pas. Je ne veux rien savoir.

— Je m'appelle Audrey-Eileen.

— Peter Tummelier. Ravi de vous rencontrer. Eileen est votre nom de famille ?

Elle secoue la tête, jouant avec ses boucles qui balaient ses pommettes et ses yeux.

— Non. J'ai un prénom double : avec un trait d'union.

Il hausse les sourcils, visiblement impressionné.

— Vous habitez Washington, Peter ?

Il porte un index à son oreille.

— Attendons la fin de ce vacarme !

Le disque se termine. Il lui dit alors qu'il vit effective-ment à Washington, mais qu'il possède également d'autres résidences : sur l'île d'Hambriento, au large de la côte sud-ouest de la Floride, sur la Riviera française, l'île de Man, un peu partout. Toutes ses maisons se trouvent près de l'eau et il voyage de l'une à l'autre à bord de son yacht.

Le cœur d'Audrey-Eileen bat la chamade. Incapable de refréner son imagination, elle se voit déjà voguant de villa en villa et envoyant à chaque escale des cartes pos-tales à ses amies, mariées ou non, qui s'exclameront en ouvrant l'enveloppe : « Tu te rends compte ! Audrey-Eileen est mariée et vit sur un yacht ! »

— Dans quel genre d'affaires êtes-vous, Peter ?

— Quelle question stupidement américaine ! répond-il d'une voix tout d'un coup peu amène. Que faites-vous, combien gagnez-vous, quelle est la marque de votre voi-ture ? À quoi pensez-vous donc, dans ce pays ?

Pour le coup, elle se contraint à sourire.

— Mais vous êtes américain, non ? Bien sûr, vous avez un léger accent, mais...

— Ma chère, je suis citoyen du monde. Et, pour répondre

quand même à votre question, je ne fais rien d'autre que profiter de la vie. Mes ancêtres ont travaillé dur, dans les affaires, précisément, pour que je puisse me la couler douce. Vous voyez ce que je veux dire ?

Elle voit très bien. Sans doute est-ce pour cette raison qu'elle se contente de demander :

– Où est votre bateau ?

– Pour l'heure, mon yacht de douze mètres est à quai à Norfolk. On le peaufine en prévision d'une croisière que je compte entreprendre dans les Caraïbes d'ici une semaine ou deux.

Le sourire d'Audrey-Eileen devient lumineux. Le juke-box se remet à beugler. Peter se penche alors à l'oreille de la jeune femme et lui demande pourquoi elle ne viendrait pas jusque chez lui pour écouter du vrai rock and roll.

Ah... Elle recule légèrement, le dévisage.

Voilà ce qu'on appelle une proposition sans fioritures ou elle ne s'y connaît pas. Comment réagir ? Si elle dit « non », il s'en ira avec une autre. Si elle dit « oui », le même scénario risque de se répéter : il la sautera puis partira tout seul aux Caraïbes.

– Oh, oh ! crie-t-il en dominant le vacarme. Il y a quelqu'un ? Vous êtes là, Audrey-Eileen ?

Elle rit (rire convenu), se fait coquette.

– Que diriez-vous d'un souper de minuit ? Une bonne entrée en matière, non ? Et ensuite, le rock and roll.

Puis, comme il garde le silence :

– Allons-y, cow-boy !

– À vos ordres, señora.

Il la suit tandis qu'elle accentue, sur ses hauts talons, le balancement de ses hanches. Il la rattrape sur le trottoir, lui prend le bras.

– J'ai faim, murmure-t-il.

– Moi aussi, répond-elle avec un grand sourire en s'inclinant pour se retrouver à sa taille.

Bras dessus, bras dessous, ils marchent vers sa voiture.

161

— Quelle belle nuit, lui dit-elle. J'aime voir la neige purifier le monde.

Cette remarque poétique la surprend elle-même. Quant à lui, il aspire profondément le froid de la nuit et, se serrant contre elle, s'exclame :

— Ah, je sens dans l'air le parfum de la trahison !

18

Johnny Laflin avait encore quelques détails à régler à propos de sa collaboration avec la police de Washington. Tôt ce mercredi matin, après notre entretien au poste de police, une voiture de patrouille me reconduisit donc chez moi, où j'attendis son coup de fil. Il annulerait la réservation de sa chambre d'hôtel, puis je lui indiquerais par téléphone le chemin de ma maison.

Marianne m'attendait à la porte, anxieuse de savoir ce qui s'était passé, pourquoi je n'avais pas appelé, si je me sentais bien. Je lui racontai tout dans la cuisine, devant une cafetière. À la fin de notre conversation, la cafetière était vide. Il était temps pour Marianne de partir à l'université. Elle me demanda si je ne souhaitais pas qu'elle reste avec moi, si je supporterais, après mon épreuve de la nuit, la solitude. Elle n'avait pas de souci à se faire : j'attendrais tranquillement l'arrivée de Johnny.

Après son départ, je prévins mon bureau : je ne viendrais pas travailler ce jour-là. Ensuite, je me couchai. Perturbé par ce que Johnny m'avait dit, je ne réussis pas à trouver le sommeil. Pourquoi avait-il laissé entendre que Peter et Richard avaient peut-être quelque chose à voir avec la mort de mon père, pourquoi avait-il insinué qu'il pouvait ne pas s'agir d'un suicide ? Et quel rapport y avait-il entre tout cela et les agissements de Peter ces derniers jours ?

Je me levai, errai à travers la maison. J'essayai de regarder la télévision, consultant sans cesse ma montre. À neuf heures, j'appelai le poste de police. On n'avait jamais entendu parler d'un certain Johnny Laflin, de Floride, ce qui me laissa perplexe jusqu'à ce que je tombe, lors de mon second coup de fil, sur quelqu'un qui me répondit que Johnny avait passé la matinée au poste, mais qu'il venait juste de s'en aller.

Il finit par me joindre à trois heures de l'après-midi, s'excusa de son retard, ajouta qu'il ne serait pas libre avant plusieurs heures. Je lui donnai tous les renseignements pour parvenir jusque chez moi, d'où je ne bougerais pas de la journée.

La soirée arriva. Toujours seul après ces longues heures, je décidai d'aller chercher le pistolet de mon père dans le grenier.

Je l'avais rangé dans une lourde boîte de fer, parmi des caisses contenant mes vieux livres de classe. Je n'avais aucune intention de me retrouver sans arme, impuissant, comme lorsque j'avais pensé, le matin même, que Peter montait lentement l'escalier pour venir me tuer.

J'ouvris la boîte, contemplai le gros Magnum 357 à six coups, avec son revolver à double action. Mon père m'avait toujours affirmé préférer le revolver au semi-automatique. Avec un revolver, on savait toujours si l'arme était chargée et on était sûr qu'aucune balle ne manquait. On ne risquait pas de mauvaise surprise.

Je saisis le Magnum. Aussitôt, je me sentis différent, comme un enfant qui caresse enfin un jouet interdit. Le pistolet avait un double canon et un gros viseur qui pesaient sur son extrémité, ce qui l'empêchait de se relever trop brutalement au moment du tir. Mon père m'avait expliqué son fonctionnement bien avant de m'autoriser à m'en servir. Je me souvins que l'impact du coup de feu était moins brutal qu'on aurait pu s'y attendre, mais que la détonation résonnait aux oreilles comme un coup de canon. Je pris aussi une boîte de cartouches assez puissantes pour abattre un éléphant : rien à voir avec les pistolets 9 mm de la police.

J'avais de quoi tuer n'importe quelle créature se prenant pour un vampire.

Après avoir armé le pistolet, je quittai le grenier. Une demi-heure durant, je cherchai une cachette dans la maison. Je souhaitais avoir cette arme à portée de main, mais je ne voulais pas que Marianne la découvre. Je finis par la dissimuler sous le matelas, de mon côté du lit.

Je venais juste de rabattre le dessus-de-lit lorsque Marianne revint. Je me précipitai à sa rencontre avec une hâte exagérée, comme si j'avais passé l'après-midi avec une autre femme.

Pendant le dîner, la conversation roula de nouveau sur Peter et le plan qu'il avait mis au point contre nous. Marianne me demanda quelle influence Richard avait eue sur son plus jeune frère.

— Énorme, lui dis-je. D'une part parce que Richard avait quatre ans de plus que lui, d'autre part parce que leurs parents, toujours par monts et par vaux, les laissaient à la charge de précepteurs et de domestiques. Richard joua dans l'éducation de son frère un rôle beaucoup plus important que ses parents. Peter détestait son père. Quant à sa mère, il la traitait d'alcoolique. Je les ai rencontrés tous les deux mais je ne les connaissais pas vraiment. L'un et l'autre prétendaient descendre d'une famille royale européenne déchue.

— Penses-tu que Richard ait abusé de Peter ?

— Que veux-tu dire ?

— Il est fréquent qu'un frère aîné abuse de son cadet lorsque les parents sont perpétuellement absents. Il peut s'agir d'abus physiques, psychologiques et même sexuels. L'aîné passe ses fantaisies sur le cadet sans se soucier de leurs conséquences, réalise sur lui tous ses caprices, si tordus soient-ils.

— Richard était tordu de toute façon.

— Dans quel sens ?

— Il adorait torturer les animaux, par exemple. Je ne le supportais pas. Il était plus grand et plus fort que moi mais il ne me faisait pas peur. Je lui ai dit un jour que, si je le surprenais à martyriser une bête, je lui rentrerais dedans.

Nous continuâmes à parler jusqu'à dix heures du soir. Ensuite, j'appelai de nouveau le poste de police. Johnny se confondit en excuses, m'affirmant qu'il était toujours débordé.

— J'aimerais qu'il soit là, dis-je à Marianne après avoir raccroché. Que se passerait-il si Peter débarquait maintenant ?

— Il ne te fera aucun mal, répondit-elle. Il est amoureux de toi.

Je levai les yeux de l'évier, où j'étais en train de laver les assiettes, la dévisageai.

— Qu'est-ce que c'est que cette histoire ?

— Allons, Roscoe, ne fais pas l'innocent. J'ai vu les œillades qu'il te jette, l'air à la fois intimidé et carnassier avec lequel il te dévore du regard. Oh oui, il est amoureux de toi, sans doute depuis votre plus tendre enfance !

— Je...

— Tu rougis ! s'exclama-t-elle en riant. Uniquement parce que vous vous vous êtes livrés jadis à de petits jeux sexuels, ce qui n'a rien d'anormal. L'adolescence est l'époque des découvertes. Tu en es sorti, pas Peter. Il a toujours le béguin pour toi.

— Foutaises !

Elle me donna un petit coup de hanche.

— Eh, je lui ai déjà dit que tu étais à moi, qu'il ne t'aurait pas. Il a très bien compris. Ne t'inquiète pas : je te protégerai.

– Qu'est-ce ce qui peut bien retenir Laflin ?

Elle rit encore.

– Qu'est-ce qu'il y a ?

– Rien. Viens dans le salon. Je vais t'hypnotiser.

– Tu vas faire quoi ?

– Il ne s'agira pas exactement d'hypnotisme. Je vais simplement te mettre dans un état mental tel que tu seras en mesure de te rappeler dans les moindres détails ce qui s'est passé dimanche soir, quand Peter et toi avez pris votre cuite. Des bribes te reviendront peut-être, des indications sur l'endroit où il se terre ou sur ses allers et retours en Floride, des renseignements en apparence anodins qui pourront aider ton ami Laflin à le localiser.

Cette séance dura au moins une heure. Marianne me fit repasser en revue les événements de cette nuit, me demanda de visualiser les lieux, l'endroit où Peter et moi étions assis, les mimiques du petit homme, de réentendre les mots, les rires, les interjections, les murmures, tout ce qui pouvait émerger de ma mémoire annihilée par l'alcool. Marianne prenait des notes. Je la regardais faire sans illusion. Rien de tout cela, pensais-je, ne serait de la moindre utilité pour Laflin.

À minuit, nous tombions de sommeil. Je décidai de téléphoner une nouvelle fois au poste de police. Johnny était en réunion. Il y était depuis l'aube. Je l'imaginai sur le point de s'effondrer avant d'avoir pu régler l'affaire qui le transformerait en héros auprès de ses collègues de Floride. Je lui laissai un message, le priant de me rappeler dès la fin de son brain-trust.

Alors que je regagnais le salon, Marianne me dit qu'une chose, en début de journée, lui était venue à l'esprit. Elle voulait savoir ce que j'en pensais.

– Peut-être devrions-nous prendre un avocat au cas où les choses tourneraient mal, au cas où la possibilité d'une extradition, dont a parlé Laflin, se vérifierait.

– Où allons-nous trouver l'argent pour payer un avocat ? Tu sais que chaque minute de leur travail rend fou

167

leur tiroir-caisse. Nous avons dépensé davantage en honoraires qu'en dommages lorsque Maring nous a...

— Roscoe, que se passe-t-il ?

— Maring !

— Et alors ?

— Dimanche soir, Peter m'a demandé si je haïssais quelqu'un assez pour l'assassiner, pour souhaiter sa mort. J'ai répondu que je détestais effectivement certaines personnes, mais pas au point de les tuer. Il m'a poussé dans mes retranchements. Et les Burton ? Et Kate Tornsel ? C'est alors que j'ai mentionné Maring. J'ai dit que je vomissais ce salopard. Je viens juste de m'en souvenir.

— Est-ce que tu penses que...

— Je crois simplement qu'il risque de ne pas faire de vieux os. J'ai eu raison à propos des Burton, de Kate Tornsel. Peter m'a parlé d'eux dimanche soir et, à présent, ils ont disparu. Oui, il est possible que Maring soit le prochain sur la liste.

— Que comptes-tu faire ?

— J'ai bien envie de laisser Peter étriper cette ordure.

Elle garda le silence jusqu'à ce que je profère quelque chose de sensé.

— Je vais rappeler Johnny, exiger qu'on interrompe sa réunion. Je vais leur dire qu'il s'agit d'un cas d'urgence, que je sais qui sera la prochaine victime.

19

Elle pense : il est riche.

Il pense : c'est du tout cuit.

Elle pense : après. Après, elle lui montrera sa vraie nature, sa sensibilité, sa sollicitude, sa capacité d'écoute, sa tendresse, son humour. Après, il saura que, même si elle a toujours lutté pour l'égalité des droits entre hommes et femmes (à travail égal, salaire égal), si elle s'est toujours battue pour que le deuxième sexe soit traité avec dignité, elle n'a jamais rien eu d'une féministe, qu'elle n'a rien à voir avec ces hystériques qui rendent les hommes tant haïs responsables de tous leurs malheurs. D'ailleurs, quels malheurs ? Elle, lui dira-t-elle, n'a jamais eu le moindre problème. Elle se débrouille très bien par elle-même. Elle a des dizaines de centres d'intérêts, aussi passionnants les uns que les autres. Pour rien au monde elle se confondrait avec ces épouses pleurnichardes qui accablent leur mari de leurs jérémiades. Cette indépendance ne l'empêche pas d'être une cuisinière hors pair et une femelle, une vraie, doublée d'une amie pour qui rien ne compte que le bien-être de l'homme qu'elle aime. Car cela, aussi, fait partie de la dignité de la femme. Lui a-t-elle dit qu'elle adorait la nouveauté ? Plus tard. Elle lui dira cela plus tard. L'essentiel d'abord.

Il pense : tout cela est idiot. Je devrais la laisser choir sur le trottoir, lui dire que j'ai changé d'avis. Il est une heure du matin. Roscoe et Marianne dorment; je devrais déjà être chez eux, au lieu de jouer les gandins dans la neige. D'un autre côté, c'est une greluche facile à croquer, ce qui me sustentera avant le vrai travail.

Elle pense : c'est lui, je le sais, c'est le bon. Je n'ai qu'à me fier à la Mercedes qu'il est en train de conduire, aux photos de son yacht qu'il vient de me montrer. *R & R Vamps* : quel beau nom ! En plus, il se comporte en tous points comme un homme riche. Cette fois, je ne vais pas me montrer bégueule : ils ont tous leurs faiblesses. Celui-là est arrogant, avec, parfois, quelque chose de méchant dans la voix. Mais après, il tombera amoureux de moi pour de bon et deviendra doux comme un agneau. L'essentiel d'abord. Ce qui veut dire que Peter Tummelier, ce soir, obtiendra tout ce qu'il voudra. La position du missionnaire, le Kama-sutra, le fouet, des trucs sado-maso si ça lui chante, par-devant, par-derrière, dans l'oreille, dans la bouche, n'importe où. Le tout, c'est de le sidérer, de me rendre inoubliable, indispensable. Ensuite, la véritable Audrey-Eileen lui révélera ses trésors, ses vrais délices.

– Une roulotte ?

Elle a, d'instinct, dissimulé sa surprise tout en espérant que son exclamation ne laisserait transparaître aucune forme de dédain. Mais tout de même : une roulotte ? Elle et Peter viennent de traverser une parcelle boisée et déserte de Rock Creek avant de bifurquer dans un chemin privé que délimite un arbre éclairé par un réverbère. Audrey-Eileen s'imaginait que ce chemin déboucherait sur une vieille demeure au porche orné de colonnes blanches, dans le genre sudiste. Au lieu de cela, ce sentier cabossé s'est enfoncé de nouveau entre les arbres, avant de s'achever devant cette misérable caravane de chantier.

— Qu'est-ce que nous faisons là ? demande-t-elle doucement.

— Voici un des terrains où j'ai cru bon investir. J'ai pensé que vous aimeriez le voir de vos yeux.

Investissement ? Voilà un de ces mots dont la jeune femme raffole et qui fait galoper ses fantasmes. Elle se voit déjà téléphonant à cette petite pute propriétaire d'un élevage de chevaux. « Oui, Peter et moi passons une semaine en Espagne. Tu comprends, nous devons inspecter les propriétés dans lesquelles nous avons investi. »

— Bien sûr, seul le terrain a de la valeur, explique-t-il en descendant de la Mercedes. La roulotte n'est là que pour des raisons fiscales. Mais il s'agit aussi d'un endroit très agréable pour écouter en paix du rock and roll. Venez, ma chère. L'extérieur de cette baraque n'a rien de ragoûtant. Pourtant, l'intérieur est à votre image : exquis.

C'est lui qui le dit. Fenêtres bouchées, mobilier réduit au strict minimum. Audrey-Eileen se force à faire bonne figure, sans s'offusquer de la comparaison avec ce qu'on peut trouver d'« exquis » en elle. Tout doux, ma beauté, garde tes critiques pour toi. Ne te dis pas que tu trouveras mieux la prochaine fois. Il y a déjà eu tant de prochaines fois... Souris, montre-toi coopérative. Les hommes n'aiment pas les mijaurées.

Tandis que Peter farfouille dans une collection de disques compacts, elle tombe en arrêt devant une paroi recouverte de photographies.

— Qui sont ces types ?

— Un de mes amis.

— Des amis à vous ?

Rien que des hommes. Il est pédé ou quoi ?

— J'ai dit *un* ami. Il s'agit de la même personne.

— Et qui est-c... ?

Il lui coupe la parole, lui demande si elle sait danser.

— Je fais ce que je peux.

— Ne vous dévalorisez pas. Nous danserons d'abord. Ensuite, nous souperons.

– Tout ce que tu voudras, mon mignon.

– Prête ?

– Mets la musique plein pot, chéri, j'ai le châssis en feu.

En même temps, elle se concentre. Elle essaie de se souvenir de ce qu'elle a appris dans le cours de danse qu'elle fréquentait jadis et où on lui enseignait toutes les contorsions des années 60, histoire de plaire aux vieux croûtons qu'elle rêvait d'entortiller. Ne pensons plus à ces hypocrites, à ces sinistres représentants de commerce qui se faisaient passer pour des producteurs de disques et dont elle devait supporter, après l'amour, dans le motel où elle s'était laissé entraîner, les gargarismes matinaux et les pets retentissants.

Elle est prête. Peter a réglé l'appareil à sa convenance. La musique ne s'élève pas encore. Il se tourne vers Audrey-Eileen, s'avance. Tous deux sourient, anticipant ce qui va suivre.

« Cet homme, conclut-elle, c'est le prince charmant. »

Lui déclare simplement :

– Je n'ai pas beaucoup de temps.

Voilà qui lui plaît moins. Ses traits se figent. Le temps : c'est ce dont elle a le plus besoin. Si tout se passe trop vite, il n'y aura jamais d'après. Dès lors, comment pourra-t-elle exercer sur lui sa magie ?

– Je dois tuer quelqu'un cette nuit, dit-il pour finir.

Oh non, Seigneur, faites que je ne sois pas tombée sur un cinglé ! Tout mais pas ça.

– Je ne vois pas très bien ce que vous voulez dire, murmure-t-elle d'une toute petite voix.

– Je vais vous expliquer. Je suis, même si vous ne vous en êtes pas rendu compte, un bienfaiteur de l'humanité. Voyez-vous, pauvre petite Audrey-Eileen avec un trait d'union, les hommes, jadis, tapis dans leurs grottes, guettaient, à la tombée de la nuit, l'approche des bêtes sauvages. Cette peur est inscrite dans nos gènes. Nous en

172

avons gardé, pour toujours, la nostalgie. Tout être humain, au crépuscule, frissonne sans s'en apercevoir. Ensuite, il se met au lit pour dévorer des histoires de monstres ou de vampires tout en mangeant du chocolat noir. Cette terreur ancestrale, il la recrée pour lui seul. Il la souhaite, il l'appelle. Moi, je propose de la satisfaire. La bête qui gratte à votre porte, c'est moi.

— Je vois.

— Vraiment, mon cœur ?

Elle sourit sans conviction.

— Je voudrais que vous rencontriez mon frère.

— Votre frère est ici ?

— Hé, Dondo ! crie Peter.

Il rend son sourire à Audrey-Eileen.

— Il dort, sans doute. Je vais aller le chercher. Asseyez-vous sur le lit.

Il se dirige vers le fond de la roulotte, en revient avec une grande poupée dans les bras.

En apercevant cette monstruosité aux grands yeux fixes et aux lèvres peintes, Audrey-Eileen ne peut maîtriser une grimace de dégoût.

Dondo porte un pantalon bleu et des pantoufles ornées de pompons. Peter le dépose sur les genoux de la jeune femme et, avec la solennité d'un sénateur, murmure :

— Dites bonjour à Dondo.

— Eh bien, salut, Dondo.

Elle a un petit rire.

— C'est drôle, il est si laid qu'il en devient attendrissant.

— Laid ?

— Enfin, je...

— Dondo, dis bonjour à Audrey-Eileen.

Elle fait sauter la poupée sur ses genoux, la dévisage comme si elle escomptait réellement une réponse.

— Dondo, ne sois pas grossier. Dis bonjour à la gentille dame.

Elle rit de nouveau.

173

– Dondo, nom de Dieu, je t'ai dit de...

Elle soulève la poupée, colle son oreille contre la sienne, fait mine d'écouter puis dépose à nouveau la chose sur ses genoux avant de déclarer à Peter :

– Dondo me dit qu'il est très heureux de me rencontrer, mais qu'il n'aime pas les gros mots que vous employez.

– Arrête ton char, pétasse.

– Bien, conclut-elle en étendant la poupée sur le lit avant de se lever. Il est temps que je m'en aille, vraiment.

– Oh, vraiment, réplique-t-il en singeant son accent.

Tout d'un coup, il s'agenouille devant la poupée et, d'une voix suppliante :

– Oh, Dondo, je t'en prie, dis bonjour !

Audrey-Eileen et lui attendent. Peter serre les poings, ferme les yeux et répète :

– S'il te plaît, dis bonjour.

Ils attendent toujours. Il se met à trembler, sa petite bouche se tord de dépit.

– Oh, pourquoi me fais-tu ça, pourquoi ne veux-tu pas dire bonjour ? S'il te plaît !

Audrey-Eileen en a assez vu. La porte, tout de suite. S'enfuir dans la neige avec ses hauts talons équivaut à un suicide, mais...

Il la retient par le bras.

– Où allez-vous, jeune demoiselle ?

– Je...

– Dondo veut vous voir danser. Vous nous avez promis une danse.

– Il faut que je m'en aille.

– Il faut que je m'en aille, souffle-t-il d'une voix radoucie. Mais d'abord une danse. Dansez pour nous et ensuite je vous raccompagne.

– Promis ? demande-t-elle, pleine d'espoir.

– Croix de bois, croix de fer, si je mens, je vais en enfer.

– D'accord. Mais un air, un seul.

– Parfait, dit-il en marchant vers le lecteur de disques. Je vais vous mettre une chanson douce, aux paroles pleines de poésie.

– J'aime les slows.

La musique s'élève, lascive, accompagnée d'un rire plus que suggestif. «Allez, se dit la jeune femme. Je lui donne encore une chance». Le chanteur susurre : «Dentelles et belles joues... » Elle sourit et se lance tout autour de la roulotte, bondissant sur ses jambes. Ses lourdes cuisses s'entrechoquent. Peter s'esclaffe jusqu'à ce que les larmes lui montent aux yeux. Il augmente le son puis s'affaisse sur le lit, à côté de la poupée.

– Oh, Dondo, regarde ! Une truie qui patine, une vache en tutu !

Audrey-Eileen ne se décourage pas. «Rien n'est perdu, songe-t-elle. On ne largue pas un homme uniquement parce qu'il est un petit peu... excentrique. » Elle se contorsionne, imitant toutes sortes d'animaux, le chien lubrique, le singe hurlant, se renverse pour que ses seins tressautent, se tourne, tortille des hanches en remuant un truc en plumes imaginaire. Peter rit de plus en plus, ravi de constater que la vie d'un vampire rock and roll peut aussi être drôle.

Et puis il la rejoint. Au moment où le chanteur serine : «Je suis fauché», il extirpe un rasoir de sa poche, lacère le cou de la danseuse et se penche pour laper la blessure.

Terrifiée par la souffrance, Audrey-Eileen fait un brusque pas en arrière, forçant Peter à la saisir par les cheveux et à la blesser de nouveau. Il essaie de maintenir la femme immobile, à portée de sa bouche, les lèvres contre les plaies jaillissantes. Mais elle est costaud. Elle se débat, hurle, lutte, le repousse. Du sang partout. Mains ouvertes, elle le griffe, trace de longues zébrures rouges le long de ses joues. Puis elle se précipite vers la porte.

Il la rattrape juste avant la sortie, enserre sa taille

épaisse de ses deux bras de singe. D'un grand coup de coude dans la mâchoire, elle l'envoie rouler sur le sol. Paralysé par la douleur et la surprise, il la regarde s'enfuir.

Ne surtout pas laisser une victime s'échapper. C'est ce que son initiateur lui a toujours dit. Vérifier qu'aucune trace ne subsiste, et ne jamais laisser personne s'enfuir. «Car si tu révèles par mégarde notre existence, nos frères te réduiront au silence, pour l'exemple. Et ils emploieront des méthodes qui te feront regretter d'être né.»

Et Peter reste là, les yeux fixés sur la porte ouverte de la roulotte, alors qu'Audrey-Eileen est partie.

Il bondit, se rue derrière elle.

Il n'a pas trop de souci à se faire. Gênée par ses ridicules talons hauts, Audrey-Eileen n'a progressé que d'une dizaine de mètres dans la neige. En quelques secondes, Peter la rejoint, la saisit aux épaules. Mais cette gourde est décidée à ne pas se laisser faire. Usant de son poids comme d'un avantage, elle s'affaisse au moment où Peter tente de la lacérer de nouveau, l'entraînant dans sa chute. Tous deux roulent dans la neige qu'ils maculent de sang. Peter frappe si violemment Audrey-Eileen au visage qu'il fait sauter son dentier.

Elle résiste encore, même si elle s'affaiblit, subjuguée par la force du petit homme, ses borborygmes d'animal en rut. Saisissant d'une main la ceinture de sa minijupe de cuir, agrippant de l'autre ses cheveux bouclés, il la soulève, se redresse, le genou droit dans la neige, et, d'un coup sec, la projette contre son genou gauche replié, lui brisant les reins.

Tous deux grognent.

Il la traîne en direction de la roulotte. La langue d'Audrey-Eileen joue avec l'espace laissé vide par son dentier, là où devraient se trouver sa canine, son incisive et sa première prémolaire gauches. Son père avait voulu se débarrasser du cheval. Mais Beauty n'y était pour rien. Un lapin lui avait barré la route : Beauty était parti à droite et Audrey (elle n'avait pas encore enrichi son prénom) avait été projetée vers la gauche et, manque de chance, avait atterri tête la première sur un rocher.

Peter vient de la hisser à l'intérieur de la roulotte. Paralysée depuis la taille, elle essaie encore de le repousser. Elle le griffe tandis qu'il tente de lécher le sang qui coule de son épaule avant de poser ses lèvres sur la blessure principale, trouvant avec sa langue l'artère lacérée d'où le sang jaillit comme l'eau d'un petit tuyau d'arrosage. Il lèche, suce.

Il devrait s'arrêter. Il le sait : ce sang a un goût étrange, de mauvais augure. Mais Peter ne peut épargner Audrey-Eileen après ce qu'ils viennent de vivre ensemble. D'autant qu'il savoure le meilleur moment, celui où, pesant de tout son poids sur sa victime qui gigote et tremble, il sent qu'il ne peut plus revenir en arrière, que son plaisir, proche de l'orgasme, devient irréversible.

Tant pis. Il avale, engloutit. Il est trop tard pour se contenir. Les yeux exorbités, en extase, suçant, lapant, il éjacule dans son pantalon, l'estomac rassasié.

Audrey-Eileen, elle, s'éteint doucement. Ayant accepté la mort, comme ces personnes qui, attaquées par des bêtes sauvages, se laissent soudain aller et s'enfoncent sans crainte dans le néant, elle ressent une paix étrange, irréelle, hors du temps. Plus rien ne compte, hormis ces souvenirs lumineux qui la bercent, l'accompagnant jusqu'à son dernier instant.

Elle venait d'avoir onze ans. Papa l'avait emmenée voir une ferme, à la sortie de la ville. Là, il lui avait montré un cheval noir avec une basane blanche sur le chanfrein. Il lui avait demandé ce qu'elle penserait d'une petite fille qui aurait la chance de posséder pareil animal. Audrey avait répondu que cette enfant serait la fillette la plus heureuse du monde. Papa, alors, avait dit : « Eh bien, cette enfant, ma chérie, c'est toi. Ce cheval t'appartient, je l'ai acheté pour toi la semaine dernière. Joyeux anniversaire, mon cœur. »

Dix-huit ans ont passé et jamais Audrey-Eileen ne s'est sentie plus radieuse, même pas cet après-midi où ses parents sont revenus à la maison, portant dans leurs bras son petit frère qui venait de naître, pas même le jour où on lui a installé cet appareil pour remplacer ses dents cassées lors de sa chute avec Beauty, ce petit dentier qui rendait son sourire éclatant. Elle se souvient : elle virevoltait devant le grand miroir de sa chambre, souriait à son reflet et se disait : «Je suis superbe.» Phrase qu'elle regretta aussitôt, car on lui avait toujours enseigné qu'il est mal d'adorer sa propre image.

Puis elle pense qu'il est quand même stupide de finir de la sorte alors qu'elle ne désirait qu'une chose : une vie normale, simple, avec un bébé, une gentille famille bien à elle. Elle aurait dû épouser ce camarade de lycée, un peu niais mais si gentil. À présent, elle n'a même plus la force de prononcer son nom.

Dans six secondes, elle sera morte.

Elle sent ce pervers qui lui suce le cou et se dit : «Bientôt, j'en aurai fini avec mes soucis.»

Trois secondes.

Elle se souvient du test sanguin qu'elle s'est fait faire le vendredi précédent et dont elle n'a pas eu le résultat.

Une seconde.

Pourvu, songe-t-elle, qu'il soit positif. Car, après, ce salopard découvrira la vraie Audrey-Eileen.

La langue coincée dans le creux laissé par ses dents manquantes, elle meurt.

Peter finit par s'écarter du corps, crachant un jet de sang avant de reprendre haleine. Il se redresse en chancelant, regarde la poupée et essaie de chantonner : «Quand je te dis que je t'aime...» Mais la nausée l'empêche de poursuivre.

Depuis le lit, Dondo le regarde, impitoyable.

20

– Roscoe !

– Johnny !

– Quoi de neuf ? Peter t'a contacté ?

– Non.

– Alors, où est l'urgence ? Je suis totalement débordé, ici.

– Je me suis juste souvenu de...

– De l'endroit où Peter se cache ?

– Johnny, pour l'amour du Ciel, écoute-moi !

– Désolé, je ne tiens que grâce au café noir et à l'adrénaline.

– Dimanche soir, lorsque Peter et moi sommes allés boire ensemble, il a mentionné, en dehors des Burton et de Kate Tornsel, un autre nom.

– Lequel ?

– Daniel Maring.

– Maring ? Il est d'Hambriento ?

– Non.

Je lui expliquai de qui il s'agissait, comment son nom m'était revenu en mémoire et pourquoi il risquait d'être la prochaine cible de Peter.

– Tu as son adresse ?

Je la lui donnai.

– Parfait. Maintenant que la prochaine victime potentielle dépend de leur circonscription, les types de

Washington vont peut-être se remuer. Je vais leur faire envoyer une voiture chez Maring.

— Peter pourrait très bien se pointer ici, tu sais.

— D'accord. Je fais aussi expédier une voiture chez toi.

— Quand viens-tu ? demandai-je d'une voix de petit garçon.

— Eh, il y a du grabuge là-bas en Floride et...

— Qu'entends-tu par «grabuge»?

— Ils ont trouvé un corps.

— Lequel ?

Il ne répondit pas.

— Johnny ?

— Tu ferais mieux d'engager un avocat. Je crois bien que les types de Floride s'apprêtent à s'intéresser de près à toi.

— Qu'est-ce que c'est que cette histoire ?

— Je ne peux rien ajouter d'autre que...

— Johnny, accouche ! Quel corps ont-ils trouvé ? Celui d'un des Burton ?

— Non.

— Celui de Kate Tornsel ?

Pas de réponse.

— Oh, pour l'amour du Ciel !

— Je ne devrais rien te dire du tout, mais je vais le faire quand même.

Il émit un rire joyeux.

— Et tu ne vas pas le croire, Roscoe, tu vas en rester sur le cul !

21

Deux gus descendent du Queens pour tuer des requins. C'est du moins ce qu'ils affirment : ils ne déboulent pas en Floride pour pêcher ou capturer des requins. Ils y vont pour faire un carnage. C'est ce qu'ils ont dit à leurs potes du Queens. Pas mauvais bougres pour autant, non, juste nuls. La menace qui pèse sur l'espèce, sur le système qu'on bousille en éliminant ses principaux prédateurs alors qu'on se fendrait tout autant la poire en les rejetant à la mer après les avoir piégés, ils s'en foutent. Ce qu'ils veulent, c'est massacrer ces enfoirés. Voilà pourquoi ils sont descendus en Floride. Appelons-les Mutt et Jeff.

Ils viennent d'avoir cinquante piges et ils ont décidé de se payer une petite virée d'anniversaire bien sanglante, une boucherie comme ils les aiment. Ils ont dégoté un marin spécialiste, qu'il dit, de la pêche aux requins. Tout en discutant du prix avec ce vieux phoque, ils se donnent déjà des frissons en l'appelant «Capt'ain». Le plan consiste à prendre la mer à minuit parce que c'est l'heure où les prédateurs se mettent à bâfrer. Car ces minous-là, bien sûr, ne soupent que la nuit.

Pour l'instant, nos héros ne sont pas bien frais. Au lieu de préparer leur safari, ils ont passé la nuit affalés au bar de l'Holiday Inn où ils sont descendus, débitant les blagues qu'ils se racontaient déjà lorsqu'ils étaient au lycée, tout en se payant la tête des autres clients, surtout les jeunes godelureaux au ventre plat qu'ils désignent en se donnant de grands coups de coude dans les côtes, vise un peu cette tronche d'ananas, à propos, je tâterais bien de cette bouteille, là, oui, celle-là, *no problemo, señor.*

Minuit sonne, faut y aller. Même si Mutt et Jeff ne se sentent pas encore totalement rétamés, il leur est arrivé d'être plus sobres. C'est ce que se dit le capitaine en les voyant tanguer sur le quai comme s'ils se balançaient déjà sur la crête des vagues tandis que le matelot pense à part lui, levant les yeux au ciel : «Ces deux connards vont dégueuler tripes et boyaux sur le pont et qui c'est qui va tout nettoyer ? Bibi, comme d'habitude. »

Bon. Le bateau, maintenant, s'agite quelque part au milieu de l'océan. Mutt et Jeff ont un mal de mer de tous les diables qui les casse en deux. Ils s'excusent platement, disant au capitaine : «C'est incroyable, jamais on a eu ça, ce doit être quelque chose qu'on a bouffé, les hors-d'œuvres pourris du Holiday Inn qui ne passent pas. Pas de problème, les gars, répond le capitaine, ça arrive à tout le monde, même aux meilleurs d'entre nous. » C'est le moment que choisit le matelot pour balancer par-dessus bord du poisson pourri et de la viande de cheval dont la puanteur les achève, c'est pas possible, on va crever, je te dis qu'on va crever.

Deux heures et une grande cafetière plus tard, les voilà presque d'aplomb, chopant des requins à droite et à gauche, les tirant parfois contre la coque où celui qui ne s'escrime pas avec la bête lui décharge dans le buffet le chargeur du semi-automatique 30-30 du capitaine.

Ils ont déjà tué une bonne dizaine de squales, les achevant dans l'eau et laissant leurs comparses s'en repaître. Tout d'un coup, Mutt en attrape un de toute beauté, un vrai monstre de trois mètres de long qui, dès qu'ils seront rentrés chez eux, aura doublé de volume.

Un requin-marteau. Il faut à Mutt une bonne heure pour amener ce macaque contre la coque. Jeff, aussi sec, lui balance quinze balles dans les gencives.

– Alors les gars ? dit le capitaine. Vous voulez ramener celui-là ? Le mesurer, le peser, vous faire photographier en sa compagnie ?

Sûr, qu'ils veulent.

Très bien. Une demi-heure supplémentaire pour hisser le monstre sur le pont, sous les mises en garde du capitaine qui leur crie au moins dix fois de rester à distance, ces chatons ne sont morts pour de bon qu'une fois pourris jusqu'aux arêtes.

Sa taille sidère nos deux marins d'eau douce. Sa tête, large comme une pelle, avec ses deux bizarres petits yeux à chaque extrémité, doit mesurer plus d'un mètre de large. De toute façon, quand ils auront regagné le Queens, elle aussi aura doublé.

Cap sur la côte. Tout contents, Mutt et Jeff, assis sur le pont, écoutent le capitaine leur raconter des histoires de requins.

Des récits de pêche à faire frémir, comme l'exploit de ce type qui a réussi, il y a bien des années, à capturer le vieil Adolf, un requin-marteau qui croisait dans les parages depuis la fin de la Seconde Guerre mondiale et auprès duquel, explique le capitaine, le trophée des deux aventuriers du Queens ressemble à un lapin d'élevage. Le vieil oncle Adolf raffolait de la chair humaine. Il ne ratait jamais aucun naufrage. Toujours bon pied bon œil, à swinguer entre les survivants dont il dévorait les jambes, laissant leur tronc flotter à la surface dans leur gilet de sauvetage.

Depuis la guerre, il était chez lui dans ces eaux-ci. Tous les pêcheurs essayaient de le choper, mais tripette : il cassait les lignes, renversait les barcasses et dégageait. Jusqu'au jour où un gus a eu la brillante idée de le piéger avec un câble d'acier fixé au treuil d'une Jeep garée au bout d'une jetée. On allait voir ce qu'on allait voir. Après une semaine de pêche de nuit, le vieil Adolf finit par mordre à l'hameçon. Il essaie les trucs habituels, se tortille pour enrouler la ligne autour de son corps avant de la casser, mais cette fois, c'était un câble d'acier et là, mon bon monsieur, avec le gros hameçon dans la gueule et le câble fixé à une Jeep, l'oncle Adolf était plutôt mal parti.

Ni une ni deux, le pêcheur actionne le treuil de la Jeep et commence à hisser le Führer qui, lentement, émerge à la surface comme un vieil alligator, avec ses petits yeux de fouine qui, mine de rien, évaluent la situation. Tous les requins font ça, vous savez. Ils se pointent en surface et regardent ce qui se passe sur terre. Et alors, là, comme s'il savait exactement ce qu'il était en train de faire, Hitler montre son cul à la jetée et se met à tirer comme une mule du Missouri.

Le treuil tient bon, mais ne tourne plus. Pas assez puissant. Point mort. Alors, la Jeep commence à bouger, à glisser doucement vers la mer.

Le type n'en revient pas. Il saute dans la bagnole, met le contact, passe la marche arrière en actionnant les quatre roues motrices et appuie sur le champignon.

La guimbarde recule d'une quinzaine de mètres. Ensuite, ses pneus patinent sur le bois de la jetée tandis que le vieil Adolf tire toujours. Les pneus fument, le type au volant appuie de toutes ses forces sur l'accélérateur. Tripette, les gars. La Jeep, doucement, avance vers le bout de la jetée.

Bouche bée, Mutt et Jeff écoutant cette salade.

C'est là, dit le capitaine, que tout se joue. Le type au volant ne veut pas en démordre. Il devrait sauter avant de se retrouver dans la flotte. C'est ce que hurlent deux autres types qui se précipitent sur la jetée. Ils n'ont que le temps de voir la Jeep s'enfoncer dans la mer, non pas d'un coup, mais doucement, en creusant un sillage bien blanc, toujours tirée par l'oncle Adolf et avec son chauffeur agrippé au tableau de bord.

– Nom de Dieu, murmurent Mutt et Jeff.

Le capitaine enfonce le clou.

– Aujourd'hui encore, si l'eau est assez claire, et si vous vous trouvez au bon endroit au bon moment, vous pouvez voir cette vieille auto tirée sur le fond à dix kilomètres à l'heure par cent mètres de câble et toujours « conduite » par un squelette aux doigts soudés au volant.

En entendant la fin de l'histoire, le matelot, dans l'habitacle, secoue la main droite en rigolant. Le « cap'tain » se paye encore la tronche de ses clients.

Enfin, tous, le capitaine, le matelot, le requin-marteau et Mutt et Jeff regagnent le port au moment où le soleil s'apprête à se lever. Vannés, malades, assommés par la gueule de bois, Mutt et Jeff, néanmoins tout excités, ont hâte de rentrer à la maison pour raconter à leurs potes leur expédition en haute mer à la poursuite des requins. Car c'est quand même le but de toute l'opération : revenir chez soi avec des bobards plein la bouche.

Pour l'heure, ils se pavanent sur le quai, admirant leur gibier qui, attaché par la queue, a encore l'air redoutable. Jeff dit qu'à son avis, Spielberg aurait dû faire tourner un requin-marteau dans *les Dents de la mer,* parce qu'un requin-marteau de la taille de celui qu'ils viennent de tuer, c'est quand même autre chose qu'un grand requin blanc. Mutt lui répond :

– Tu veux dire que *Benchley* aurait dû mettre en scène un requin-marteau. Parce que c'est Benchley qui a écrit le bouquin.

– Bon, dit Jeff. On s'en fout.

Le capitaine revient et leur explique qu'il doivent respecter la coutume qui consiste à éventrer la bête pour voir ce qu'elle a dans le bide, c'est très utile pour l'étude de l'espèce. Voilà une bonne idée, pensent Mutt et Jeff, s'imaginant déjà, de retour chez eux, racontant à leurs potes qu'ils ont participé à une expédition océanographique, ne capturant des requins que pour des motifs purement scientifiques, ce qui fera certainement plaisir à tonton Cousteau, cette vieille grenouille qui zozote à la télé dans son anglais de cuisine : *«Man iz zee only animal zat keels for sport* [1]. *»*

Le capitaine exhibe un énorme coutelas et entreprend de découper délicatement le ventre blanc de la bête qui déverse aussitôt sur le quai une quantité incroyable de merde, de déchets et de poissons à demi digérés d'une puanteur si abominable que nos deux marins d'eau douce, de nouveau, dégueulent tout ce qu'ils savent.

Le capitaine leur dit qu'il va chercher un jet pour nettoyer tout ça afin qu'on puisse voir dans le détail ce que le requin a recraché. Jouant les matamores, Mutt et Jeff touillent du bout du pied le contenu de l'estomac de la bestiole, s'imaginant qu'ils vont peut-être trouver des assiettes ou quelque chose de ce genre, comme dans *les Dents de la mer*. Il ne fait pas tout à fait jour. Aussi, lorsque Jeff sent contre la pointe de sa chaussure quelque chose de mou, il se dit tout d'abord : «Qu'est-ce que c'est ?» Puis, regardant de plus près, il murmure : «Non, ce n'est pas possible.»

Mutt, à son tour, discerne la chose et se penche.

Un bras humain.

Pas de doute là-dessus. Depuis le haut du coude jusqu'à la main. Il a même une montre au poignet. Une Timex.

Mutt et Jeff se penchent un peu plus.

Jeff examine la montre et se rend compte qu'elle marche encore. Il lève les yeux vers Mutt et dit...

En fait, cela ne s'est pas passé comme ça. En vérité, dès qu'ils ont su qu'ils avaient affaire à un bras humain, Mutt et Jeff se sont mis à pousser des cris perçants :

---

1. « L'homme est le seul animal qui tue pour le plaisir. »

« Capt'ain ! Capt'ain ! », tout en invoquant en vain les multiples noms de Dieu.

Mais ce qu'ils raconteront à leurs potes du Queens jusqu'à la fin de leurs jours, c'est qu'ils se sont tous les deux baissés jusqu'à toucher le bras. Jeff, examinant de nouveau la montre, a noté que la grande aiguille tournait toujours. Il s'est alors adressé à son copain et lui a dit :

– Une paire de claques...

Aussi sec, Mutt a répondu, finissant la phrase :

– Ça fait tic-tac.

22

Un bruit m'éveilla. Je m'assis dans mon lit et jetai un coup d'œil au réveil : 3 h 03 du matin, mardi 17. Que se passait-il encore ? Le bruit venait du rez-de-chaussée. Quelqu'un grattait à la porte. Peut-être s'agissait-il de l'agent qui, envoyé par Johnny, venait d'arriver et s'assurait que toutes les issues étaient verrouillées. Quoi qu'il en soit, je me sentis moins effrayé qu'exaspéré. Je voulais en finir avec tout cela, retrouver ma vie normale, n'avoir à discuter avec Marianne que de choses aussi banales que le règlement de nos dettes, le fait de savoir qui, le prochain soir, allait préparer le dîner ou si nous allions enfin nous décider à aller voir un médecin pour découvrir pourquoi nous n'avions pas d'enfant. J'en avais assez de me souvenir d'Hambriento, de revivre le cauchemar qui avait suivi la mort de mon père, de parler de vampires, d'avocats, de me demander si j'allais être arrêté et extradé vers la Floride. Tout ce que je souhaitais, c'était me lever frais et dispos le matin et n'avoir rien à affronter de plus excitant que...

Une voix. Notre chambre se trouvait juste au-dessus de la cuisine. Je ne pouvais pas me tromper. J'avais distinctement entendu quelqu'un.

Je me penchai vers Marianne. Elle dormait comme un ange. Attentif à ce que l'intrus ne perçoive pas le frottement de mes pas, je me coulai hors du lit et marchai avec précaution vers la fenêtre. Une voiture de patrouille stationnait de l'autre côté de la rue. Je vis l'agent installé au volant, distinguai la lueur de sa cigarette dans l'habitacle sombre. J'eus tout d'un coup, moi aussi, envie de fumer. Si je m'asseyais tranquillement dans l'obscurité, une cigarette au bec, ce qui se passait à présent, à trois heures du matin, s'estomperait comme par miracle.

Malheureusement, je n'avais pas de tabac dans la maison. J'enfilai une paire de jeans et, sans prendre la peine de passer une chemise, extirpai le Magnum 357 de dessous le matelas. Je quittai doucement la chambre avant de m'arrêter sur le palier, au sommet de l'escalier, l'oreille aux aguets.

Je restai là, stupide. Que faire ? Allons, Roscoe, du nerf. Retourner dans la chambre, ouvrir la fenêtre, appeler le policier en faction dans son auto ? «Je crois que quelqu'un rôde dans ma maison... À propos, pourrais-je tirer une bouffée de votre clope ?» Trop tard. J'avais déjà commencé à descendre les marches, enhardi par le poids du pistolet dans ma paume, bien décidé à ne pas attendre comme un mouton la prochaine catastrophe qui allait s'abattre sur moi.

Parvenu en bas (la cuisine se trouvait sur ma droite, de l'autre côté du vestibule), je m'arrêtai pour écouter encore.

Rien.

Avais-je été victime d'un rêve, d'une hallucination ?

J'étais sur le point de remonter lorsque j'entendis s'ouvrir la porte extérieure de la cuisine.

Traversant rapidement le vestibule, j'inspectai les recoins de la pièce avant de me diriger vers la porte de «saloon» qui donnait dans la cuisine. Un courant d'air froid recouvrit mes pieds nus. Je me souvins de ces émissions de télévision consacrées aux phénomènes paranormaux et au cours desquelles des témoins persuadés d'avoir eu affaire à des fantômes racontaient que les esprits manifestaient leur présence par des souffles glacés. Mon Magnum 357 serait-il efficace contre un vampire ? Au sous-sol, la chaudière se mit en marche.

Du cran, me dis-je. Je calai le pistolet dans ma paume et poussai la porte devant moi.

La lune éclairait la cuisine : je n'eus pas besoin d'allumer pour me rendre compte qu'il n'y avait personne. Pourtant, la porte extérieure donnant sur notre arrière-cour était grande ouverte, laissant pénétrer l'atmosphère polaire de la nuit. De la neige souillait le carrelage.

Les pieds subitement transis, je traversai la cuisine avant de regarder dehors. Je notai les traces de pas creusant la neige immaculée jusqu'à la chaîne qui, servant de barrière, délimitait notre propriété.

Je me retournai, inspectai rapidement la cuisine à la recherche de l'objet que l'intrus avait pu dérober ou, du moins, que Peter (de qui d'autre pouvait-il s'agir ?) avait eu l'intention de prendre. Puis, regardant de nouveau dehors, je le vis.

Il se tenait à l'une des extrémités de la chaîne et me fixait. Comment avais-je pu, tout d'abord, ne pas l'apercevoir ? Il était tellement visible avec son manteau noir et son feutre, contre la nuit rendue claire par la neige.

Au moment où je m'apprêtais à l'appeler, il pivota et s'enfuit en courant, son manteau gonflé derrière lui comme une cape.

Sans me poser de questions, j'enfilai une paire de bottes en caoutchouc oubliée devant la porte, saisis un gilet pendu à un crochet à côté de l'évier et me lançai à sa poursuite.

Je m'empêtrai tout d'abord dans mes bottes, courant avec maladresse, comme un canard, mes bras, laissés à nu par le gilet qui ne protégeait que mon torse, saisis tout d'un coup par le froid, tout comme mes mains, surtout celle qui tenait le pistolet. « Vas-y », me dis-je. Escaladant la chaîne, je vis Peter bifurquer sur la gauche au bout de notre allée. Je n'hésitai pas à le suivre.

J'étais armé.

Armé mais stupide, car je n'avais aucune idée de ce que je ferais si je le rattrapais. L'emmener à la police? L'abattre? Je me souvins de mon père me disant: «Celui qui hésite sur la conduite à tenir en cas d'urgence est impardonnable. Il faut avoir tout prévu à l'avance.» La belle affaire. Je n'étais pas sur un bateau où chaque cas de figure est répertorié, recensé, étudié. Je courais derrière un homme, une arme à la main. Je crus entendre la voix de mon père. Que vas-tu faire quand tu l'auras coincé? Je ne sais pas, Papa. Alors pourquoi le poursuis-tu? Je ne sais pas. Je continuai quand même à courir, mû par une excitation incontrôlable. J'atteignis le bout de l'allée, tournai à gauche. Peter avait déjà atteint le bâtiment suivant. Je ne me faisais pas de souci.

J'étais armé.

Plus je courais, plus ma confiance en moi grandissait, exactement comme au temps où je menais une vie de bâton de chaise et où l'alcool, semblait-il, me donnait des ailes. Arrête ton char, Peter, je suis fatigué de tes petits jeux. Je respirais sans effort, mes bottes ne me gênaient plus. Ma vision s'affinait, comme celle d'un prédateur fondant sur sa proie.

Deux jeunes Noirs marchaient paisiblement à ma rencontre. En temps ordinaire, surtout à cette heure, je me serais écarté. Le moins raciste des habitants de Washington D.C., le plus respectueux du «politiquement correct» ne prend pas le risque de froisser la susceptibilité de deux jeunes Noirs en vadrouille en plein cœur de la nuit. Il fait un détour. Pourtant, cette nuit-là, les choses se passèrent autrement. Voyant ce Blanc en gilet et aux bras nus courir un pistolet à la main, ils se séparèrent avec prudence, me laissèrent filer entre eux. L'un d'eux descendit même du trottoir, enfonçant son pied dans la neige.

Tout d'un coup, j'étais devenu un autre homme. Bien sûr, je savais qu'il y avait quelque chose de provocant dans le fait de courir en brandissant un pistolet dans les rues de Washington. Mais je tenais dans ma main une puissance indestructible, le pouvoir de vie et de mort. Mon aspect ridicule, ces bottes, ce gilet sans manches, tout cela n'avait plus d'importance. J'étais le roi. Posséder une arme équivalait à avoir du talent.

Je suivis Peter dans sa course à travers notre quartier résidentiel, puis le long d'une zone commerciale qui débouchait sur Connecticut Avenue. En dépit de la sueur qui coulait dans mon dos, j'avais les pieds gelés. La rapidité de mon pas s'en ressentait. Je suis sûr que Peter, s'il l'avait voulu, aurait pu me distancer sans mal. Pourtant, chaque fois que je tournais à l'angle d'un bâtiment, il était là, un bloc plus loin.

En m'approchant de l'avenue, je songeai à glisser mon pistolet dans la ceinture de mon jean et à le dissimuler avec un pan de mon gilet. Je me voyais mal tombant, ce gros Magnum à la main, nez à nez avec un policier. Qu'aurais-je pu lui dire ? «Monsieur l'agent, je traque un vampire. Je vois à l'expression de votre visage que vous ne croyez pas à ce genre de phénomènes. Et pourtant, dites-vous bien que si une personne est persuadée d'être un vampire, elle agit exactement comme si elle en était un. Comprenez-vous ?»

Je n'eus pas le temps de cacher mon arme. En traversant Connecticut Avenue, Peter frôla une Chevrolet des années 70 qui, freinant pile, glissa sur la chaussée avant d'être percutée par une Jeep.

Immobile, cherchant à reprendre mon souffle, j'assistai à l'accident comme si je m'étais trouvé devant mon poste de télévision.

Ensuite, je me précipitai au milieu de l'avenue, me penchai par la portière gauche de la Chevrolet. Un jeune homme blond d'une vingtaine d'années, vêtu d'un pantalon sans faux plis et d'une veste toute neuve, gisait sur le siège du conducteur, le front ensanglanté. Il m'aperçut, essaya d'ouvrir la portière. Sans succès : le choc l'avait bloquée. La Jeep, elle, était allée s'encastrer dans une congère, contre le trottoir d'en face. Le jeune homme me fixait en clignant les paupières, du sang plein les yeux.

Lorsqu'il aperçut mon pistolet, l'expression de son visage vira de la surprise à la panique. Il tenta de s'éloigner de moi, d'ouvrir la portière opposée. Je m'apprêtais à faire le tour du véhicule pour lui venir en aide lorsque je vis Peter de l'autre côté, me fixant par-dessus le toit de l'auto. D'où venait-il ? Il n'avait pas l'air essoufflé et son visage était totalement inexpressif.

Je me baissai, frappai à la vitre avec la crosse de mon pistolet, criant au jeune homme :

– Restez où vous êtes ! Verrouillez votre portière !

Peter l'avait déjà ouverte. Il tira violemment le jeune homme hors de la voiture, l'étendit dans la neige sale, au beau milieu de Connecticut Avenue.

Je bondis à l'arrière de la Chevrolet, butai, me rattrapai au pare-chocs. Mais je ne fus pas assez rapide pour empêcher Peter de saisir le jeune homme par les cheveux et de lécher avec frénésie le sang qui maculait son visage.

En hurlant, je lui donnai un grand coup de pied dans les côtes. Je n'aboutis qu'à me faire mal aux orteils, peu protégés par la fine couche de caoutchouc de mes bottes. Peter ne réagit même pas. Il continua à laper le sang de sa victime. Spectacle répugnant, obscène. Le jeune homme se débattait, criait. Peter passait sa langue sur son front, ses sourcils, ses joues.

Je m'inclinai, plaquai le canon de mon arme contre la tempe de Peter, juste sous le rebord de son chapeau.

– Laisse-le, lui dis-je.

Il se retourna lentement, jusqu'à ce que le canon du Magnum pénètre dans sa bouche sanguinolente. Je relevai le chien, ordonnai de nouveau à Peter de libérer sa victime. Il lâcha alors le jeune homme, saisit le canon du

Magnum à deux mains et le fit aller et venir entre ses lèvres, en remuant la tête d'avant en arrière.

Le dégoût me cloua sur place. J'entendis à peine le jeune homme, toujours couché sous lui, me dire d'une voix suppliante :

– Nom de Dieu, pressez cette putain de détente !

Peter, le canon toujours dans la bouche, hocha violemment la tête en signe d'acquiescement, faisant bouger le pistolet dans ma main.

Au lieu de le tuer, je posai ma botte droite sur son épaule et l'envoyai bouler aussi loin que je pus.

Il roula dans la neige, roula encore, beaucoup plus loin que n'aurait pu le propulser la pression de ma botte.

Je me penchai vers le jeune homme, essayai de l'aider à se relever. Affolé, il écarta ma main d'un coup de pied avant d'aller sagement se réfugier sous sa Chevrolet.

À ce moment-là, un hurlement me fit relever la tête. Je vis Peter tirer quelqu'un hors de la Jeep encastrée dans la congère.

– Peter !

Sans me prêter la moindre attention, il plaqua la conductrice de la Jeep – une jeune femme aux cheveux noirs portant une veste de cuir au-dessus d'une courte jupe de laine – sur le sol, dans la neige. Agrippant d'une main les pans de sa veste, la tenant de l'autre par les cheveux, il repoussa sa tête en arrière, exposant son cou, insensible aux poings qui le frappaient au visage.

– Peter !

Il détourna les yeux de la jeune femme, me regarda approcher. Il n'avait pas son rictus habituel. Il se contentait de me fixer, de contempler le pistolet que je pointais dans sa direction, le chien toujours relevé.

Il ouvrit la bouche, comme s'il avait l'intention de crier quelque chose. Puis, lentement, il se baissa de nouveau vers la jeune femme qui, sous lui, se débattait.

— Peter, je vais te tuer !

De la main gauche, je stabilisai le pistolet. Mais, à cette distance, et tremblant comme je l'étais, j'avais autant de chance d'atteindre la femme que de tuer Peter.

Je m'approchai donc un peu plus, regardant Peter plonger son visage dans le cou de sa victime qui hurlait, lui cognait la nuque à coups de poing, les côtes et le dos à coups de pied. Sa jupe s'était retroussée jusqu'aux hanches, découvrant, sous le haut du collant, une culotte qui faisait, contre la neige, une tache rouge. Il y avait dans ce tableau quelque chose d'affreusement érotique qui, à ma grande honte, me fascina. Je notai d'instinct tous les détails, les boucles sombres visibles sous le tissu écarlate. Je fus tenté de ne rien faire, de laisser les choses se dérouler, comme un voyeur attendant avec impatience la scène suivante, guettant le moment où Peter ouvrirait la veste de la jeune femme, soulèverait son chandail...

Je fis feu. Je vis très dictinctement la balle s'enfoncer dans l'épaisseur du manteau de Peter, juste sous son aisselle droite.

Il redressa violemment le buste, gifla l'endroit de la blessure comme si un taon venait de le piquer. Puis, tout d'un coup, il bascula sur le côté et resta immobile.

La jeune femme se releva immédiatement, courut jusqu'au milieu de l'avenue. Elle faillit heurter un taxi qui, pour l'éviter, fit une embardée qui le projeta contre le côté encore intact de la Chevrolet. Je me demandai si le jeune homme se terrait toujours sous sa voiture. Mais je le vis traverser la chaussée en titubant, se tenant le front. La conductrice de la Jeep le rejoignit et je pus entendre, dans la nuit froide et claire, le son criard de leurs voix.

Dès que j'avais fait feu, ma main avait cessé de trembler. Je me sentais d'un calme surnaturel. Je me surpris même à imaginer une idylle entre le jeune homme et la jeune fille qui s'étaient rencontrés là par hasard, dans des circonstances terrifiantes qu'ils raconteraient plus tard, une fois mariés, à leurs amis sidérés. Je regardai le chauffeur du taxi sortir de son véhicule en se retenant des deux mains à sa portière et en abreuvant les deux jeunes gens d'injures. Il se dirigea vers eux, beuglant toujours. Alors, ils me montrèrent du doigt. Le chauffeur de taxi s'immobilisa, se retourna.

M'enfuir, tout de suite.

Minute... Ce n'était pas moi que les deux jeunes gens montraient ainsi. Ils désignaient un emplacement à ma droite, me demandaient de regarder. À mon tour, je pivotai. Peter était parti. Mais à l'endroit qu'ils m'indiquaient, je le vis tourner au coin d'un immeuble et s'engouffrer dans une petite ruelle.

Trois autres voitures s'étaient arrêtées sur les lieux de l'accident. Conducteurs et passagers se mêlaient aux jeunes gens et au chauffeur de taxi, formant un groupe jacassant réuni d'un côté de l'avenue, juste en face de moi. Ils parlaient, regardaient, écoutaient les deux jeunes gens leur débiter leur ahurissante histoire. J'entendis une voix qui disait :

— Il est armé.

Une autre demanda :

— Est-ce qu'on a prévenu la police ?

Il fallait que je rentre chez moi. Je téléphonerais aux policiers depuis ma maison, me laissant arrêter là-bas après m'être habillé de façon décente, avoir réchauffé mes pieds gelés, m'être débarrassé du Magnum. Je souhaitais aussi avoir le temps de tout expliquer à Marianne. Pour rien au monde, je n'aurais voulu qu'elle apprenne toute l'histoire de la bouche des flics.

Je me mis à courir. Le chemin qui menait jusque chez moi passait devant la ruelle où Peter avait disparu. Je n'avais pas l'intention de le poursuivre. Pourtant, je ne pus m'empêcher de ralentir et de jeter un coup d'œil.

La ruelle était étroite, à peine plus large qu'une voiture, sillonnée à la fois par des marques de pneus et des traces de pas. À une vingtaine de mètres de l'entrée, debout sous la lumière jaunâtre d'un réverbère qui semblait teinter la neige d'urine, Peter m'observait.

23

Je décidai d'en finir là, dans cette allée dont Peter ne pouvait pas s'enfuir et où il agonisait, blessé par moi. J'attendrais simplement qu'il meure. Je lui devais bien ça.

La voix déformée par la douleur, il m'apostropha alors que je me trouvais encore à une vingtaine de mètres de lui.

— Es-tu toujours prêt à t'occuper de mon bateau ?

Il s'appuyait négligemment contre le mur de brique situé à ma droite, comme s'il recherchait une posture confortable. Mais je savais qu'il avait, en fait, besoin d'un support. Je l'avais touché. J'avais vu la balle le transpercer.

Je lui dis que nous allions attendre la police et une ambulance. Il répondit en grimaçant :

— Je ne te chargerai pas si, toi non plus, tu ne portes pas plainte.

Je progressai d'une dizaine de mètres dans la neige.

— Tu as abîmé mon manteau, me dit-il en époussetant un peu de neige sale.

Je m'approchai un peu plus.

— Nous avons déjà acheté le bateau, nous l'avons enregistré à ton nom. Nous serons prêts quand tu le seras.

— Nous ?

— Dondo et...

– Qui est Dondo ?

En souriant, il poursuivit d'une voix rêveuse :

– Juste nous quatre, les vampires rock and roll, sillonnant les sept mers. En fait, deux d'entre nous seront les vampires ; Marianne et toi formerez l'équipage. Elle n'aime pas le bon vieux rock d'autrefois ?

– Elle le hait.

– Dommage.

– Tu es sérieusement blessé ?

Il eut un petit rire.

– Je meurs.

Je me sentis envahi par une tristesse soudaine.

– Je suis désolé, Peter. Il fallait que... Je pensais que tu allais tuer cette fille.

– Oh, mais j'allais la tuer.

– Pourquoi fais-tu toutes ces ch...

– Mais je ne suis pas en train de mourir de ce que toi tu m'as fait. Ce qui me tue, c'est quelque chose que j'ai avalé, que j'ai ingurgité. Rien ne me sauvera, hormis une transfusion massive de sang neuf, de bon sang, de sang pur. Tu es prêt à m'en donner ?

– Pourquoi ne t'assieds-tu pas, là, sur ce carton ? Je suis sûr que quelqu'un a appelé la police et une ambulance.

– Est-ce que cette ambulance m'apportera du sang ? J'ai besoin de sang. Quatre litres feraient l'affaire. Je pourrais très bien les extraire d'un couple de... donneurs. Un de ces deux robustes jeunes gens m'aurait amené sur la voie de la guérison. Avec le second souper que j'ai programmé pour cette nuit, je me serais porté comme un charme. Mais tu m'as... tiré dessus.

– Peter...

– Le moins que tu pourrais faire serait de m'en donner un peu toi aussi. Che feux suzer ton zang.

– Je suis écœuré par toutes ces foutaises à propos des vampires.

– Pourtant, je t'ai déjà goûté, mon cher ami.

– Salopard, murmurai-je.

– C'est le mot.

– Je devrais te...

– Tu te souviens ? Tu m'as même demandé quelle saveur ça avait.

– Ferme-la.

– Je t'ai alors demandé si tu n'avais jamais goûté le tien. Je pensais que tout le monde le faisait. Mais tu as pris un air horrifié.

– La ferme !

– Mon Dieu, qu'est-ce que nous avons ri, cette nuit-là... Tu te rappelles ?

– On va t'enfermer pour ces meurtres en Floride. Ils ont trouvé un corps.

– Non. Ils n'ont rien trouvé.

– Oh, que si ! Un bras. Tu finiras grillé. Dis-moi, Peter, est-ce que les chaises électriques bousillent les vampires ?

Il rit puis grimaça, transpercé par la douleur provoquée par son rire.

– Ça a le goût d'un épais jus de palourde. Et puis c'est salé. Un peu comme le sang, non ?

– Si j'étais vraiment sûr que ton ordure de frère et toi aviez quelque chose à voir avec la mort de mon père, je te tuerais maintenant, sans laisser ce soin à l'État de Floride.

Stupéfait, Peter s'écarta du mur et fit un pas dans ma direction.

– De quoi parles-tu ?

Je levai le pistolet.

– Johnny Laflin m'a dit...

– Ce boy-scout mal dégrossi...

– Que sais-tu sur la mort de mon père ?

– Seulement ce que tu en as appris toi : il s'est tué parce que les Burton essayaient de détruire son affaire.

– Richard et toi maniganciez quelque chose.

Il fit deux pas chancelants vers moi. Je criai :

— Arrête ou je te descends !

— Tu ne peux pas gober ça, dit-il en me tendant la main. Tu ne peux pas me croire impliqué dans la disparition de ton père. Tu sais à quel point je le vénérais.

— Qu'est-ce que ton frère et toi faisiez sur cette plage juste avant sa mort, enterrant ou déterrant quelque chose ? De plus, vous...

— Vendredi dernier, je suis allé m'incliner sur sa tombe. J'y ai passé plus d'une heure, arrachant les mauvaises herbes, plantant des fleurs. Devine ce que j'ai fait d'autre : je suis allé remplir un vase d'eau de mer sur le rivage proche de votre maison d'Hambriento et je l'ai rapporté au cimetière...

Je baissai mon arme.

— Là, j'ai aspergé sa sépulture. Tu te souviens de l'inscription ? « Curtis Bird. Marin. La mer était sa maison. »

Je crus que tout mon sang se vidait.

— Es-tu retourné sur sa tombe ?

Je hochai la tête.

— J'ignore ce qui te fait croire que je suis impliqué dans sa mort, reprit-il d'une voix douce. Mais si tu n'as ne serait-ce que l'ombre d'un doute à ce sujet, tu n'as plus besoin de faire feu sur moi une nouvelle fois : tu m'as déjà tué.

Il s'effondra, d'abord sur les genoux, puis sur le flanc, dans la neige. Je me précipitai vers lui.

— Peter ?

— J'ai froid. Dieu que j'ai froid ! Roscoe ?

J'étais parvenu tout près de lui lorsque j'entendis du chahut derrière moi. Me retournant vers l'entrée de la ruelle, j'aperçus une dizaine de silhouettes éclairées en contre-jour par les lumières de l'avenue. « Appelez une ambulance ! » criai-je. Personne ne bougea.

La musique me fit pivoter. Peter n'était plus là. Seule subsistait la trace de son corps dans la neige. Martha Reeves et les Vandellas chantaient :

«Nulle part où courir vers toi, nulle part où disparaître, nulle part où courir vers toi, nulle part... »

Pointant mon arme, je m'accroupis, visant un côté de
la ruelle puis l'autre, attitude qui me parut stupide car
Peter ne pouvait effectivement être nulle part. Je ne vis
aucune poubelle, aucune embrasure derrière lesquelles il
aurait pu se dissimuler, pas l'ombre d'une trace indiquant la direction qu'il aurait pu prendre. Rien ne
souillait la neige, hormis les marques de pneus s'étirant
jusqu'au bout de la ruelle. Je me dis que Peter avait dû y
mêler ses pas. Voilà pourquoi il n'avait laissé aucune
empreinte.

« Ce n'est pas l'amour qui me fait fuir

C'est la peine que je sens venir... »

L'écho des murs amplifiait la musique qui envahissait
la ruelle de façon assourdissante. Je me demandais si
Peter avait enfoui dans la neige un petit lecteur de cassettes qu'il aurait mis en marche avant de s'enfuir, plaçant
soigneusement ses pas dans les traces de pneus. Avait-il
eu le temps de faire tout cela pendant les quelques
secondes où je m'étais retourné avant d'enjoindre à la
foule des spectateurs d'appeler une ambulance ?

Avec, en plus, une balle sous l'aisselle ?

« La nuit, quand je m'endors, tu te coules au fond de
moi. »

Tout d'un coup, des hurlements de sirènes résonnè-
rent dans Connecticut Avenue. Je ne pensai qu'à détaler,
à rentrer chez moi, à retrouver Marianne.

24

Je repris en sens inverse le chemin que j'avais emprunté en poursuivant Peter. Cette fois, j'avais glissé le pistolet dans ma ceinture avant de le recouvrir avec mon gilet. Malgré tout, je m'attendais à chaque instant à ce qu'une voiture de patrouille freine brutalement derrière moi. J'imaginais des policiers bâtis comme des armoires bondissant hors du véhicule, sautant sur moi, me plaquant au sol, la face dans la neige. Injures, coups. Dieu sait que je les méritais. Mais j'arrivai chez moi sans avoir rencontré personne.

Je rentrai par la porte de derrière, pour que le policier en faction devant ma maison ne me remarque pas. J'avais laissé la porte de la cuisine ouverte. La pièce était glaciale. Au sous-sol, la chaudière fonctionnait à plein régime. L'horloge accrochée au-dessus du réfrigérateur indiquait quatre heures du matin.

Avec un balai, j'évacuai la neige que Peter, et à présent moi, avions disséminée sur le carrelage. Ensuite, à quatre pattes, j'épongeai le sol avec du papier hygiénique, avant d'extraire à grand-peine mes pieds gelés de mes bottes de caoutchouc. Je réglai le robinet de l'évier jusqu'à ce que l'eau devienne tiède. Je hissai mon pied droit, puis le gauche, sous le jet bienfaisant. À mesure qu'ils dégelaient, je sentais des milliers d'épingles s'enfoncer dans leur chair. J'avais si mal que les larmes me montaient aux yeux.

Mes pieds endoloris trouvèrent avec gratitude la moquette du vestibule. Je regardai dehors à travers une des étroites fenêtres disposées de part et d'autre de notre porte d'entrée. La voiture de patrouille était toujours là. Je m'interrogeai sur ce qu'il adviendrait du policier en faction au volant lorsqu'on finirait par découvrir la vérité, par apprendre ce qui s'était passé cette nuit-là. Je ne donnais pas cher de son avancement.

Avant que j'aie atteint le milieu de l'escalier, le contre-coup de ce que j'avais vécu au cours des dernières heures m'atteignit en pleine poitrine, comme un poing venu de nulle part. Je dus faire un effort pour atteindre la rampe. Impossible de retrouver mon souffle. Oh, mon Dieu ! La police allait venir m'arrêter : j'avais tué un homme, je l'avais abattu avant de m'enfuir.

À genoux, la main sur la rampe, je fus pris d'une furieuse envie de vomir. La peur me nouait les tripes. «Ils vont m'arrêter, je vais perdre mon emploi, être obligé d'engloutir dans des honoraires d'avocats les précieuses économies que j'ai faites depuis que Maring m'a mis à la porte ; Marianne devra abandonner ses études une seconde fois. Jamais elle ne se remettra de toutes ces humiliations. Et elle me quittera.»

Je restai là, à genoux sur les marches, paralysé par l'angoisse, à m'apitoyer sur moi-même jusqu'à ce que mon instinct de survie reprenne le dessus. Pourquoi me tourmenter ? Je n'avais que légèrement blessé Peter. L'épaisseur de son manteau avait sans doute atténué l'impact de la balle ; sinon il ne se serait pas volatilisé aussi facilement. «Il ne mourra pas, me dis-je. Et une seule personne a aperçu mon visage : le jeune homme à la Chevrolet. Il était si choqué par l'accident, si terrifié par les agissements de Peter qu'il se montrera certainement incapable de me reconnaître. Qui sait ? Peut-être n'entendrai-je plus jamais parler de cette nuit ? Peut-être ne parviendra-t-on jamais jusqu'à moi ?»

J'achevai de monter l'escalier, tournai à droite en direction de notre chambre. Je ressentis une chaude impression de soulagement en voyant Marianne dans notre lit, dormant aussi paisiblement qu'au moment où je m'étais levé.

Je gagnai sans bruit mon côté du lit. Je retirai mon gilet, extirpai le pistolet hors de mon jean, le cachai à nouveau sous le matelas. Après le départ de Marianne pour l'université, d'ici à quelques heures, je le nettoierais pour le remettre à sa vraie place, dans sa boîte, au grenier.

J'enlevai mon pantalon, me glissai nu près de Marianne, au sein de ce cocon qu'elle avait créé là, sous les couvertures. Je fus tenté de l'entourer de mes bras, de me rapprocher d'elle; mais la froideur de mon corps l'aurait réveillée en sursaut. À regret, je restai donc dans mon coin.

— Roscoe? murmura-t-elle d'une voix ensommeillée.

— Tu attendais quelqu'un d'autre?

Sa main tâtonna, toucha ma jambe.

— Tu es gelé.

— Je suis descendu. J'avais soif.

— La prochaine fois, mets une robe de chambre, bredouilla-t-elle.

— Je n'y manquerai pas.

25

Tap, tap.

Tap, tap. Tap, tap. Tap, tap.

Le colonel Daniel Callagan Maring, officier d'intendance de l'armée des États-Unis, cadre de réserve, finit par se réveiller.

Tap, tap.

Tap, tap.

En dépit de l'heure matinale – cinq heures –, il ne s'inquiète pas outre mesure. Il sait très bien de quoi il retourne. En fait, tôt dans la soirée, il a appelé plusieurs de ses amis pour se vanter d'être sous protection policière. Encore ce crétin de Bird, leur a-t-il dit. Il semblerait qu'un de ses potes, complètement fêlé, erre dans le coin avec l'intention de tuer les vieux ennemis du Bird en question. Et devinez qui est le prochain sur la liste? Votre serviteur. Bien sûr que je n'ai pas peur. Une voiture de patrouille stationne juste dehors, mais j'ai quand même envoyé ma femme passer la nuit chez sa sœur.

Tap, tap.

Voilà, voilà. Maring enfile une paire de pantalons gris et une chemise à rayures bleues qu'il garnit de boutons de manchettes et boutonne jusqu'au col. On ne doit jamais se présenter en tenue négligée, surtout si quelqu'un vous tire du lit à cinq heures du matin. Même redevenu civil et reconverti dans les affaires avec le statut de cadre supérieur, Maring ajuste sa chemise exactement comme il le faisait jadis dans l'armée. Elle est propre, sans un faux pli, fraîchement repassée, et il la porte avec fierté. À soixante ans, il a d'ailleurs fière allure, avec son mètre quatre-vingt-cinq et sa raideur de cadet de West Point.

Tap, tap.

Il enfile une élégante paire de pantoufles de cuir avant de se précipiter au rez-de-chaussée. Arrivé devant l'entrée, il plaque un œil contre le judas. Il ne se trompait pas. L'homme qui se tient sur le seuil est effectivement un policier en uniforme. Sans doute a-t-il des informations sur le copain siphonné de Bird, se dit le colonel en ouvrant la porte.

— Patrick O'Malley O'Brien O'Ryan, pour vous servir, Monseigneur, dit le petit flic en s'inclinant et en claquant les talons.

Jamais Maring n'a vu un agent de police avec un air pareil. Et comment a-t-il dit qu'il s'appelait ? Il doit mesurer un mètre soixante, porte un uniforme trois fois trop grand pour lui. Il a même dû rouler le bas de son pantalon. Quant à sa casquette, elle tombe de façon ridicule sur ses oreilles.

— O'Ryan ? demande Maring.

— Tout juste, Excellence, tout juste, réplique le policier avec un accent irlandais tellement outré qu'il doit être faux.

Maring ne parvient pas à croire qu'on ait pu envoyer en mission un agent accoutré de façon si grotesque. Si l'un de ses subalternes s'était présenté devant lui dans une tenue aussi fantasque, il aurait fait un rapport sur-le-champ. On ne respecte plus rien, de nos jours ; plus rien du tout.

— Eh bien, que se passe-t-il, O'Ryan ? Vous avez coffré le copain de Bird ?

— J'm'excuse, Président, mais j'aurais v'lu un verre

d'eau. J'me sens un peu barbouillé, si vous voyez d'quoi j'cause. Quéqu'chose que j'as mangé.

Maring n'en croit pas ses oreilles.

— Vous me tirez du lit à cinq heures du matin pour que je vous donne un verre d'eau ?

— Eh bien, m'sieur, c'est-à-dire que...

— C'est un scandale, voilà ce que c'est, jeune homme. Comment s'appelle votre supérieur ?

— Richard, mon prince.

— Son nom de famille !

Le petit homme lève le doigt de façon comique pour attirer l'attention du colonel.

— Sergent colonel capitaine Richard III, m'sieur.

Il est saoul, pense Maring.

— Vous déshonorez votre uniforme.

— Merci, honorable et vénéré colonel, dit le policier en baissant le nez sur sa veste avant de gratter une tache sombre à l'endroit où la tunique est déchirée. Du sorbet chaud. Mon péché mignon...

Puis, plongeant de nouveau son regard dans les yeux bleus et froids de son interlocuteur :

— Alors, Gouverneur, et ce verre d'eau ?

Maring renifle. Il a bien envie de claquer la porte au nez du petit homme. Il se ravise aussitôt. On ne sait jamais : l'ami fêlé de Maring court toujours et la police pourrait encore être utile.

— Entrez, dit-il sans enthousiasme. La cuisine se trouve sur votre droite.

Observant le petit flic de dos, Maring s'aperçoit que son pantalon pendouille entre ses jambes et que, même roulé, l'ourlet traîne par terre. Sa démarche est raide. Il se déplace en serrant son coude droit contre son flanc. En fait, il semble sur le point de s'évanouir.

Une fois dans la cuisine, Maring sort un verre du placard, le pose sur l'évier, désigne du menton le robinet d'eau froide.

– Qu'avez-vous au côté droit ?

– Blessé au cours d'une mission, commissaire.

Cette réponse radoucit Maring. Ce type souffre sans doute tellement que les médicaments qu'on lui prescrit affectent son jugement et sa personnalité. On n'aurait jamais dû l'autoriser à reprendre du service dans ces conditions.

– Buvez votre eau, mon garçon. Ensuite, je pense que vous devriez demander qu'on vous remplace.

Mais le policier reste là, devant Maring, sans esquisser le moindre geste vers l'évier.

– Que se passe-t-il ?

– J'm'demandais, m'sieur... Quand j'vous as réveillé avec mes tap, tap, est-ce que vous rêviez, mon prince, rêviez-vous de ces petites Irlandaises, de ces... comment qu'on les appelle là-bas, docteur... de ces gentilles *colleens* ?

– Ne tirez pas trop sur la corde, O'Ryan.

Il est vrai, pourtant, que Maring rêve souvent d'une jeune Irlandaise sans nom. Il n'a jamais mis les pieds en Irlande ; mais sa mère y est née et, lorsqu'il était enfant, ses oncles maternels lui parlaient toujours avec chaleur des jeunes filles de là-bas. Si belles, si innocentes. Elles vous faisaient fondre avec leur timidité, leurs paupières baissées, leurs joues roses qui devenaient rouges de confusion chaque fois qu'un homme s'approchait d'elles. Leurs yeux verts, leurs cheveux roux. Nulle part ailleurs dans le vaste monde, on ne rencontrait de jeunes personnes aussi exquises.

La chère épouse de Maring est douce, elle aussi, mais elle n'est pas irlandaise. Elle est grecque. Et noire, tant de teint que de caractère. Elle préfère l'ombre, le silence. Il l'a épousée parce que sa nature soumise contrastait avec sa propre brutalité et parce que ses cheveux d'encre, ses prunelles sombres et la couleur de sa peau lui paraissaient éminemment érotiques. Mais au fil des années, après le départ de leurs enfants devenus adultes, sa soumission a commencé à l'ennuyer. Quant au côté sombre de son allure et de son tempérament, il a petit à petit provoqué chez Maring un dégoût semblable à celui qu'il éprouve pour son propre corps qui s'est mis à le trahir, à s'épaissir, à vieillir, à devenir pour lui une charge, un fardeau. En plus, la Grecque, à présent, a une moustache.

Non qu'il songe à divorcer. Jamais il ne la quittera, même s'il lui pousse une barbe. Maring est un Irlandais de la vieille école, un catholique d'avant Vatican II. Se séparer de la mère de ses six enfants ne lui viendrait même pas à l'esprit.

Mais il a le droit de rêver. Nul n'est responsable de ses songes ; et ceux du colonel Maring sont remplis de jeunes Irlandaises.

Tap, tap. Le petit flic gratte ses phalanges contre la porte du réfrigérateur pour attirer son attention.

— Eh bien, Monseigneur, on était dans la lune ? On pensait encore à cette petite Irlandaise, à ses seins menus couleur de lait et à la douce touffe rouge qu'elle cache entre ses jambes encore inexplorées ?

— O'Ryan...

— Et maintenant, elle glousse quand vous la chatouillez sous le menton. Et elle rougit jusqu'aux oreilles lorsque le colonel, tout émoustillé, lui propose un petit tour derrière les buissons ?

— Buvez votre eau et foutez le camp.

— Un de mes amis m'a dit que vous étiez excessivement fier de vos origines irlandaises, dit le policier, renonçant tout d'un coup à son accent. Qu'avez-vous fait exactement pour devenir irlandais ?

— Laissez tomber l'eau et tirez-vous tout de suite !

— Impossible. Je dois d'abord remplir ma mission.

— Quelle mission ?

— Mon supérieur m'a chargé de vous sucer.

Maring fait mine d'avoir mal entendu.

— Qu'est-ce que vous dites ?

— Je suis ici pour vous sucer.

Maring devient cramoisi. Des veines gonflent son cou et son front. Postillonnant sous l'outrage, il bredouille :

— Je ne sais pas si vous êtes saoul ou drogué, cinglé ou abruti par les médicaments, mais d'ici à une semaine, je vous aurai fait retirer votre insigne.

— Oh, pourquoi attendre une semaine ? Prenez-le maintenant, dit le policier, dégraffant l'insigne de sa chemise et se dressant sur la pointe des pieds pour le tendre à Maring médusé.

— Vous êtes siphonné.

— Maintenant, puis-je vous sucer ?

Maring avance la main.

— Donnez-moi votre arme, mon garçon.

À sa grande surprise, le policier la lui tend sans protester.

— Je vais téléphoner et demander qu'on vienne vous arrêter.

— Mais je ne vous ai pas encore sucé ! gémit le petit flic en s'agenouillant et en enroulant ses deux bras autour des jambes de Maring.

Rendu furieux par cette farce écœurante et stupide, le colonel gifle le haut du crâne du policier, envoyant valser sa casquette trop grande.

L'agent tient bon et se met à chanter :

— Oh, Danny Boy, les cornemuses s'interpellent d'une vallée à l'autre, très loin dans la montagne...

Sa belle voix de ténor irlandais ne calme pas le colonel.

— L'été s'en va, les fleurs se fanent et toi aussi, oui, toi aussi, voici ton heure...

Le flic relâche son étreinte, se penche en arrière, lève les yeux vers Maring puis, d'un geste prompt, glisse une main le long de la face interne de la jambe droite du colonel.

Maring le frappe une nouvelle fois.

— Sale petit vicieux !

— ... En plein soleil et dans les gouffres d'ombre..., chante le petit flic en se remettant péniblement sur ses pieds.

Une fois debout, il défait un bouton de sa tunique, plonge la main dans sa poche intérieure, en sort un couteau à la lame étroite et longue puis, d'un coup sec, entaille le cou du colonel.

— Il y a eu un terrible malentendu, murmure Peter tandis que, les yeux exorbités, Maring lâche le pistolet pour serrer à deux mains son cou sanglant.

La lame tranche, tranche encore, traçant de profondes lignes rouges sur le front et le nez du colonel, qui hurle de douleur en tentant de protéger son visage, offrant ainsi ses bras qu'entaille également le couteau.

— Je me suis mal exprimé, dit calmement Peter. Ma mission consistait à vous désosser.

Le colonel abrite toujours son visage derrière ses mains. Peter en profite pour lui enfoncer la lame dans le ventre, jusqu'aux entrailles.

Fou de douleur et de terreur, Maring titube tout autour de la cuisine, renversant les chaises, le mixeur et le grille-pain posés près de l'évier, peignant la pièce en rouge, glissant dans son propre sang.

Peter, pendant ce temps, ouvre les tiroirs.

— Où cachez-vous votre argenterie ?

Il est trop tard pour que le sang le sauve. Mais il en laperait bien un peu quand même. Maring se cogne contre le réfrigérateur, s'agrippe à la poignée avant de s'effondrer sur le sol.

— Quel gaspillage, dit Peter, plaçant contre le cou du colonel une cuillère qu'il vient de dénicher.

Attendant qu'elle se remplisse, il murmure :

— Vous dé-zosser, pas vous sucer. Ce n'est pas tout à fait la même chose.

26

Un peu avant l'aube, une lumière éblouissante et irréelle envahit notre chambre. Je m'éveillai en sursaut, pensant que Jésus venait me rendre visite. Un haut-parleur au son amplifié par un système électronique me détrompa vite. Ce n'était pas Jésus.

— Roscoe Bird ! Police ! Sortez les mains en l'air !

Je crus tout d'abord que je rêvais. Pourtant, la voix du policier était bien réelle et avait dû ameuter tout le voisinage. Pas de doute : les flics étaient là pour moi. Une interrogation absurde me vint à l'esprit : comment allais-je m'habiller avant de sortir les mains sur la tête ?

— Que se passe-t-il ? demanda Marianne en se pelotonnant contre moi.

Je n'avais pas le temps de lui raconter, même rapidement, ce qui s'était passé quelques heures plus tôt sur Connecticut Avenue. Je lui répondis :

— Sans doute vient-on encore m'interroger.

— Avec un haut-parleur ?

Je ne pris pas sa question au second degré : elle ne plaisantait pas.

— Je descends voir ce qu'ils veulent. Reste là. Et pour l'amour du Ciel, ne t'approche pas d'une des fenêtres.

— Roscoe, j'ai peur.

— Moi aussi.

Je venais juste de passer une chemise et un pantalon lorsque le haut-parleur beugla mon nom pour la seconde fois.

— Roscoe Bird ! Vous avez trente secondes pour vous montrer ! Passé ce délai, nous utiliserons des grenades lacrymogènes !

— Roscoe !

— J'ai compris, dis-je en achevant de m'habiller. Écoute-moi : dès qu'ils m'auront embarqué, téléphone à un juriste. Préviens celui que nous avons pris pour nous défendre contre Maring. Demande-lui de nous donner le nom d'un avocat d'assises.

— Quinze secondes !

— Roscoe !

— J'y vais !

Je bondis hors de la chambre et dévalai l'escalier jusqu'au vestibule, aveuglé soudain par les projecteurs dont l'éclat pénétrait dans la maison par les deux petites lucarnes disposées de chaque côté de l'entrée. J'entrouvris la porte. Aussitôt, le haut-parleur aboya :

— Les deux mains, Bird ! Doigts écartés ! Sur le perron ! Tout de suite !

J'achevai d'ouvrir la porte et je restai là, enveloppé dans cette lumière insupportable, pétrifié, incapable de bouger.

— On t'a dit les mains en l'air ! Reste où tu es ! Un geste et nous ouvrons le feu !

J'entendis alors une voix familière.

— Fais ce qu'ils te disent, Roscoe. Ils ont la gâchette facile.

C'était Laflin.

— Johnny !

— Lève gentiment les bras et montre-toi sous le porche. Tout ira bien.

— Ta gueule, Laflin ! brailla une autre voix.

Sans en tenir compte, Johnny continua à s'adresser à moi.

– Amène-toi, Roscoe. Amène-toi avant qu'ils te descendent !

À peine avais-je fait trois pas que deux homme entièrement vêtus de noir me sautèrent dessus. Ils m'avaient guetté, tapis de chaque côté du porche. Instinctivement, je protégeai ma tête. Trop tard : l'un des hommes me frappa en plein visage tandis que l'autre me saisissait par les genoux.

Je n'opposai aucune résistance. Je n'en avais pas la moindre intention. Pourtant, ils me plaquèrent au sol, m'enfoncèrent la face dans la neige, me serrèrent les poignets derrière le dos avant de recommencer à me frapper. Le fait d'avoir tiré sur Peter avant de m'enfuir méritait-il un tel traitement ? Ils me redressèrent avec brutalité. Quelqu'un me lut mes droits. Je me retrouvai entouré d'agents en uniforme, les uns noirs, les autres blancs. Tous avaient les traits déformés par la haine.

Ils me poussèrent sans ménagement vers une voiture. Johnny essaya de me dire quelque chose que je ne compris pas. Les autres, de toute façon, ne le laissèrent pas m'approcher. J'entendis aussi, en arrière-fond, au milieu de toutes ces voix masculines, Marianne hurler mon nom.

On me jeta sur la banquette arrière de la voiture, entre deux policiers en civil. Les portières ne claquèrent pas tout de suite. Les deux policiers, l'un blanc, l'autre noir, parlaient à leurs collègues, leur donnaient des ordres. Laflin apparut à l'une des portières. Je lui criai :

– Johnny, il faut que tu m'aides !

– Je ne peux rien pour toi, Roscoe, c'est un des leurs qui a été tué.

– Ferme-la, Laflin ! braillèrent les deux flics qui m'encadraient.

Ils fermèrent les portières et la voiture commença à se frayer un chemin à travers la foule des policiers et des voisins qui s'agglutinaient dans la rue bordant ma maison.

— Suis-je en état d'arrestation ?

Le policier blanc placé à ma droite éclata d'un rire amer. Le Noir, assis à ma gauche, consentit à me répondre :

— Tu es coffré pour avoir descendu un flic.

— Un policier ?

— Exact. Un flic. Sans compter ton ancien patron Daniel Maring.

— Mais je ne les ai pas tués. Je jure que je n'y suis pour rien !

— Boucle-la. Tu jacteras au poste.

— Est-ce que Johnny vous a parlé de Peter, Peter Tummelier ?

Le policier blanc heurta violemment mon front du plat de la main.

— Je t'ai dit de fermer ta grande gueule, non ?

Après un moment de silence, le Noir me demanda :

— Comment s'appelle ton père ?

— Curtis. Curtis Bird.

— Tout juste. C'est le nom gravé sur le couteau.

— Quel couteau ?

— Celui qu'on a trouvé planté dans le cou de Maring, répliqua le Noir.

— Et avec lequel tu t'es d'abord fait la main sur notre collègue qui montait la garde devant sa maison, ajouta l'autre. Ça ne te rappelle rien, salopard ?

Non, cela ne me rappelait rien du tout.

Se rongeant les ongles dans le salon, vieille habitude dont elle a réussi à se débarrasser depuis des années mais qu'elle a reprise avec une sorte de frénésie il y a cinq minutes à peine, Marianne téléphone pour la troisième fois à son avocat. De nouveau, elle tombe sur le répondeur. Rien de plus normal : quel homme de loi se trouverait à son bureau à quatre heures quarante du matin ? Quant à son numéro privé, Marianne ne le possède pas. Il ne lui reste qu'une chose à faire : continuer à appeler à intervalles réguliers jusqu'à ce que quelqu'un, enfin, réponde.

Inutile, d'un autre côté, de questionner la police. Personne ne lui révélera quoi que ce soit sur les raisons de l'arrestation de Roscoe. Les agents restés chez elle après le départ de la voiture de patrouille lui ont dit simplement, avant de s'en aller : «Téléphonez au poste, on vous renseignera», ce qui équivaut à une fin de non-recevoir.

Le dernier policier parti, Marianne compose une nouvelle fois le numéro de l'avocat. Il est à peine six heures du matin et il n'y a toujours personne.

— Il faut nous dépêcher.

Elle lâche le téléphone, se retourne vers l'endroit d'où vient la voix. C'est un autre policier, tout petit. Il flotte dans son uniforme, sa casquette lui tombe sur les yeux.

— Je vous croyais tous partis, dit nerveusement Marianne.

— Allons-y, répond-il en levant la visière de sa casquette. Il fera bientôt jour.

— Peter !

— Dondo veut vous voir.

— Qui ?

— Ne perdons pas de temps. Je suis en train de mourir.

27

J'étais innocent. Enfin, pas tout à fait. J'avais traqué Peter dans la neige, je l'avais atteint d'une balle, mais les enquêteurs chargés de m'interroger n'avaient même pas mentionné cet épisode. On m'avait arrêté pour le meurtre de Maring et de l'officier de police affecté à sa protection. Je n'étais pas seulement innocent de ces crimes. À leur sujet, je ne savais strictement rien.

On m'avait enfermé dans une petite pièce carrée, aux quatre murs et au plafond recouverts de contre-plaqué, avec un vieux linoléum sur le plancher. Les flics l'appelaient la «cellule». Pourtant, je ne vis pas de barreaux : pas de meubles non plus, pas d'évier, pas de commodités. Pour me rendre aux toilettes, je dus appeler quelqu'un qui m'emmena dans une vraie cellule, munie, celle-là, de barreaux, de lits métalliques ornés de minces matelas, et occupée par des prisonniers. Là, on me dirigea vers une chaise percée en acier. Un policier me masqua à la vue des autres et attendit. Les trois détenus ne me quittèrent quand même pas des yeux. Tant de regards fixés sur moi me mirent mal à l'aise et m'empêchèrent de me laisser aller comme je l'aurais voulu, surtout lorsque le flic qui se tenait derrière moi me rabroua en m'ordonnant de me dépêcher. Je parvins finalement à mes fins sous les ricanements des trois détenus. Je demandai ensuite à mon geôlier la permission de me laver les mains. Lui aussi se mit à rire avant de me répondre non.

De retour dans ma cellule, je lus les graffiti laissés sur les murs de contre-plaqué par les hommes qui m'avaient précédé. Certains imploraient l'amour de Dieu, d'autres rêvaient qu'on leur suce la bite. Je me sentais seul, abandonné, tenaillé par le sentiment que le pire était encore à venir. J'avais l'impression d'être un chien ligoté sur une table de vivisection. N'y aurait-il pas quelqu'un pour me tendre la main ?

À minuit (je pus lire l'heure sur une horloge murale), on me fit subir une troisième séance de questions. Je me retrouvai, dans la salle d'interrogatoire, devant un policier âgé et blanc. J'avais déjà été cuisiné par de bons flics, de méchants flics, des Noirs, des Blancs, un Hispanique, des types de mon âge, d'autres plus jeunes que moi. À présent on me livrait à ce sexagénaire. Je me demandai quel rôle il s'apprêtait à jouer. Celui du gentil pépé ou de l'éructant Témoin de Jéhovah ? Ils avaient tous leur façon de procéder. Pourtant, quelle que fût leur méthode, je sentais au fond de chacun d'eux la même hargne. Ils étaient persuadés que j'avais poignardé un des leurs. De plus, j'aggravais mon cas en refusant de passer aux aveux.

Le vieux policier alla s'asseoir et me dit son nom : Jim Quelque chose. J'avais renoncé depuis longtemps à m'intéresser à l'identité de ceux qui m'interrogeaient. Il commença par les inévitables préliminaires sur mes droits, l'énumération des lieux et de l'heure de mes supposés forfaits, tout cela pour le seul bénéfice d'une caméra vidéo qu'on avait disposée dans un coin, son objectif braqué sur ma chaise.

– Où as-tu caché l'uniforme ?

Au moins, il s'agissait d'une question nouvelle.

– Quel uniforme ?

Jim Quelque chose, qui avait des cheveux blancs et des cicatrices d'acné, ne sembla pas apprécier ma

224

réponse en forme de question. Il consentit quand même à ajouter :

— Celui que tu as enlevé à l'officier de police après l'avoir poignardé, l'uniforme que tu portais lorsque tu as pénétré chez Maring.

— Maring me connaît. Un uniforme ne m'aurait servi à rien pour me faire ouvrir sa porte.

— Il te connaissait parce que tu avais travaillé pour lui. Il t'a viré, tu l'as agressé, il t'a traîné devant les tribunaux, tu lui as payé des dommages, il t'a ratiboisé. Tu souhaitais sa mort.

— Je n'ai tué ni Maring ni cet officier de police.

Jim Quelque chose siffla entre ses dents.

— Comment expliques-tu qu'on ait trouvé ton couteau, le couteau de ton père, planté dans le cou de Maring ? Nous savons qu'il s'agit de ton couteau, non seulement à cause du nom de ton père gravé sur le manche, mais parce que Laflin l'a identifié.

— Où est-il ? Je veux lui parler.

— Laflin n'est plus sur le coup. C'est nous qui te cuisinons, à présent.

— Johnny pourrait vous parler de la famille Tummelier.

— Comment expliques-tu les traces de pas dans la neige de ton arrière-cour ? Comment expliques-tu qu'on ait trouvé une paire de bottes de caoutchouc encore mouillée en fouillant ta maison après ton arrestation ?

— J'ai déjà expliqué tout cela, répondis-je d'une voix irritée que j'aurais dû pouvoir dominer. Peter Tummelier a pris cette nuit le couteau dans notre cuisine avant d'aller tuer Maring, exactement comme il m'a dit qu'il le ferait, exactement comme j'ai dit à Laflin qu'il le ferait, raison pour laquelle on a placé en urgence un policier en faction devant la maison du même Maring ! Il aurait fallu que je sois complètement idiot ou fou à lier pour prévenir la police qu'un meurtre allait avoir lieu avant d'aller le commettre moi-même.

— Alors quoi ?

— Alors quoi, quoi ?

— Tu es débile, ou cinglé ?

— Ni l'un ni l'autre.

Il se pencha au-dessus de la table pour me dévisager, siffla de nouveau entre ses dents. Je résistai à la tentation de lui dire que ce tic m'exaspérait.

— Et ton œil au beurre noir ? Tu l'as eu où ?

Je dus de nouveau maîtriser mon irritation.

— Je ne savais pas que j'avais ce cocard. Je ne me suis pas regardé dans une glace. Mais je pense qu'il provient d'un des coups que j'ai reçus au moment de ma capture sur le perron de ma maison.

— On t'a frappé parce que tu résistais, que tu n'as pas suivi les instructions des agents qui te demandaient de sortir et de t'immobiliser sous le porche, les mains en l'air.

Sans savoir s'il s'agissait d'une question ou d'une affirmation, je répliquai :

— Je ne sais pas pourquoi on m'a frappé. Ce que je sais, c'est que je n'ai opposé aucune résistance.

— Mais l'officier qui t'a frappé a pu avoir l'impression que tu t'apprêtais à résister. Tu as serré les poings.

— Écoutez, j'ai peut-être donné cette impression, mais je répète que je n'ai opposé aucune résistance. Vous me posez ces questions parce que vous craignez d'avoir commis une bavure ?

— Et toi ? Tu as peur d'aller en taule ?

— Oui. Peur de me retrouver en prison pour quelque chose que je n'ai pas fait.

— Où est Peter Tummelier ?

— Je n'en ai aucune idée. Mais si vous le trouvez, vous trouverez aussi les réponses à toutes vos questions. C'est lui qui a commis tous ces meurtres, ou qui s'est arrangé pour que quelqu'un les commette.

— Tu sais ce que je crois, Roscoe ?

— Non. Quoi, Jim ?

Je regrettai aussitôt mon ironie.

— Je crois que Pete et toi avez concocté ce meurtre tous les deux. Lui tue quelqu'un en Floride ; toi, tu joues le bon citoyen en le racontant à ton vieux pote Laflin. Ensuite, tu tues ton ex-patron ici à Washington, pensant qu'on mettra encore une fois cet assassinat sur le compte de Pete qui, lui, n'a jamais quitté la Floride ou alors est parti se réfugier quelque part à l'étranger. On le charge de tous les meurtres et toi, tu t'en tires avec les honneurs, tranquille comme Baptiste.

— C'est faux. Que savez-vous de moi ? Si vous me connaissiez, vous sauriez que je n'ai rien d'un tueur. Je travaille pour une association éducative, je suis...

— Je sais que tu as pénétré par effraction dans la maison de ce couple, en Floride, je sais que tu avais une arme, que tu as menacé de les tuer. Voilà ce que, moi, je sais de toi !

— Il y a vingt ans de ça ! J'avais seize ans, nom de Dieu ! Mon père venait juste de se suicider.

Rien de tout cela n'eut le moindre effet sur Jim Quelque chose.

— Si ton ami Peter n'est ni en Floride ni à l'étranger, où est-il ?

— Pour la centième fois, je... je ne sais pas.

Mais ce que je savais sur Peter, c'est qu'il avait attaqué deux personnes sur Connecticut Avenue, que je l'avais blessé d'un coup de feu et que je n'en avais rien dit aux enquêteurs, parce que j'ignorais comment ils allaient le prendre. Ils auraient pu penser que mon acte de violence contre Peter ne ferait que confirmer mon implication dans l'assassinat de Maring et de l'officier de police. Avant de révéler quoi que ce fût, il fallait que je parle à un avocat. Mais Marianne n'en avait pas encore déniché un et, lorsqu'on m'avait autorisé à appeler chez moi un peu plus tôt dans la journée, elle n'avait pas répondu au téléphone.

— Alors, ton copain est un vampire, hein ?

— Il m'a dit qu'il croyait en être un. Pourquoi ? Est-ce que les corps des victimes étaient vidés de leur sang ?

Jim Quelque chose bondit si violemment de sa chaise qu'il la renversa.

— Tu te trouves drôle ? Tu t'imagines que cette histoire de vampire à la con est une histoire drôle ?

Certain qu'il allait me frapper, je détournai les yeux en direction de la caméra vidéo. Le vieux détective se pencha par-dessus la table et rapprocha du mien son visage grêlé, me gratifiant d'une haleine chargée des relents de la pizza et de la bière qu'il avait ingurgitées au déjeuner.

— Qu'est-ce que tu dirais si je t'apprenais que la caméra n'est pas branchée, pauvre connard ?

— Je veux parler à un avocat.

— C'est ton droit, répondit-il en se redressant. Nous t'en avons proposé un d'office, mais tu nous as dit que tu allais en trouver un toi-même. Où est-il ?

— Ma femme s'en occupe.

— Et puis ?

— Et puis je me demande pourquoi elle met tout ce temps.

Bien sûr, il n'en savait rien, et moi non plus.

28

Une poupée de soixante centimètres vêtue d'un pyjama rouge orné de licornes bleues fait du trampoline sur la poitrine de Marianne. Elle est étendue par terre, sur une bâche, pieds et poings liés, un ruban de plastique adhésif sur la bouche. Le visage de porcelaine blanche de la poupée est d'une fixité monstrueuse.

– Quand est-ce qu'on mange, quand est-ce qu'on mange ? hurle la voix.

Alors que la poupée accentue sur les côtes de la jeune femme la pression de son lourd corps de bois dont les membres de porcelaine cliquettent, la voix l'abreuve d'injures plus obscènes les unes que les autres, menace de la tuer, de la dévorer. Marianne sent jaillir de ses yeux sombres des larmes qui forment sur ses tempes de tout petits ruisseaux salés.

– Pleure, bébé, pleure ! couine la voix tandis qu'un doigt effilé, venu de derrière la poupée, tire doucement sur le ruban adhésif jusqu'à ce que la bouche de Marianne soit entièrement libérée.

Ôtant en la soulevant la poupée de sa poitrine, l'homme la dépose sur une robuste table de pin tachée sur toute sa longueur. Puis il revient, aide Marianne à s'asseoir.

Grand, d'une élégance excentrique, l'homme porte des pantalons de velours noir, une chemise couleur crème et des pantoufles rouges. Il a une barbe blonde, de tristes yeux gris d'une grandeur effrayante.

Qui peut-il être ? Un ami de Peter ? Pourtant, son calme, son assurance tranchent tellement avec l'hystérie maniaque du petit homme.

La jeune femme s'adresse à lui en choisissant ses mots.

— Merci de m'avoir enlevé ce bâillon. C'est très gentil à vous.

Il se place derrière elle, glisse ses mains sous ses bras, la remet sur ses pieds. Il la traîne ensuite vers une chaise, à côté de la poupée, dispose ses mains liées sur son estomac, tire sur son chandail, époussette le haut de son jean.

Lorsqu'elle lui dit « Merci », il réplique : « De rien. » Après un long silence, Marianne lui demande s'il a prévu de partir avec Peter faire le tour du monde. Elle s'exprime sur un ton banal, attentive à ne pas provoquer chez lui une réaction violente.

Il ne répond pas. Mais, fasciné, semble-t-il, par la seule présence de la jeune femme, il lisse sa courte barbe méticuleusement taillée.

— Vous êtes un vampire, vous aussi ? s'enquiert-elle comme s'il s'agissait de la question la plus banale au monde.

Il lui sourit d'un air entendu.

— Peter ne m'a pas parlé de vous.

Il s'éclaircit la gorge.

— Je crois que ce cher Peter est un peu déphasé. Disons qu'il marche sur les mains. Quand on est aussi court sur pattes que ce petit avorton, c'est une excellente façon de se déplacer, vous ne trouvez pas ?

Elle hoche la tête, attend un peu. Puis :

— Les vampires me fascinent.

— Ah !

— J'ai commencé une thèse sur le phénomène.

230

— Vraiment ? Pourriez-vous m'obtenir un autographe d'Anne Rice ?

Le sourire de Marianne illumine son visage.

— Vous me plaisez beaucoup, murmure l'homme avec une expression faussement timide.

— Bien. Que se passe-t-il ensuite ? dit-elle en forçant encore son sourire.

— Si le petit lutin a réussi son plan, nous partons tous en croisière.

— Tous, c'est-à-dire, vous, moi, Roscoe et Peter ?

— Et Dondo, bien sûr, ajoute-t-il en désignant la poupée d'un mouvement de tête.

Elle jette un coup d'œil à la poupée, regarde de nouveau l'homme grand et mince debout devant elle.

— Depuis combien de temps connaissez-vous Peter ?

— Depuis le tout début de sa courte vie.

Puis, après un silence :

— J'ai bien dit sa *courte* vie.

Comme la jeune femme ne rit toujours pas, il ajoute :

— Ce sera une longue croisière, ma chère amie. Vous seriez bien avisée de vous y préparer sagement.

Elle s'écrie :

— Si vous me brutalisez, Roscoe n'acceptera jamais d'être votre capitaine !

De ses longs doigts languides, il se gratte sous le menton.

— L'océan, dit-il, est rempli de capitaines.

— Mais si vous m'intéressez, poursuit-elle d'une voix radoucie, je pourrais convaincre Roscoe d'accepter. Dès lors, nous ferions ce tour du monde tous ensemble. Ce serait une occasion unique d'étudier le vampirisme.

Il se penche, tapote sa joue.

— Quelle délicieuse petite fée. Je me demande si je serai capable de résister longtemps à tes charmes chauds et salés.

Subitement, tout s'éclaire pour elle.

– Vous êtes Richard, le frère de Peter.

Surpris, tout d'abord, il se donne vite une contenance et l'applaudit calmement, le bout des doigts de sa main droite frappant sans bruit sa paume gauche, comme une reine appréciant de façon polie une représentation donnée en son honneur. Puis il s'incline :

– Richard Tummelier, pour vous servir, milady. En chair et en os et sain d'esprit.

Marianne hoche la tête en retour, prouvant par là qu'elle prend cette dernière affirmation au sérieux.

– À qui appartient Dondo ?

– À qui appartient-il ? Quelle question vulgaire ! Et vous, lady Marianne, à qui appartenez-vous ?

– Je sais ce que je dis.

Il se détourne, saisit délicatement la poupée, l'installe avec sollicitude dans le creux de son coude, comme on le ferait d'un enfant endormi.

– Dondo est notre frère.

– Votre quoi ?

Levant la poupée jusqu'à ce que leurs deux visages se trouvent face à face, leurs nez se touchant presque, Richard ouvre grand les yeux, au point qu'ils semblent, de profil, se gonfler.

– Le petit Donald est quelque part là-dedans.

29

Comme un pilote abattu au-dessus d'un territoire ennemi dont il vient de bombarder les écoles et les hôpitaux, on m'extirpait sans cesse de ma cage de contre-plaqué pour m'exhiber devant les survivants, en l'occurrence les policiers. Ils se souciaient peu de savoir si j'étais réellement le vrai coupable. Ils voulaient simplement me lorgner sous le nez, croiser le regard de la bête.

Au milieu de l'après-midi, ce jeudi, le fait que Marianne ne se soit pas encore montrée en compagnie d'un avocat m'affola pour de bon. Je demandai, exigeai qu'on envoie une voiture jusque chez moi pour s'assurer de sa présence là-bas. Après tout, Peter, le véritable tueur, rôdait toujours dans les environs, même si, apparemment, les policiers qui me détenaient et ceux de Floride restaient persuadés qu'il se terrait là-bas et qu'après avoir conclu avec lui un pacte diabolique, j'avais commis les meurtres de Washington. Les enquêteurs qui m'interrogeaient me dirent qu'ils s'occuperaient de Marianne si je leur donnais l'adresse de Peter en Floride. Je leur répondis une nouvelle fois qu'il était ici, à Washington. Où, à Washington ? Je n'en savais rien. Qui l'avait vu à Washington à part moi ? Ma femme. Où était-elle ? Je ne savais pas. C'était pour cette raison que je leur demandais d'envoyer une voiture de patrouille jusqu'à ma maison pour découvrir ce qui lui était arrivé. Les enquêteurs me répondirent que, tant que je me montrerais aussi peu coopératif, ils ne tiendraient aucun compte de mes élucubrations, ne chercheraient pas à savoir où se trouvait ma femme, ni pourquoi elle ne s'était pas présentée en compagnie d'un avocat. Ils ricanèrent en ajoutant qu'elle se payait peut-être ma tête, qu'elle s'était enfuie avec un amant, ce Peter Tummelier, sans doute. Pourquoi ne leur disais-je pas où il se planquait? Ainsi, ils auraient eu le moyen de savoir si elle était avec lui. Je leur répliquai que je ne pouvais pas leur raconter ce que j'ignorais. Ils me firent réintégrer ma cage.

Tout en faisant les cent pas, me sentant de nouveau abandonné et déprimé, je décidai en fin de compte, même si je devais me passer du soutien d'un avocat, même si cela donnerait de moi l'image d'un homme violent et donc capable d'homicide, d'avouer ce qui était arrivé sur Connecticut Avenue.

Je cognai à la porte, beuglant que j'avais des révélations à faire. Je me retrouvai immédiatement dans la salle d'interrogatoire, entouré d'une dizaine d'enquêteurs. La perspective d'une confession leur ouvrait l'appétit. Je n'avais plus à espérer que le mets que j'allais leur servir ne les décevrait pas.

Je leur relatai rapidement l'histoire, sans m'encombrer de détails inutiles. Je plaidai ensuite ma cause avec passion. Mon récit prouvait que Peter n'avait pas quitté Washington, qu'il avait volé le couteau dans ma cuisine. Par-dessus le marché, ce que je racontais pouvait être vérifié sans peine. On avait appelé la police sur les lieux, à Connecticut Avenue, des témoignages avaient été recueillis. Mes interlocuteurs n'avaient plus qu'à consulter leurs dossiers.

Ils furent scandalisés. Mon récit leur parut stupide, grotesque. Il insultait, me dirent-ils, leur intelligence. Frappant dans leurs mains, martelant le sol avec les pieds de leurs chaises, ils affirmèrent que ma «nouvelle» salade était encore plus mauvaise que mon histoire de vampires. Pourquoi ne pas devenir raisonnable ? Il me suffisait de reconnaître que j'avais tué le policier avant d'aller égorger Maring. Allons, avoue, sois un homme. Mais je m'entêtai à maintenir ma version des faits. Ils me ramenèrent sans ménagement dans ma boîte en me conseillant d'éviter de leur bourrer le crâne jusqu'à ce que j'aie quelque chose de raisonnable à leur dire.

En fin d'après-midi, on me nourrit, me donna à boire, me conduisit aux toilettes. Mais personne ne consentit à répondre à mes questions. Avait-on vérifié mon histoire de Connecticut Avenue, avait-on découvert où se trouvaient ma femme, mon avocat ? Et Johnny Laflin, où était-il ?

À dix-huit heures trente, treizième heure de ma captivité, on m'introduisit encore dans la salle d'interrogatoire, où je tombai de nouveau sur le vieux policier aux cheveux blancs et au visage grêlé, Jim Quelque chose. Familiarisé, depuis le temps, avec la routine, je pris place sur la chaise visée par la caméra vidéo, attendant qu'il m'adresse la parole.

— Tu es dans une sale merde, monsieur Bird.

— On a vérifié mon histoire, c'est ça ?

— On va arrêter de finasser, c'est moi qui te le dis. Détention illégale d'arme, coup de feu sur la voie publique, agression caractérisée, mise en danger de la vie d'autrui, délit de fuite depuis les lieux d'un crime, dissimulation de preuves... Même si on ne retient qu'un seul de ces chefs d'inculpation, tu es bon pour la taule, Toto. Ta seule façon de limiter la casse serait de nous dire où nous pourrions coincer Peter Tummelier.

Je n'arrivais pas à croire qu'on me demande encore ça.

— Si je savais où il est, je vous l'aurais déjà dit.

— Des clous. Tu nous as pris pour des pommes, tu as attendu toute la journée avant de nous déballer cette histoire de Connecticut Avenue. Qu'est-ce que tu nous caches encore ?

— Rien du tout.

— Où est planqué le pistolet ?

— Je croyais que vous aviez perquisitionné chez moi.

À ce moment-là, la porte s'ouvrit.

— Johnny !

Il portait toujours les mêmes vêtements bon marché que lorsque je l'avais vu pour la première fois. Mais, avec le pan de sa chemise recouvrant son ventre comme un tablier d'infirmière, son apparence était plus lamentable encore. Avait-il trouvé le temps de dormir ? Il avait les yeux injectés de sang, son visage couperosé était bouffi comme par une piqûre d'abeille et l'odeur de sa sueur imprégnait toute la pièce.

Profondément agacé par cette intrusion, Jim Quelque chose déclara :

— Combien de fois t'a-t-on dit de rester en dehors de tout ça, Laflin ? Tu n'as aucun mandat pour opérer ici.

Tout en déposant une feuille de papier sur la table, Johnny lui coupa la parole.

— Bird part en Floride sous ma protection.

— Mon cul, oui !

Johnny donna un grand coup de poing sur le papier.

— Lis ça et va chialer ailleurs, lieutenant.

Le lieutenant parcourut rapidement le document. J'en profitai pour tenter de capter le regard de Johnny. Mais il refusa de jeter un œil dans ma direction. Alors qu'il tentait de récupérer la feuille de papier, le lieutenant beugla :

— Tu n'iras nulle part avec lui ! Pas avant que j'aie dit un mot à l'enfoiré qui a signé ça !

— Bird n'a tué personne, répliqua Johnny. Tu le sais depuis qu'il a avoué avoir tiré sur Tummelier.

— Nous allons le faire inculper de port illégal d'...

— Écoute-moi, lieutenant. Vos cadavres sont bien peinards à la morgue. Mais nous, en Floride, nous cherchons encore nos deux macchabées. Et Bird possède des renseignements capitaux sur l'endroit où ils pourrissent.

Vraiment? Je n'avais pas la moindre idée de ce dont parlait Johnny. Mais je n'avais aucune intention de le contredire. Après avoir passé treize heures en compagnie de ces flics hargneux, je trouvais la perspective d'une extradition vers la Floride tout à fait délectable.

— Il n'ira nulle part, répéta le lieutenant. Pas avant que nous ayons coffré Peter Tummelier.

Johnny était déjà derrière moi. Il me dressa sur mes pieds, me coinça les mains derrière le dos, me passa des menottes.

— Tu as la copie de l'ordre d'extradition, dit-il au lieutenant. Si tu cherches à m'empêcher d'embarquer M. Bird, nous irons tous faire un tour chez le juge.

— Connard!

Johnny leva les yeux en direction de la caméra vidéo.

— J'agis ici en tant que représentant de la loi dûment mandaté. J'aimerais que l'on prenne note du manque de courtoisie de mon collègue.

Cette petite tirade eut pour seul effet de modifier l'injure proférée par le lieutenant.

— *Gros* connard!

Nous quittâmes précipitamment la pièce. Je n'ouvris pas la bouche avant d'avoir pris place dans la voiture de location de Johnny.

— Quelles informations puis-je te fournir sur les corps?

— Aucune, du moins à ma connaissance.

— Mais tu as dit que...

— C'était le seul moyen de leur faire signer ce papier.

— Un ordre d'extradition?

— Non. Il s'agit juste d'un document m'autorisant à me balader avec un témoin pendant quarante-huit heures. Mais nous n'allons pas en Floride.

— Où, alors?

— D'abord, on se tire d'ici, dit-il en faisant démarrer la voiture.

— Il faut que nous passions par chez moi.

– Pas le temps, Roscoe.

– Il le faut. Marianne a disparu.

– Qu'est-ce que tu veux dire par «disparu»?

– Elle n'a pas répondu à mes coups de téléphone, elle n'est pas venue accompagnée d'un avocat. Je suis sûr que Peter a quelque chose à voir là-dedans. Peut-être l'a-t-il enlevée pour parvenir jusqu'à moi. Mais les poulets n'ont jamais voulu en entendre parler.

– D'accord. On fonce chez toi. Ensuite cap sur la Virginie, comté de Fairfax.

– Qu'est-ce qu'on va trouver là-bas?

– Richard.

– Richard Tummelier?

– En personne. Il se planque dans un asile ultra chic et ultra cher: l'*Evergreen*.

– Comment le sais-tu?

– Hé, je suis détective.

Oh non, pensai-je, tu n'es qu'un petit shérif adjoint bedonnant de Floride qui espère résoudre son premier cas d'homicide.

– Je t'explique, dit-il. Je suis parti du principe que les deux frères sont liés comme les doigts de la main. Après avoir tué ceux dont il voulait la peau, Peter n'aurait jamais disparu dans la nature sans se préoccuper de son frère. Il ne s'agissait plus pour lui de payer la pension de sa maison de fous en Europe, mais de le faire revenir aux États-Unis pour l'emmener avec lui dans sa croisière autour du monde. Nous avons fait le tour des asiles de Floride. Sans succès. Je me suis alors intéressé aux établissements spécialisés des environs de Washington, les meilleurs, bien sûr, seuls dignes des Tummelier. L'*Evergreen* correspondait tout à fait mais personne, là-bas, n'a accepté de me dire si Richard Tummelier faisait partie des malades. Je leur ai dit que j'étais flic. Tripette. Il faut un ordre d'un juge, ne serait-ce que pour entrevoir le cul d'un de leurs pensionnaires. J'ai alors rappelé en me faisant passer pour Peter Tummelier. J'ai demandé à parler à son frère. «Tout de suite», m'a répondu la standardiste, comme si Peter lui téléphonait tous les jours. Au dernier moment, elle s'est souvenue qu'elle devait me réclamer le numéro d'identification de la chambre, que tout correspondant doit connaître. J'ai dit que je l'avais oublié, ce qui a éveillé ses soupçons. Mais le mal était fait. Je sais que Richard Tummelier est un client de la résidence.

— Tu es vraiment un détective.

— Et comment, mon pote !

Johnny se gara devant un café, me libéra de mes menottes.

— On n'a pas besoin de ça pour escorter un témoin. Je ne te les ai passées que pour bluffer le lieutenant. Comment va ton œil ?

Je le touchai, le contemplai ensuite dans le rétroviseur. Un beau cocard.

— C'est le premier que je vois.

— Tout va bien ?

— Je suis inquiet au sujet de Marianne.

— Je vais chercher du café. Nom de Dieu, Roscoe, quand j'aurai éliminé toute cette caféine, ce sera le crash du siècle. Tu veux quelque chose ?

— Marianne.

— Je reviens dans une minute.

Nous arrivâmes enfin chez moi. Personne. La maison était vide. Je cherchai en vain un mot de Marianne, une indication sur l'endroit où elle se trouvait. Je téléphonai à tous ses collègues d'université que je connaissais. Peine perdue : on ne l'avait pas vue aux cours ce jour-là, personne ne l'avait aperçue. J'appelai ensuite l'avocat qui avait plaidé pour nous contre Maring. Il était déjà parti : un de ses collaborateurs m'apprit que nul n'avait eu vent de ma femme, qu'elle n'avait pas contacté le cabinet à propos de mon arrestation.

Je dis à Johnny que nous devions prévenir la police de Washington, lui demander de la rechercher.

— Ne sois pas stupide. La priorité, c'est Peter. C'est lui qui nous mènera jusqu'à Marianne et les flics font déjà tout leur possible pour lui mettre la main dessus. Il a tué un des leurs. Tu sais ce que ça signifie ? Tu comprends ce qui les pousse ? Qu'il ait enlevé Marianne ne les motivera pas plus qu'ils ne le sont déjà.

— Mais ils pourraient se rendre à l'établissement où se cache Richard.

— Ça, c'est nous qui allons le faire, Toto. C'est pour cette raison que je t'ai pris avec moi au lieu d'y aller seul. S'il existe une personne qui puisse parler à Richard, c'est bien toi. S'il sait où se planque son frère, il te le dira. Pas à moi, pas aux flics de Washington. À toi.

30

Se faufilant sous la porte de l'armoire, la lumière illumine par en dessous le visage de la poupée; hideux mais si fascinant, si hypnotisant que Marianne ne peut s'empêcher de le contempler. Elle se sent misérable, submergée par la peur, le chagrin, l'absence d'espoir. Si elle croyait en l'immortalité de l'âme, elle se préoccuperait dès maintenant du sort de la sienne.

Pieds et poings liés, bâillonnée par un tissu de soie noire : ainsi l'a-t-on laissée toute la journée dans cette armoire sans pieds, ruminant toutes les possibilités : soit Richard va la retenir prisonnière jusqu'à ce que Peter revienne pour la tuer, soit Roscoe et la police parviendront à la délivrer. Troisième solution, la plus improbable : les Tummelier et les Bird finiront tous ensemble sur un voilier. Quoi qu'il en soit, elle n'a pas l'intention de s'abandonner passivement à son sort. Elle se demande comment séduire Richard; non pas sexuellement, mais émotionnellement, pour s'en servir comme d'un bouclier contre Peter. Avant tout, elle doit essayer d'en savoir davantage sur lui, sur les raisons de son internement, sur ce qu'il a dans le crâne. Elle tente de penser à tout cela de façon logique. Mais la poupée étendue à ses pieds la perturbe, avec ses yeux qui la fixent aussi intensément que s'ils étaient vivants, sa bouche qui semble sur le point de s'ouvrir pour déverser la voix stridente que contrefait Richard, ses bras qui ont l'air de bouger faiblement, comme s'ils cherchaient à la toucher. Pour éviter cette distorsion de la réalité, Marianne est obligée de fermer les yeux et d'utiliser des techniques de relaxation, en prenant soin de respirer par le nez puisque le bâillon obstrue sa bouche.

– Quelle jolie photo de famille !

La porte de l'armoire vient de s'ouvrir, laissant pénétrer un flot de lumière qui la force à détourner les yeux. Richard est là. Il la contemple d'un air épanoui, sourit aussi à Dondo qui, Dieu sait comment, a fini par se retrouver douillettement installé contre son flanc. Richard prend la poupée, la porte jusqu'à une chaise, devant la table de pin, revient près de l'armoire, soulève Marianne, la dépose à son tour sur une autre chaise. Elle examine la pièce d'un coup d'œil, se rend compte du désordre qui y règne, de la saleté ambiante, incompatible avec les faux airs de gentleman que se donne Richard. Lorsqu'il lui retire son bâillon, elle détend ses mâchoires, remue les lèvres.

– J'ai sommeil, déclare-t-elle pour dire quelque chose.

– Vous avez eu toute la journée pour dormir, comme moi.

– Si je vous promets de ne pas crier, demande-t-elle, accepteriez-vous de ne plus me bâillonner ? C'est très inconfortable et je peux à peine respirer. J'aimerais aussi que vous me libériez de mes liens. Ils engourdissent mes pieds et mes mains.

– Eh bien, eh bien, nous devenons irascible. Dites-moi, Marianne, vous n'êtes pas en période délicate, n'est-ce pas ? J'ose espérer que non. Je ne peux être tenu pour responsable de ce qui se passe lorsque je flaire l'odeur du sang.

Furieuse d'avoir été enfermée comme un paquet de linge sale au fond de l'armoire, oubliant tout d'un coup sa peur, la jeune femme réplique vertement :

— Pourquoi vous croyez-vous obligé de pimenter chacune de vos phrases de propos obscènes ?

À sa grande surprise, Richard, au lieu de réagir avec violence, prend l'air contrit d'un enfant puni. Elle profite aussitôt de son avantage.

— Détachez-moi.

— J'ai déjà défait vos liens une fois, lorsque vous êtes allée aux toilettes, répond-il calmement.

— Dénouez-les une nouvelle fois.

Il se détourne, caresse la poupée et minaude :

— Dénouez-les une nouvelle fois, dénouez-les une nouvelle fois !... Va me chercher à boire, apporte-moi de quoi manger, change de chaîne, tu ne m'offres jamais de fleurs, quand vas-tu donc trouver un travail, sale macho paresseux, ma mère avait raison, jamais je n'aurais dû t'épouser !

Il fait tourner la poupée sur elle-même, la fourre sous le nez de Marianne qui la regarde droit dans le blanc des yeux et dit doucement :

— Va te faire foutre, Dondo.

Richard bondit sur ses pieds. Marianne, s'attendant à une gifle, se protège le visage. Mais il se contente de s'esclaffer, une main devant la bouche, comme un enfant qui sait qu'on ne doit pas pouffer dans une église mais ne peut s'en empêcher. Ses yeux globuleux et gris s'emplissent de gaîté. Il baisse sa main et chuchote : « Va te faire foutre, Dondo », comme s'il venait de découvrir avec délectation le plaisir des gros mots. Puis, se couvrant de nouveau la bouche, il se remet à rire.

Ces Tummelier sont de vrais enfants, pense Marianne ; de sales gosses, égoïstes, pleins d'indulgence pour eux-mêmes.

Après avoir massé doucement ses poignets et ses chevilles, Richard pose un plateau sur la table et demande à Marianne si elle désire manger quelque chose.

— J'ai faim, mais j'ai bien peur de ne rien pouvoir avaler.

– Oh, je connais bien ce sentiment.

D'un geste du menton, elle désigne un verre de jus d'orange sur le plateau.

– Il y a des médicaments, là-dedans ?

– Non, ma chère. Peter a obtenu pour son frère, ici, à l'*Evergreen*, un traitement de faveur : pas de médicaments, aucune intrusion pendant la journée. Quand vous avez de quoi débourser mille dollars par jour, c'est fou ce que les gens se montrent accommodants avec vous. Tenez...

Il porte le verre aux lèvres de la jeune femme et la laisse boire avant d'essuyer délicatement ses lèvres avec une serviette de lin et de lui demander une nouvelle fois si elle est sûre de ne rien vouloir manger.

– Non merci.

Il se tourne vers la poupée.

– Et toi, Dondo ?

Puis, d'une voix stridente, il répond lui-même :

– Va te faire foutre, Richard !

Il rit en transportant le plateau jusqu'à la salle de bain. Il vide les assiettes dans les toilettes, tire la chasse.

– Pipi ? crie-t-il à Marianne.

– Non.

– Et toi, Dondo ?

Il revient de la salle de bains en ricanant.

– Oh, je sens que je vais vraiment apprécier votre compagnie au cours de cette croisière, dit-il à Marianne. Si, bien sûr, le petit nabot nous emmène pour de bon. Dites-moi, mon cœur, quel effet vous a fait Peter ?

– Il avait l'air malade.

– C'est bien ce que je pensais.

– Vous êtes au courant de ce que Peter a fait, n'est-ce pas, Richard ? De son plan ? Ce n'est ni une lubie, ni un jeu. Il a assassiné des gens.

– Je sais et je suis inquiet. Les gens trimbalent des dizaines de maladies de sang, reconnaissables dès la première goutte. Mais notre petit avorton est encore un novice.

Elle le dévisage un moment, puis :

— C'est vous qui êtes d'abord devenu vampire ?

Il hausse ses blonds sourcils.

— Vraiment, dit-elle, ça m'intéresse.

— J'ai toujours été le premier en tout.

— Comment est-ce arrivé ?

— Eh bien...

Il empoigne rudement la poupée, la jette sur la table pour pouvoir s'asseoir près de la jeune femme.

— J'étais «soigné» dans cette charmante petite institution suisse où un vieux vampire gâteux se la coulait douce depuis Dieu sait combien de temps. Sans doute s'agissait-il d'un de ces cas répertoriés que vous avez étudiés. Quoi qu'il en soit, les années passent, je m'ennuie à périr et le vieux vampire commence à m'appâter avec ses histoires sur La Vie. Bref, je mords au fruit défendu et le vieux dingue et moi finissons par dévorer tout crus un couple de gras médecins suisses. Peter, que Dieu bénisse ce cœur loyal, me change d'institution, débourse des fortunes pour qu'on me laisse mener ma vie nocturne et va, parfois, jusqu'à m'apporter un en-cas, si vous voyez ce que je veux dire. Mais nous nous montrons éminemment discrets. Il vaut mieux ne pas se faire renvoyer d'un trop grand nombre d'institutions. On finit par échouer dans des établissements de seconde zone. Tout d'un coup, Peter devient jaloux. C'est ma faute. Je n'arrêtais pas de lui vanter l'existence que je menais, le pouvoir, l'immortalité. Aussi sec, il déniche un vampire quelque part, en devient un à son tour. Inutile de dire que cela n'arrangeait pas nos affaires. Il ne pouvait plus me servir de gardien. À présent, nous avions tous les deux besoin d'un protecteur pendant la journée. C'est à ce moment-là que Peter m'a fait part de son plan grandiose, de son idée de s'en aller voguer autour du monde à bord d'un grand bateau dont votre cher Roscoe aurait été le capitaine. Selon Peter, Roscoe allait littéralement sauter sur cette occasion de commander un voilier sans débourser un dollar et de vivre en permanence en mer. Mais si, par hasard, votre mari se montrait réticent, l'idée de Peter consistait à le compromettre en assassinant quelques-uns de ses vieux ennemis de telle sorte qu'il serait accusé de ces crimes et n'aurait d'autre choix, pour fuir les poursuites, que de se joindre à nous. Voilà, vous savez tout sur les élucubrations de mon petit frère.

– C'est...

– Extravagant ? Je vous l'accorde. Mais j'ai toujours cédé aux caprices de mon Napoléon miniature. J'ai accepté de regagner les États-Unis, de m'installer ici, à l'*Evergreen* et d'attendre l'ordre d'embarquer. Nul n'aurait pu prévoir que Peter se prendrait les pieds dans différents tapis, l'un d'eux étant que Roscoe, époux d'une femme ravissante et délicieuse, n'avait aucune intention de vivre ailleurs qu'entre ses bras tendres. Sentiment que, vous ayant rencontrée, je comprends tout à fait, croyez-le. Mais cette passion contrarie le projet de mon frère.

Marianne lève ses mains liées pour chasser une mèche qui tombe sur son front.

– Pourquoi avez-vous été interné la première fois ?

– Oh, vous devez être lasse de mes histoires idiotes, et même du simple son de ma voix.

– Non, je suis fascinée.

Richard jette un œil en direction de la poupée, la saisit, la pose sur ses genoux.

– Quand est-ce qu'on mange ? Je crève la dalle ! crie la voix.

– Voyons, Dondo, je t'ai déjà tout expliqué. Nous devons attendre Peter.

Il fait pivoter la poupée, la place en face de Marianne.

– Bouffons cette pétasse, bouffons Audrey Hepburn !

Richard appuie son menton contre l'épaule de la poupée.

246

— Dondo et moi sommes d'accord avec Peter, dit-il d'une voix timide. Vous ressemblez de façon remarquable à la jeune miss Hepburn.

— Pourquoi vous croyez-vous obligé de vous exprimer par l'intermédiaire d'une poupée ?

Richard repose Dondo.

— Je n'ai jamais rencontré quelqu'un comme vous, ma chère. Un être aussi peu effrayé.

— Je suis terrifiée.

— Vraiment ? répond-il comme si elle lui faisait un compliment.

— Mais intriguée, aussi.

— Je n'ai besoin de l'intermédiaire de personne pour vous dire ce que je ressens pour vous au tréfonds de mon cœur.

Elle se demande s'il plaisante.

— Jamais je n'ai parlé aussi librement, aussi facilement à quelqu'un. D'habitude, c'est une telle corvée. Mais avec vous...

Il s'interrompt brutalement, saisit Dondo et couine :

— Triple crétin, tout ce que tu veux, c'est sa culotte, comme lorsque tu as regardé par le trou de la serrure quand elle est allée aux toilettes ! Tout ce que tu veux, c'est sa culotte et elle, elle ne pense qu'à s'enfuir. Voilà pourquoi elle est gentille avec toi, imbécile !

Il dévisage Marianne de ses grands yeux humides.

— J'aimerais que vous excusiez la grossièreté de Dondo. Et je vous assure que je n'ai pas regardé par le trou de la serrure.

Il fait ensuite sauter la poupée sur ses genoux.

— Bien sûr que tu l'as fait ! Bien sûr !

— Je ne l'ai pas fait !

— Si, si !

Il passe une main sur le visage de la poupée.

— Dondo et moi sommes tous les deux très inquiets, explique-t-il doucement à Marianne. Peter nous a dit qu'il serait de retour avec Roscoe au crépuscule et que nous gagnerions immédiatement le bateau. Il n'est pas là. Et me retrouver seul avec vous est une agonie insupportable.

Elle lève les sourcils.

— Tout d'abord...

Il semble embarrassé.

— Tout d'abord, j'ai eu envie de vous gober toute crue, mais à présent, à présent... j'aimerais vous toucher, comme un homme touche une femme.

Il soupire de façon dramatique.

— Je viens juste d'apprendre que ce petit avorton de Peter a absorbé un mauvais sang. Je reconnais les signes.

— Je me pose une question : avec les ressources financières dont vous disposez, pourquoi ne vous arrangerez-vous pas pour entreposer du sang en bouteille ? Cela vous éviterait le risque de...

— Je suppose que vous, les mortels, pourriez vivre avec un foie artificiel et vous nourrir par perfusion. Mais le souhaiteriez-vous ? Peter et moi disposons effectivement d'une réserve de sang frais en cas d'urgence, mais rien ne vaut l'émotion, l'excitation, le battement de cœur que provoquent le sang chaud puisé à la source, le contact avec la victime en train de se débattre, le jaillissement salé et bouillant provenant d'une artère sectionnée.

Il fait de nouveau sauter la poupée sur ses genoux et crie :

— Tu te laisses aller ! Tu te laisses aller ! Tu jouis dans ton pantalon !

Richard regarde Marianne d'un air peiné, comme s'il ne pouvait rien faire contre le comportement consternant de Dondo.

— Pourquoi vous a-t-on interné la première fois ? demande-t-elle à nouveau.

— Ce sera long à raconter.

— Je ne vais nulle part, dit Marianne en levant ses poignets ligotés.

— J'ai l'impression que nous n'irons bien loin ni l'un ni l'autre. Je me fais vraiment du souci à propos de Peter.

— Racontez-moi ce qui s'est passé. Pourquoi vous a-t-on envoyé en Suisse ?

— Vous êtes une petite obstinée, non ? Dois-je m'allonger sur le canapé pour que vous m'analysiez ?

— Richard, je suis sérieuse... lorsque je dis que je suis fascinée par vous.

— Fascinée au point d'accepter de me rejoindre de l'autre côté de la vie ?

— Quoi ?

— Devenez une vampire, ma chère. Je peux arranger ça tout de suite.

La peur la submerge tout d'un coup, comme un renvoi venu du fond de sa gorge.

— Je veux en savoir davantage sur vous, connaître les raisons de votre internement. Je vous en prie, Richard.

— Oh, qui pourrait refuser quoi que ce soit à ces grands yeux sombres ? Commençons par ma mère, donc. Elle raffolait non seulement de boissons fortes et de tranquillisants, mais aussi et surtout de sa propre image. Elle était persuadée qu'aucune jolie femme descendant un escalier moulée dans une robe du soir n'était plus désirable qu'elle. Une fois, elle m'a même fait ses confidences. Elle m'a dit... C'est embarrassant. Vous êtes mon analyste et je suppose qu'un patient n'a pas le droit de cacher un de ses secrets à son thérapeute.

— Continuez.

— Ma mère m'a donc raconté que, chaque fois qu'elle donnait une soirée, juste avant de descendre pour recevoir ses invités, elle se... Comment dire cela de façon délicate ? Pardonnez-moi ce barbarisme. Elle se... doigtait. Ensuite, elle accueillait ses invités mâles en les embrassant légèrement sur la joue. Puis elle s'excusait d'avoir laissé des traces de rouge à lèvres sur leur peau. Elle essuyait délicatement ce rouge en s'arrangeant pour que son doigt effleure leur bouche. Dès lors, ajoutait-elle avec fierté, ils la suivaient partout comme des petits chiens, sans comprendre ce qu'ils lui trouvaient tout d'un coup de si affriolant, sans se rendre compte qu'ils avaient respiré son «parfum». Bien. Imaginez-vous une mère racontant cette histoire à son fils encore adolescent?

— Ce devait être une femme perturbée.

— Vous n'employez pas de procédés aussi vulgaires avec les hommes, n'est-ce pas? En tout cas, j'ose l'espérer. Mon père? Lui aussi avait ses petites manies, y compris un sens très particulier de l'humour. Je parie que vous ne devinerez jamais, même en réfléchissant pendant dix siècles, le nom qu'il voulait me donner et qu'il écrivit effectivement sur mon certificat de naissance.

— Lequel?

— «Bordure de plantes herbacées».

Richard se tait un instant, attendant le rire de la jeune femme. Comme elle ne réagit pas, il poursuit d'une voix amère:

— Il écrivit réellement, sur le certificat de naissance, *Bordure de plantes herbacées Tummelier*. Ma mère dut aller modifier le certificat; mais lui ne cessa jamais de me surnommer Herbie. Oui, il avait un sens aigu de l'humour. Pour la naissance de Peter, il m'offrit un corgi, un abominable petit chien que j'avais pour mission de promener le soir. N'oubliez pas que cela se passait alors que j'avais entre quatre et cinq ans. Il m'arrivait de faire le tour de l'île à la recherche de cette misérable créature, l'appelant jusqu'à en perdre haleine, hurlant son nom. Cela causait un certain émoi dans les parages. Chaque fois, on me ramenait chez moi.

— Pourquoi?

— Papa avait appelé le chien «Au secours». Hilarant, non?

Marianne secoue la tête.

— Imaginez ce petit garçon errant dans le noir en criant: «Au secours, au secours!» Les gens se précipitaient hors de chez eux, me demandaient ce qui m'arrivait, me «secouraient», me ramenaient à la maison. Papa trouvait cela hilarant.

— Je suis navrée, Richard.

— Soyez-le pour «Au secours». Le malheureux fut dévoré par un requin-marteau.

— Vraiment ? C'est affreux.

— En effet. Il fallut dix kilos de foie de veau pour attirer le squale. Bien sûr, à l'époque, le corgi était un peu vieux et ne nageait plus très bien. Et savez-vous ce que je dis lorsque M. Requin-Marteau se précipita vers son souper ? Je murmurai : «Au secours, au secours !» Vous souhaitez vraiment en savoir un peu plus sur mon enfance ?

Elle regarde ses mains liées posées sur ses genoux.

— Mon père, poursuit Richard, possédait un pile voltaïque, une vieille attraction de foire datant de l'époque où l'électricité était encore une nouveauté. C'était un gros machin de fonte, doté d'une fente de la largeur d'une pièce de monnaie, d'une série de manettes et d'un grand cadran. Le jeu consistait à introduire une pièce dans la fente avant d'actionner une des manettes et d'inscrire sur le cadran la quantité d'électricité qu'on voulait recevoir, depuis le «Un», qui provoquait un picotement à peine perceptible, jusqu'à la décharge maximale, au choc affreux que l'on recevait lorsque l'aiguille indiquait le «Huit» ou le «Neuf». Je comprends qu'on puisse trouver étrange que des amateurs de fêtes foraines aient pu payer pour savoir quelle quantité de courant ils étaient capables de supporter, mais, comme je l'ai dit, l'électricité était à l'époque une nouveauté et le plaisir qu'éprouvaient ces gens devait ressembler à celui qu'on ressent en se faisant peur sur des montagnes russes. Notre père nous familiarisa avec sa pile alors que nous étions encore des bambins. Il nous grondait si nous lâchions la manette trop tôt, nous récompensait, au contraire, si nous arrivions à tenir jusqu'à «Trois» ou «Quatre». Ensuite, il nous donna un vase rempli de pièces et nous demanda de nous entraîner. Imaginez la scène. Je me souviens des heures que nous avons passées, Peter et moi, dans la pièce aux trophées de mon père, gavant cet engin de pièces de monnaie. Le pire, c'était l'anticipation du choc. Cette pile, voyez-vous, ne diffusait pas un courant continu, mais des impulsions brusques. C'est, je pense, ce qui devait faire rire les spectateurs du numéro de foire : regarder ces gogos qui serraient la manette et attendre de les voir sauter comme des cabris au moment du choc. Mais pour Peter et moi, cela n'avait rien de drôle. Rien ne comptait plus, pour nous, que l'estime de notre père : nous poussions donc jusqu'à «Cinq», puis «Six», puis «Sept», la main toujours crispée sur la manette, guettant la décharge. Une vraie torture. Nous avons continué ce jeu jusqu'à affecter le fonctionnement de notre système nerveux : maux de tête, crises de nerfs, clignements de paupières incontrôlables... La nuit, je rêvais de cette pile. Je me tordais, bondissais dans mon lit. Chaque fois que nous parvenions à augmenter la dose d'électricité qui nous traversait le corps, nous appelions mon père et il venait voir, assistant au spectacle en riant. À huit, ans, je pris finalement conscience de l'inanité de cette épreuve. Mais Peter, lui, aurait accepté de s'asseoir sur une chaise électrique pour plaire à mon père. Il continua à se servir de la pile, résistant jusqu'à ce que le courant lui brûle les mains. Je décidai, au bout du compte, de détruire cette machine du diable.

– Je n'arrive pas à comprendre, chuchote Marianne, profondément troublée par le récit de Richard, que des parents puissent faire subir ce genre de supplices à leurs enfants. J'ai lu des livres là-dessus, je connais les explications des psychologues. Mais je ne comprends pas.

– Ma chère, répond-il, tout cela se passait il y a bien des années. De toute façon, nos parents étaient absents la plupart du temps. Peter et moi étions bien plus liés que des frères ordinaires. Une seule fois, nous ressentîmes vraiment de la pitié pour nous-mêmes : le jour où nous rencontrâmes Roscoe et sa famille. Ils étaient si normaux, ils se comportaient les uns avec les autres de façon si décente... Peter et moi n'avions jamais réalisé que des rapports normaux et affectueux entre les gens pouvaient faire partie de la vie. Vous ai-je raconté que Roscoe nous fit découvrir le rock and roll ? Mais Peter s'intéressait bien davantage à la musique que moi. Je vouais un véritable culte à Curtis, le père de Roscoe. Quant à Peter, il éprouva pour Roscoe un vrai coup de foudre. Il y avait quelque chose de pathétique dans notre besoin d'affection, la joie que nous procurait la moindre marque de gentillesse.

Richard se lève, s'éloigne de la table en direction de la fenêtre.

— Mais que fait donc mon très cher frère ?

Il revient près de Marianne, se baisse, caresse avec son pouce le coin de sa paupière.

— Je vous ai fait pleurer.

En dépit de son esprit rationnel et de sa solidité émotionnelle, Marianne n'a jamais supporté le chagrin des enfants. Elle refuse même d'écouter des récits sur des traitement infligés à des enfants et serait incapable d'étudier le phénomène d'un point de vue clinique. Elle avait d'abord pensé se spécialiser dans la psychologie infantile ; mais l'étude de cas d'enfants violés la révulsa au point qu'elle y renonça.

Et lorsque Richard, se courbant un peu plus, la serre doucement contre lui, elle éclate en sanglots.

— Je vous en prie, dit-il. Ressaisissez-vous ; ou bien c'est moi qui vais pleurer.

Effectivement, il se détourne pour dissimuler ses larmes.

— C'est l'heure du câlin de Dondo, dit-il d'une voix

étranglée, prenant avec soin la poupée dans ses bras avant de la porter sur le lit.

Après l'avoir glissée sous les couvertures, il se penche pour l'embrasser et murmure à son oreille :

– Cette nana est pour moi.

31

Evergreen. Aussi rutilantes qu'une enseigne publicitaire, ces lettres de cuivre poli s'étalaient, contre un arrière-fond d'ardoise, sur un panneau qui se dressait laconiquement à gauche de l'allée tortueuse où Johnny et moi venions de nous engager. Pas la moindre mention de la raison sociale de l'établissement. Seuls les initiés savaient.

Tandis que Johnny conduisait, je scrutai, à travers la forêt enneigée d'épicéas et de cèdres où surgissaient de temps à autre quelques chênes massifs, les pelouses ornées de pavillons de brique rouge bien alignés, les uns minuscules, de la taille de petites maisons de location, d'autres immenses, aussi vastes que des gymnases. L'*Evergreen* ressemblait en fait à un collège pour jeunes gens riches. Mais, à vingt et une heures, ce soir-là, aucun « étudiant » ne déambulait dans la neige.

Lorsque nous fûmes à une centaine de mètres du bâtiment administratif, un homme vêtu d'un manteau bleu et muni d'un carnet à pince sortit d'une petite guérite blanche. Johnny baissa sa vitre.

— Messieurs, les visites sont terminées, dit l'homme.

— Police, répliqua Johnny en exhibant son insigne. Je dois parler à la personne chargée de l'administration, quelle qu'elle soit.

— Ce soir, il s'agit de Mlle Allfrey, répondit le garde. Je vais l'appeler pour la prévenir. Qui dois-je ?...

Johnny avait déjà remonté sa vitre et démarré.

– Nous allons y aller en force, me dit-il. Je laisserai les clés sur le tableau de bord au cas où l'un de nous deux aurait à filer en quatrième vitesse.

– De quoi parles-tu ?

– «Enquête sur un homicide. Tueur en cavale, intervention d'urgence», s'écria-t-il, tout excité. Chaque fois qu'ils entendent ces mots, les pékins blêmissent. Ils nous laisseront voir Richard sans problème. Ne te bile pas.

C'était compter sans la formidable Mlle Allfrey. Johnny bluffa le réceptionniste qui, via un intercom, expliqua la situation avant de nous accompagner jusqu'à la pièce réservée à l'administratrice – boiseries de noyer sur deux des murs, rangées de livres montant du sol au plafond le long des deux autres, épais tapis rouge, vieille mappemonde – où Mlle Allfrey nous attendait, debout derrière son bureau en bois de merisier.

– Messieurs, dit-elle sèchement en se penchant vers nous pour nous serrer la main avec une vigueur toute masculine, je suis Tanya Allfrey, administratrice adjointe de l'*Evergreen*.

Tanya. Ce prénom des steppes lui allait bien. Avec son visage en forme de cœur, ses jolis yeux bleus et son menton en pointe, elle me rappelait Julie Andrews dans *la Mélodie du bonheur*. Une Julie Andrews qui aurait eu, toutefois, une légère propension à la domination, ainsi que l'indiquaient ses hauts talons de cuir verni, sa robe noire un peu trop fendue pour une administratrice dans l'exercice de ses fonctions, son chemisier blanc sous lequel se tendait une poitrine généreuse et le foulard noir un peu trop serré autour de son cou très blanc. En dépit du fait que j'étais censé accompagner un policier en mission et du souci que je me faisais pour Marianne, je ne pus refréner, à l'endroit de cette singulière demoiselle, une pulsion hors de propos.

Elle se montra terriblement professionnelle.

– L'établissement est sous ma garde. Je dois m'assurer que tout se déroule dans les règles. Veuillez me montrer vos références et l'ordre légal dont vous êtes certainement porteurs.

Johnny lui tendit son insigne et les documents l'autorisant à me convoyer jusqu'en Floride en tant que témoin oculaire. Il espérait que la froideur officielle de ces papiers impressionnerait Mlle Allfrey. Il ajouta, pour achever de la décontenancer, qu'il enquêtait sur un meurtre et qu'il lui serait reconnaissant de bien vouloir le laisser consulter le registre de ses patients.

– Ne nous faites pas d'ennuis, mademoiselle. Il s'agit d'un cas d'urgence. Tout dépend de vous. Cette affaire se réglera à l'amiable ou bien en employant les grands moyens. Une dizaine de voitures de police pourrait investir votre établissement d'ici vingt minutes.

Ce petit discours laissa Tanya de marbre.

– Ceci, dit-elle en rendant à Laflin son insigne de policier, ne vous donne en aucune façon le droit d'agir ici. Et ceci, poursuivit-elle en lui tendant les papiers, vous autorise à convoyer un témoin en Floride. Rien de tout cela n'a le moindre rapport avec l'*Evergreen*. Donc, je vous en prie, faites venir vos voitures de police. Les vingt minutes qu'elles mettront pour arriver me laisseront le temps de contacter un impressionnant aréopage d'avocats qui les attendront de pied ferme.

Johnny cligna nerveusement des paupières avant de monter de nouveau à l'assaut. Le ton s'envenima tout de suite. Je contastai avec tristesse que mon ami ne faisait pas le poids. Chez moi, je m'étais douché, rasé et vêtu de façon présentable d'un pantalon propre, d'une chemise bleue à rayures et d'un manteau de tweed. Johnny, lui, arborait toujours sa même chemise crasseuse en polyester. Il avait les cheveux gras et, conséquence de la fatigue, les yeux si globuleux qu'il ressemblait moins à un policier qu'à un candidat à l'internement à l'*Evergreen*.

Cela me donna une idée.

— J'en ai assez entendu, conclut Tanya, coupant sèchement la parole à Laflin, qui exigeait toujours de pouvoir consulter le registre des patients. Messieurs, vous pouvez soit disposer, soit attendre dans la salle de réception l'arrivée de nos avocats. Si vous cherchez à fouiner à l'intérieur de l'établissement, j'appellerai la police de l'État. Me suis-je bien fait comprendre ?

Johnny fit une dernière tentative, insista sur la difficulté de sa mission et les dangers qu'elle présentait. Sans lui accorder la moindre attention, Mlle Allfrey plongea ses yeux dans les miens et me demanda :

— Et vous, qui êtes-vous, exactement ?

Je respirai un bon coup avant de déclarer :

— Je m'appelle Roscoe Bird. Je suis avocat et je représente la famille de M. Laflin, que nous souhaitons confier aux soins de votre personnel soignant.

Pour la première fois depuis que nous avions pénétré dans son bureau, Tanya parut déroutée. Elle regarda Johnny.

— Monsieur Laflin ?

Johnny me regarda.

— C'est la meilleure solution, monsieur Laflin, lui dis-je.

Mlle Allfrey ne lui laissa pas le temps de répondre.

— Vous n'êtes pas sans savoir, monsieur Bird, que l'admission d'un patient exige une procédure particulière. Nous devons avoir des renseignements sur lui, nous devons...

— Tout ce que je sais, mademoiselle Allfrey, c'est qu'au cours de deux entretiens psychiatriques demandés par sa famille, M. Laflin est apparu tout à fait sain d'esprit. Mais après ces entretiens, il a retrouvé un comportement incohérent, dangereux pour lui et son entourage. Il est même allé, mademoiselle, jusqu'à me frapper. Mon œil au beurre noir le prouve. J'ai pensé qu'il était important que vous assistiez par vous-même à une de ses crises de délire. Il s'est coulé ce soir dans la peau d'un inspecteur de police chargé d'une enquête sur un meurtre.

Je me tournai vers Johnny qui, bouche bée, me dévisageait comme si je devais, moi et non lui, être interné d'urgence.

– Dites-nous, monsieur Laflin. N'est-il pas vrai que le tueur que vous traquez est un vampire ?

– Oui, enfin, je...

Je lui coupai la parole, jetai un coup d'œil entendu en direction de Mlle Allfrey.

– Le mois dernier, muni de faux laissez-passer, il s'est présenté à la Maison-Blanche, prétendant être un haut responsable de la lutte contre les incendies. La résidence du Président des États-Unis, disait-il, ne correspondait pas aux normes de sécurité et devait être évacuée d'urgence. On a dû l'expulser *manu militari*. Vous avez peut-être lu cet épisode dans le *Post*.

– Non, je...

– À présent, il s'imagine être un shérif pourchassant un vampire.

– Eh bien...

– La famille de M. Laflin dispose de gros moyens, repris-je. Elle est prête à payer ce qu'il faudra pour qu'il reçoive les meilleurs soins.

– Nom de Dieu, Roscoe, attends une minute !

– Je vous en prie, monsieur Laflin. Vous avez vous-même donné votre accord à cet arrangement, pour vous éviter de nouveaux et pénibles interrogatoires.

Johnny me fixa d'un air niais, les poils de son gros nez rouge agités de soubresauts. Bien sûr, il savait où je voulais en venir. Mais il se demandait encore s'il allait me suivre sur ce terrain.

– Que faites-vous des papiers qu'il m'a montrés, de son insigne ? dit Tanya.

– Oh, notre ami M. Laflin n'a pas son pareil pour se procurer tous les justificatifs des personnalités qu'il endosse.

Mlle Allfrey n'était pas encore convaincue.

– Nous ne ramassons pas nos patients sur le trottoir, monsieur Bird. Pas même les volontaires. Il existe une procédure. On doit impérativement la respecter.

– Je comprends très bien. Mais peut-être pourriez-vous, ce soir, faire une exception. Car si j'en crois le processus habituel des crises de M. Laflin, il va, sous peu, être pris de convulsions, avaler sa langue et vomir sur votre beau tapis.

Nous nous tournâmes tous deux vers Johnny qui, après m'avoir jeté un regard assassin, accepta enfin de jouer le jeu. Roulant les yeux, il se mit à piailler comme un singe, agitant les bras comme s'il voulait placer ses cent kilos en lévitation. Il s'empara d'un crayon sur le bureau de Tanya, le fourra dans son oreille. Ce fut un numéro pathétique. Johnny semblait bien plus déséquilibré quelques instants plus tôt, lorsqu'il cherchait à convaincre Mlle Allfrey de le laisser consulter son registre, qu'à présent, essayant désespérément d'imiter un dément mais ne parvenant qu'à ressembler à un benêt.

– Je ne sais pas ce que vous manigancez, dit-elle, mais...

Elle fut interrompue par la deuxième partie du numéro de Johnny, qui s'effondra sur le sol et entra subitement en transe.

Je bondis vers la porte.

– Monsieur Bird ! cria-t-elle. Quel est le nom de votre cabinet d'avocats ? En tout cas, vous entendrez parler des miens, je vous le promets !

Johnny faisait mine de vomir. Tanya appela son personnel à la rescousse. Elle hurlait, beuglait des ordres. Je profitai de la confusion qui suivit l'arrivée du réceptionniste pour me glisser par une porte dérobée hors du bâtiment administratif et me retrouver dehors.

Je savais ce que je cherchais. Si Richard Tummelier était bien à l'*Evergreen,* il logeait sans nul doute dans le pavillon le plus cher et le plus à l'écart. Les plaques indiquant les noms à l'entrée des cottages facilitèrent ma tâche.

Je me mis à courir le long d'allées recouvertes de neige, me demandant quand Mlle Allfrey lancerait ses employés à mes trousses. Je m'enfonçai dans le parc, vers l'endroit où les pavillons de brique s'espaçaient de plus en plus, jusqu'à tomber enfin, au bout d'un cul-de-sac, sur un cottage isolé.

M. Tummelier.

Tout en scrutant la plaque, je frappai mes pieds l'un contre l'autre pour chasser la neige de mes chaussures, essayai de reprendre mon souffle. Puis, me redressant, je frappai à la porte.

32

Ses récits sur son enfance brisée, tristes à fendre l'âme, l'ont touchée. En d'autres circonstances, pense-t-elle, elle aurait pu lui venir en aide. Ce sentiment accroît sa culpabilité, le remords qu'elle éprouve à le manipuler ainsi, de façon aussi consciente. Bien que Marianne n'ait jamais eu le moindre goût pour le flirt, elle sait, bien sûr, ce qu'il faut faire : écouter avec passion les opinions émises par un homme, si grotesques soient-elles, se pencher jusqu'à le toucher pour qu'il vous sente contre lui, rire même s'il ne dit rien de drôle, sourire, faire la moue, pleurer à bon escient, avoir toujours l'air sous le charme. Elle déteste voir des femmes agir ainsi ; elle préfère se montrer directe, jusqu'à en devenir parfois abrupte. Mais, en l'occurrence, la situation est différente. Elle a besoin d'un allié pour le cas où Peter apparaîtrait. Il y va de sa vie.

— Nous nous amuserons tellement, sur ce bateau ! lui dit Richard d'une voix joyeuse, comme s'il évoquait un projet de vacances en compagnie de sa petite amie.

Il ajoute que parler à Marianne le détend, même lorsqu'il aborde un sujet pénible, comme le souvenir de ses parents. Il est même prêt, ajoute-t-il, à lui raconter l'histoire de Donald. Mais, pour l'heure, il parle surtout de la croisière.

— Peter et moi avons déjà acheté le voilier. On achève de le réviser. En fait, nous l'avons enregistré au nom de

Roscoe. Je me souviens avec tant d'émotion des heures que nous avons passées sur le bateau de M. Bird. Le père de Roscoe était un homme merveilleux.

— Son suicide a dû terriblement vous affecter.

— Oui, dit-il en détournant les yeux.

— C'est après sa mort, après que Roscoe et sa famille eurent quitté Hambriento qu'on vous a envoyé au loin, n'est-ce pas ?

— Oui.

— Pourquoi ?

Il soupire.

— Juste avant la disparition tragique de M. Bird, mes parents débarquèrent à Hambriento à l'issue d'un de leurs nombreux voyages en Europe. Cette fois, ils revenaient pour nous annoncer avec une certaine grandiloquence, à Peter et à moi, qu'ils avaient adopté un enfant.

— Adopté un enfant ?

— Eh oui. Apparemment, les dommages causés à leurs deux enfants naturels n'avaient pas rassasié leur désir de massacrer notre génération. Ils souhaitaient reporter leur démence sur un beau nouveau-né. Bébé Donald.

— Où est-il, maintenant ?

Richard passe une main sur le dos de la poupée, étendue à plat ventre sur la table près de laquelle Marianne et lui sont assis.

— Dondo est tout ce qui nous reste de notre petit frère adoptif.

— Je ne comprends pas.

Richard se lève, marche vers une des fenêtres.

— Mais que fait Peter ? Je ne peux pas l'appeler, il n'a pas le téléphone dans sa tanière. Et j'ai peur que...

— Sa tanière ? Où est-ce ?

Il s'écarte de la fenêtre, se retourne, regarde Marianne.

— Si Peter a ingurgité une dose de sang vicié, le mal progressera en lui de façon foudroyante. Ce ne sera pas une question de mois ou de semaines, mais simplement de quelques heures. Et il n'y a qu'un antidote : du sang sain. Mais comment lui en apporter ?

Il caresse d'un doigt son menton barbu.

– Je pourrais peut-être lui commander une pizza. On la lui apporterait et il boulotterait le livreur.

– Il y a une autre possibilité.

Il hausse un de ses sourcils blonds.

– Vous et Peter pourriez revenir du froid, hasarde Marianne.

– Comme c'est joliment dit !

– Je connais des gens, à l'université, qui donneraient n'importe quoi pour avoir la chance de parler avec vous deux ; des gens cultivés, compétents, qui vous prendraient, Peter et vous, au sérieux.

– Et nous feraient suivre un traitement ? Du genre de ceux qu'on inflige aux homosexuels ; oh, j'en ai entendu parler ! Montrez à une pauvre tapette la photo d'un beau mec et balancez-lui un choc en même temps. Comment appelle-t-on ça : la guérison par le dégoût, ou quelque chose de ce genre ? Que feriez-vous avec Peter et moi ? Nous montreriez-vous des photographies de cous tailladés avant de nous envoyer des décharges jusqu'à ce que la seule idée d'une toute petite gorgée de sang nous soulève le cœur ? J'ai bien peur que cela ne marche pas, ma chère.

– Je ne faisais pas allusion à quelque chose d'aussi sommaire. Je parle de vous étudier, vous et Peter.

– Des vampires de laboratoire ?

– Non...

Il traverse rapidement la pièce, s'agenouille devant elle.

– Si Peter est mort, qui prendra soin de moi ? Vous ? Chère, chère Marianne, prendrez-vous soin de moi ?

Elle se force à sourire avec coquetterie et réplique : « Oui », d'une voix de petite fille. À la fois surprise et ravi, il s'exclame :

— Vraiment ?

— Je prendrai soin de vous, oui.

— Oh, chérie !

Il recouvre d'une main les poignets liés de la jeune femme.

— Vous êtes troublée, n'est-ce pas ? Votre formation scientifique vous fait rejeter l'existence des vampires, mais vous êtes troublée parce que, depuis que vous êtes avec moi, vous commencez à admettre que je suis ce que j'affirme être. Vous êtes attirée par mon pouvoir, fascinée.

— Oui, ment-elle.

— Je pourrais vous raconter tant de choses sur La Vie, tant de choses sur les nuits de chasse.

— Je veux les entendre.

Il pose la tête sur son sein.

— La solitude est le revers de La Vie, le prix à payer. Quel intérêt d'être l'homme le plus riche du monde, si on se retrouve seul sur la terre ? Quel intérêt d'être la bête, de posséder son pouvoir, s'il n'existe aucun témoin de sa terrible puissance, personne à qui parler de La Vie, avec qui la partager ? Voilà pourquoi Peter et moi faisons tout pour rester ensemble. Jamais je n'aurais cru être en mesure de partager autre chose que du sang avec une femme.

Consciente d'avoir poussé un peu trop loin son entreprise de séduction, elle soulève ses mains liées, les pose sur l'arrière de la tête de Richard avant de lui dire :

— Il faut que nous réalisions le plan de Peter : nous quatre sur le voilier.

— Mais si Peter est mort et si vous acceptez de veiller sur moi, pourquoi aurions-nous besoin de Roscoe ?

— Pour nous servir de skipper, idiot.

Richard lève les yeux, la tête toujours posée sur le sein de Marianne.

— L'aimez-vous ?

266

Elle est tentée de mentir. Pourtant, elle répond :

— Oui.

— Ah !...

Il sourit.

— Mais moi, je suis tombé amoureux de vous. Et je ne supporterais pas de me réveiller par un soir paisible pour vous entendre, vous et lui, faire l'amour dans la cabine d'à côté. Je me sentirais... trahi. Ne cocufiez jamais un vampire, ajoute-t-il en se levant.

— Dites-moi ce qui est arrivé à votre frère adoptif, à Donald.

— Avant de discuter de cette question, j'ai besoin de connaître vos intentions, de savoir qui vivra ici éternellement, dit-il en touchant du doigt le sternum de la jeune femme. Roscoe est certainement un homme charmant, du moins autant qu'il m'en souvienne, mais lorsque moi, je vous ferai l'amour, je vous séduirai jusqu'au tréfonds de l'âme, je vous anéantirai avant de vous ressusciter, je vous offrirai le monde, je vous donnerai l'immortalité.

Il l'embrasse sur les lèvres. Elle sent dans sa barbe une odeur de pourri qui l'empêche de lui rendre son baiser. Pas même pour sauver sa vie.

Tap, tap, tap.

Richard tressaille, saisit Marianne par les cheveux, la tire vers lui et chuchote :

— Trahissez-moi maintenant et je vous promets une mort horrible.

Une main devant sa bouche, il la traîne jusqu'au placard, resserre les liens autour de ses poignets et de ses chevilles, découpe un morceau de ruban adhésif transparent.

— S'il vous plaît, non, ne me collez pas ce ruban encore une fois, supplie-t-elle. C'est pire qu'un bâillon, je ne peux même pas respirer.

Tap-tap-tap-tap.

— M'aimez-vous ? lui demande-t-il à la hâte. Pendant les heures que nous venons de passer ensemble, êtes-vous tombée amoureuse de moi de façon si profonde, si définitive que je pourrais vous faire confiance ?

Fixant le ruban qu'il tient entre deux doigts, puis ses yeux monstrueux, elle murmure :

– Oui.

– Ouh, la vilaine menteuse ! glousse-t-il en lui plaquant le ruban sur la bouche.

Il ferme le placard, se précipite dans la pièce voisine.

Tap-tap-tap.

Il s'immobilise un instant devant la porte pour se donner une contenance. Puis il ouvre.

33

Je ne fus pas tout à fait sûr de le reconnaître. La dernière fois que je l'avais vu, c'était un svelte jeune homme de vingt ans. À présent, je me trouvais en présence d'un élégant quadragénaire vêtu d'un pantalon noir et d'une chemise blanche, les pieds chaussés de pantoufles rouges. Ses cheveux blonds coupés court et sa barbe impeccablement taillée ajoutèrent à mon trouble. Seuls ses grands yeux gris me rappelèrent celui que j'avais connu à Hambriento.

Lui, apparemment, ne me reconnut pas. Avec un sourire triste, il me tendit une main molle.

— Je ne suis pas fou.

— Voilà une belle entrée en matière, Richard.

Dès qu'il eut entendu ma voix, ses grands yeux s'écarquillèrent de surprise et de joie.

— Roscoe ! s'exclama-t-il, accentuant la pression de sa main. Cher, cher Roscoe Bird, je t'en prie, entre donc !

Je pénétrai dans le petit salon et demandai à Richard comment il allait.

— Je ne suis pas fou. Je répète cela depuis vingt ans, mais je n'ai encore trouvé personne pour me croire.

— Moi, je te crois.

— Oh, vraiment ?

— Bien sûr. Jamais je n'ai pensé qu'il y avait chez toi quelque chose d'anormal.

C'était un peu gros, mais je n'avais pas le temps de finasser.

Richard avança la main, la posa sur ma joue et la laissa jusqu'à ce que je la retire moi-même avant de déclarer :

— Il faut que je trouve Peter.

— Oui, je comprends. Nous allons partir en voyage.

— Sais-tu ce que Peter a fait, comment il a essayé de me convaincre d'embarquer avec vous ?

— J'aurais juré que tu n'avais pas besoin d'être convaincu, que tu sauterais sur l'occasion de commander un navire, tout comme ton père. Tu es fait pour ça.

Je décidai de passer sur les détails. J'avais besoin que Richard me dise comment retrouver Peter et, sans doute, Marianne.

— Où loge ton frère ?

Richard alla s'asseoir dans une bergère, croisa les genoux. Sa courtoisie me surprit.

— Je t'en prie, me dit-il en me montrant un fauteuil près de lui. Assieds-toi et parlons. Nous avons tant d'années à rattraper !

Je tournai la tête, regardai brièvement la porte par laquelle j'étais entré, me demandant dans combien de temps Mlle Allfrey et ses sbires se rueraient à l'intérieur du pavillon pour me mettre la main dessus.

— J'ai désespérément besoin de savoir où se cache Peter.

— Ils ont interné le mauvais frère, tu es conscient de cela ?

J'étais toujours hanté, après ce qu'avait insinué Laflin, par l'idée que Richard et Peter savaient quelque chose à propos de la mort de mon père. Mais je n'avais pas non plus le temps de m'attarder là-dessus.

— Où est Peter ?

— Pourquoi veux-tu tellement retrouver mon frère ?

— Ma femme est avec lui et...

– Ah !...

Il cligna les yeux et dit en ricanant :

– Quelqu'un est en train de se faire cocufier, et je sais qui c'est.

– Sais-tu où se trouve ton frère ?

– Bien entendu.

Mon cœur bondit.

– Où ?

– Je crois que je ne vais pas te le dire parce que...

Il fut interrompu par un tambourinement provenant de la pièce voisine.

– Qu'est-ce que c'est ?

Richard soupira, passa une main languide dans sa barbe.

– Mon camarade de chambre. Eh oui, en dépit de ce que nous coûte l'*Evergreen,* j'ai un camarade de chambre. Ce n'est pas une question d'économie, mais de thérapie. Les psychiatres ne pensent pas qu'il soit bon pour leurs ouailles de vivre seules.

J'entendis alors, en plus du tambourinement, une voix étouffée.

Richard se leva, marcha jusqu'au mur qu'il frappa plusieurs fois du plat de la main.

– Du calme, Ralph, j'ai un invité !

Je me dirigeai vers la porte intérieure et tendis l'oreille.

– Si tu as l'intention d'ouvrir cette porte, me dit Richard, aie la bonté de me laisser m'écarter d'abord.

– T'écarter ?

Il éclata de rire.

– Ralph a la détestable habitude de jeter ses excréments à la figure des imprudents.

Je collai mon oreille contre la porte. Mais le tambourinement et le bruit de voix avaient cessé. J'essayai de tourner la poignée. Elle était verrouillée.

– Oh, oublie cette porte. Elle reste fermée pendant des heures. Laisse-moi appeler le bâtiment administratif. Quelqu'un viendra avec une clé.

271

— Non.

— J'insiste. On ne rencontre pas tous les jours une personne comme Ralph.

Il alla jusqu'au téléphone, porta le récepteur à son oreille, me sourit tout en attendant la communication.

— Richard...

Il leva un doigt, parla dans le combiné.

— Oui, ici Richard Tummelier. J'ai un visiteur, M. Roscoe Bird et... Comment ? Qu'est-ce que vous dites ?

Plus il écoutait, plus ses sourcils se dressaient. Il reposa le combiné, me fixa avec une expression des plus étranges.

— Mlle Allfrey en personne sera là dans quelques instants. Elle a l'air furieuse contre toi. Qu'as-tu encore fait ?

— Dis-moi où se trouve Peter, je t'en prie.

Il baissa les épaules.

— À une condition.

— Dis toujours.

— Que tu ailles voir Peter seul. S'il a fait quelque chose de répréhensible, ne contacte les autorités qu'après l'avoir rencontré seul. J'ai peur qu'il ne soit mal en point, mais peut-être que s'il te voit, juste toi, il ira mieux. Si tu me le promets, je t'indiquerai le chemin de sa... Je te donnerai une carte.

— Je le jure.

Il marcha vers un petit secrétaire, en extirpa une feuille de papier qu'il plia en quatre et garda dans sa main, hors de portée de la mienne.

— Nous nous sommes bien amusés à Hambriento, Peter, toi et moi, non ?

— Oui, répondis-je, essayant d'attraper le papier.

— Je vous ai taquinés sans merci, vous, les deux petits, ajouta-t-il en agitant le papier devant moi.

— Oui.

Mes doigts frôlèrent la feuille pour la seconde fois. De nouveau, Richard m'empêcha de la saisir. À bout de patience, je criai comme un enfant furieux :

— Donne-moi ça !

— Bien sûr.

Il me tendit la feuille.

— Dépêche-toi. L'effet thérapeutique de ta présence constituera peut-être pour Peter une ultime chance de survie.

À ce moment-là, on frappa violemment à la porte.

— Par-derrière, souffla Richard en me prenant le bras. Où as-tu garé ta voiture ?

— Devant le bâtiment administratif.

— En sortant, tourne à droite jusqu'à un chemin qui te conduira de l'autre côté du bâtiment.

— Merci.

Je lui serrai la main.

— Je ferai tout mon possible pour aider Peter.

— Oh, je n'en doute pas une seconde.

Une fois dehors, je me mis à courir dans la neige. Je n'avais pas ressenti une telle excitation depuis mon intrusion chez les Burton, un revolver à la main, des années plus tôt. Avec une différence de taille : cette fois, j'avais une vie à sauver. Marianne serait avec Peter. J'en étais sûr. La folie de cette nuit m'apparut alors dans toute sa démesure. Qu'es-tu en train de faire, Roscoe Bird ? La réponse était limpide, du moins pour moi : je cours dans la neige entre les pavillons d'un asile de fous pour aller sauver ma femme des griffes d'un vampire.

34

Je quittai l'enceinte de l'*Evergreen* un peu avant vingt-deux heures, laissant Johnny Laflin à son sort, réduit à l'état de patient potentiel ou bien considéré comme un officier de police ayant outrepassé ses attributions. Je parcourus plusieurs kilomètres avant d'arrêter la voiture de location pour consulter la feuille que m'avait donnée Richard. Ses indications aboutissaient à un X entouré d'un rond désigné par la mention : « Tanière de Peter ». Le chemin, qui empruntait l'autoroute de Rock Creek, passait assez près de chez moi. Je fis un détour par ma maison, me demandant si Marianne, à tout hasard, ne s'y trouverait pas.

Il n'y avait personne. Je lui laissai un mot, ce que j'avais déjà eu l'intention de faire. Puis, mû par une impulsion subite, je montai jusqu'à ma chambre pour voir si le pistolet était toujours caché sous le matelas, de mon côté du lit.

Il y était. Après tous les ennuis que m'avait procurés cette arme la dernière fois que je l'avais eue en main, j'aurais pu avoir la bonne idée, cette fois, de la laisser chez moi. Je n'en fis rien. Je remplaçai la cartouche manquante et pris le pistolet avec moi. « Tanière de Peter », avait écrit Richard. Ces trois mots justifiaient, me semblait-il, cette précaution.

J'enfilai une paire de bottes puis, muni d'une lampe électrique, je repris la route à péage avant de m'enfoncer dans le dédale des voies isolées qui, filant entre les arbres, longent Rock Creek. Les maisons étaient rares, éloignées des routes aux signalisations défectueuses. Après avoir erré une heure, persuadé de m'être perdu, j'aperçus enfin un des repères portés sur la carte. Je continuai, cherchant le «chêne éclairé par un réverbère» qui bordait l'entrée du chemin privé conduisant à Peter – et à Marianne.

Je le dépassai, freinai pile, reculai, m'engageai dans le chemin jusqu'à ce que mes phares éclairent une roulotte abandonnée.

Non pas un «mobil-home», mais une vraie roulotte, une de ces pauvres caravanes comme en tiraient, du temps de mon enfance, les vieilles Oldsmobiles des touristes pauvres qui venaient camper en Floride pendant une semaine. On n'y vivait jamais de façon permanente. Elles n'étaient pas conçues pour ça.

Celle qui me faisait face avait beaucoup servi. Cabossée, roussie par des traces de flammes, percée d'impacts de balles, sa fenêtre principale bouchée par du contre-plaqué, elle s'affaissait sur des pneus qui n'avaient pas dû être gonflés depuis des années. La neige qui la recouvrait n'améliorait en rien son apparence.

Je voulais m'assurer que Peter savait que l'homme qui venait de descendre de voiture était bien moi, et que personne ne m'accompagnait. Il me fallait éviter de provoquer chez lui un mouvement de panique qui aurait pu le pousser à s'en prendre à Marianne. Je glissai le gros pistolet dans ma ceinture, sous ma veste. Puis je criai:

– Peter, c'est moi, Roscoe ! Je suis seul ! J'arrive !

Je m'approchai de la roulotte. Je notai qu'on avait empilé des ordures sous le contre-plaqué, à la droite de la porte, comme si Peter se contentait de jeter ses détritus par la fenêtre, ce qui ne lui ressemblait pas. Mais peut-être n'était-ce pas lui, peut-être n'avait-il pas regagné ce cloaque avec Marianne, peut-être n'était-ce même pas le bon endroit.

276

Je regardai ma montre : un peu plus de vingt-trois heures. Je levai la tête. Alors, je vis les rats.

Les habitants de Washington ont l'habitude d'en croiser, rasant les murs, trottant d'une décharge à l'autre et se coulant comme des ombres, pressés de disparaître. Ceux-là, éclairés par la lune, paraissaient, au contraire, se sentir en sécurité. Ils avaient investi sans crainte le tas d'ordures. Ils y avaient creusé des trous d'où ils sortaient pour escalader la montagne de déchets avant de retourner d'où ils venaient, de réintégrer leurs galeries, se déplaçant sans hâte, en toute impunité.

Je restai là, fasciné par ce répugnant ballet, qui cessa dès que j'eus braqué ma torche sur les immondices. Les rats, aussitôt, dévalèrent le tas et, avec un bel ensemble, disparurent dans leurs trous.

J'attendis quelques instants, pour être sûr qu'ils n'allaient pas ressortir, avant de poursuivre ma progression vers la roulotte. Tout d'un coup, je m'immobilisai. Quelqu'un venait de retirer le contre-plaqué de la fenêtre. J'allumai de nouveau ma lampe. Quelque chose descendait le long de la paroi de la caravane, quelque chose que les rats devaient guetter car, en dépit du faisceau que je projetais sur eux, ils réapparurent, prudemment tout d'abord, montrant leur museau puis leur tête aux yeux rouges jusqu'à, sans doute à la suite d'un signal compris d'eux seuls, se grouper par pelotons, par compagnies, regardant cette chose qui descendait depuis la fenêtre, remuant violemment la queue en signe de convoitise.

Je ne distinguais pas la nature exacte de la chose : cela ressemblait à un bout de viande de la taille d'une prune ou à une boule de plastique semblable à un morceau de chair, brun et rouge, liée par un fil d'acier à ce qui me parut être une canne à pêche que tenait la personne cachée derrière le contre-plaqué ; Peter, probablement.

Il avait dû voir les phares, entendre mon appel. Ce qu'il faisait, il le faisait pour moi, pour ma gouverne.

Je projetai mon faisceau sur un des rats en train d'escalader le tas, bien décidé à festoyer le premier. Dans son impatience, il renifla les détritus, tira vers lui ce que je pris à juste titre pour des couches de bébé souillées. Il les déplia avec ses pattes avant, révélant, à la lueur de ma torche, une écœurante palette de taches rouges, marron et jaunes qu'il se mit à laper avec frénésie.

De temps à autre, il s'interrompait pour regarder le festin descendre ; lentement, très lentement.

Enfin, la chose parvint tout près du rat, qui, comme un chat, s'assit sur son séant. Partagé entre son désir et sa peur de la toucher, il exprima sa frustration en léchant son pelage de façon saccadée. Deux rats le rejoignirent au sommet du monticule. Il chassa le premier par de petits cris accompagnés d'une curieuse posture de boxeur puis, chevauchant brusquement le second, l'assomma presque en mimant contre lui, avec une violence forcenée, le mouvement de l'accouplement jusqu'à ce que l'intrus consente, lui aussi, à déguerpir.

Il restait seul face à cette chose qu'il guignait. Pourtant, il n'arrivait pas à se résoudre à la toucher. Il en fit le tour en sautillant comme un lapin, tendit le cou pour la renifler, la frôla avec son museau. Enfin, n'y tenant plus, il se propulsa brusquement en avant, saisit l'appât entier dans sa bouche et pivota pour s'enfuir en emportant son butin.

Il ne dévala le tas que sur une vingtaine de centimètres. Le fil d'acier se tendit, l'arrêtant net dans sa course. Le rat venait de mordre à l'hameçon.

Il poussa un cri, se renversa sur le dos, essaya désespérément, avec ses quatre pattes, de libérer sa bouche, la gardant ouverte lorsqu'il se remit sur ses pieds, secouant violemment la tête, sautant comme un kangourou avant de creuser les détritus avec ses pattes avant, cherchant à créer un abri où il aurait pu se réfugier.

Peine perdue. Il était pris.

Il fut tiré, accroché par la bouche. Jamais, sans doute, au cours de sa vie de rat, il n'avait ressenti une telle douleur. Les cris qu'il poussait avaient une résonance presque humaine.

Il se tordait, se débattait, piaillait, criait, griffait la paroi de la roulotte, tournait, tournoyait sur lui-même comme s'il avait voulu glisser son corps à l'intérieur d'un nœud. Il résista ainsi jusqu'au bout, jusqu'au moment où il disparut dans l'encadrement de la fenêtre.

J'entendis un coup sourd. Puis plus rien.

Je dirigeai de nouveau le faisceau de ma lampe vers le tas d'ordures. Les rats étaient partis. La lumière de ma torche clignota, s'éteignit. Je pressai plusieurs fois sur le bouton, réussissant à faire naître un vague rayon jaune.

— Si tu veu-eux jouer... Va chercher une poupée. Baby, mon temps est trop précieux et je ne suis pas un enfan-ant.

La voix était douce et venait de l'intérieur de la roulotte.

— Ne te joue pas de moi, ce n'est pas digne de toi... Mais si tu veux de moi, je suis à toi, oh oui, baby, à toi.

La voix devint plaintive, comme une âme emprisonnée qui supplie qu'on la délivre. J'en avais la chair de poule.

— Mais, au fond de moi, je sais que tu m'aimes, oublie ton stupide orgueil.

Ensuite, le calme.

J'attendis. Mais le silence se prolongea.

— Peter !

Que faisait-il là-dedans ?

— Peter Tummelier ! criai-je.

— Non, répondit-il d'une voix rauque, Aaron Neville !

35

La porte s'ouvrit. Pistolet en main, rassemblant tout mon courage, je m'avançai. Arrivé à deux ou trois mètres de la roulotte, je m'immobilisai à l'endroit où la neige avait été piétinée et salie. Le faisceau de ma lampe agonisante se refléta sur un objet métallique. J'allais me pencher pour le ramasser lorsque je réalisai qu'il s'agissait d'un appareil dentaire. Je vis très nettement ce qu'il soutenait : des dents humaines.

La voix de Peter me parvint de l'intérieur.

– Trop faible pour tuer.

– Est-ce que Marianne est avec toi ? répondis-je, contournant précautionneusement le dentier et me ruant vers la porte qui ne donnait que sur l'obscurité.

– Je vois que tu es encore armé, dit-il. Mais cette fois, je suis trop faible pour tuer.

À ce moment-là, ma torche s'éteignit pour de bon.

– Roscoe ?

– Je suis juste là.

– Entre, j'ai besoin de toi.

– Allume d'abord la lumière, répliquai-je en jetant dans la neige ma lampe désormais inutile.

Il toussa. J'entendis dans sa poitrine comme un bruit de forge.

– Peter, qu'est-ce qui ne va pas ?

Pas de réponse.

— Allume la lumière, pour que je puisse entrer.

Nouveau silence.

— Peter, est-ce que Marianne est là ?

— Je crois qu'il vaudrait mieux que...

Seconde quinte de toux.

— ...que tu restes dans le noir.

Pourquoi me disait-il cela ? Que refusait-il de me montrer ? Ce qu'il avait fait à Marianne ?

J'avais aperçu des fils électriques qui, courant le long du chemin, aboutissaient à la roulotte. Il y avait donc l'électricité. Le pistolet dans la main droite, je posai ma main gauche sur le chambranle de la porte.

— J'ai trouvé l'interrupteur, Peter. Protège tes yeux ; je vais allumer.

— S'il te plaît, non.

— Pourquoi ?

— J'ai honte. Tu n'étais pas censé découvrir cet endroit. De plus, je ne veux pas que tu me voies. Pas comme ça.

— Tu es malade ?

Je pensais : « Ma balle produit son effet. C'est à cause de moi qu'il agonise. »

— Je ne peux rien faire pour toi à moins de pénétrer dans la roulotte et je n'y entrerai pas dans le noir.

— Ce que tu vas découvrir ne te plaira pas.

— Protège tes yeux.

— Attends !

J'entendis un léger remue-ménage, puis la voix étouffée de Peter.

— C'est bon, je suis prêt.

J'appuyai sur l'interrupteur, puis me figeai sur le pas de la porte. Peter se tenait dans un grand fauteuil rembourré placé au milieu de la pièce. Je présumai, du moins, qu'il s'agissait de lui. Car la silhouette à demi étendue dans ce fauteuil était entièrement dissimulée par un drap miteux, comme ces meubles que, dans les maisons fermées, on protège de la poussière et de l'humidité.

– Peter ?

– Oui, répondit-il, toujours caché sous le drap.

– Qu'as-tu fait de Marianne ?

– Elle est saine et sauve.

Merci, mon Dieu.

– Saine et sauve où ?

– Tu te souviens de tes commentaires d'autrefois à propos des chansons d'Aaron Neville ?

– Peter, enlève ce putain de drap !

Il ne bougea pas. Je pénétrai à l'intérieur de la roulotte. Une puanteur atroce me força à sortir un mouchoir de ma poche pour m'en couvrir le nez et la bouche.

– À l'époque où nous étions des adolescents «rock», me dit-il, toujours sous le drap, tu m'as dit que «Tell It Like It Is» était pour toi un imparable moyen de séduction. Tu me racontais que, chaque fois que tu mettais ce disque à l'intention d'une fille et que tu battais des cils en l'enrobant de ton regard à la James Dean, ton œillade de poète triste, elle était incapable de résister. Tu te souviens ?

Je n'écoutais pas. J'examinais l'intérieur de la roulotte à la recherche du moindre indice qui aurait pu me signaler la présence de Marianne. La caravane se composait d'un simple rectangle, avec la cuisine à ma gauche, tout au bout, un lit à l'autre extrémité et, au centre, ce fauteuil rembourré. Aucun endroit où se dissimuler. Une des parois était entièrement tapissée de photographies qui me parurent familières. Mais ce fut seulement en m'en approchant que je m'aperçus qu'il s'agissait de photos de moi : moi bébé, bien avant que je ne rencontre Peter – ma mère lui avait sans doute donné ce portrait-là –, moi adolescent, des instantanés de moi en compagnie de mon père, d'autres où Peter posait entre nous deux ; moi sur notre bateau, exhibant un gros poisson ou faisant le pitre devant l'objectif. Les photographies où d'autres personnes auraient dû apparaître près de moi avaient été découpées. Il devait y en avoir une bonne cinquantaine. Un véritable autel, un lieu de culte. Loin de me flatter, cela me terrifia.

— C'est là que tu vis ? demandai-je à la silhouette dissimulée sous le drap.

Je n'obtins pas de réponse.

La pièce était une porcherie. De vieux papiers, des pansements souillés, des disques compacts et des cassettes jonchaient le sol. Des mouches nées en hiver, maintenues en vie par l'incroyable odeur de la roulotte, dansaient contre les parois ; des cafards, insensibles à la lumière, couraient d'un détritus à l'autre. De la moisissure où pataugeaient des fourmis s'étalait dans les assiettes sales abandonnées un peu partout. Des armées de mille-pattes barbotaient dans quelque chose de brun répandu sur le sol, devant le petit réfrigérateur hors d'usage.

Cette saleté n'était rien comparée aux émanations que je respirais : pourriture, urine, matières fécales, viande avariée, senteurs assez écœurantes et assez puissantes pour imbiber la pièce et les parois, se jouer de la protection de mon mouchoir et provoquer des haut-le-cœur au fond de ma gorge.

Je marchai jusqu'au fauteuil.

— Peter ?

Le drap ne bougea pas.

— Peter, que t'est-il arrivé ?

— Il vaudrait mieux, dit-il d'une voix faible, que tu éteignes.

— Je veux te voir.

— Tu en es sûr ?

Non, je ne l'étais pas. Mais je répondis le contraire.

— Tu ne t'enfuiras pas en courant, tu ne me laisseras pas seul ?

— Bien sûr que non.

— Reste avec moi jusqu'à ce que je meure. Voilà ce que j'aimerais.

— Oui.

Deux mains émergèrent de chaque côté du drap. Je reconnus celles de Peter, grandes, aux doigts très longs. Mais jamais je ne les avais vues sales, de cette saleté tenace qui incruste chaque pore de la peau, cette crasse qui est la compagne des mendiants et des pauvres. Ses ongles, dont il prenait jadis si grand soin, étaient cassés. Trois d'entre eux manquaient, comme s'ils étaient tombés d'eux-mêmes à la suite d'une vilaine blessure.

Après un instant d'hésitation, il rabattit le drap, dévoilant sa tête et ses épaules nues.

L'homme n'était plus qu'un cadavre. Depuis que je l'avais vu pour la dernière fois, vingt-quatre heures plus tôt, il s'était transformé en une sorte de momie desséchée qu'on aurait abandonnée là, dans son linceul.

Il me rappela ces photographies de déportés prises par les troupes alliées, ces survivants hébétés cherchant, dans un dernier sursaut, à se redresser avant de se coucher en chien de fusil, dans la position fœtale de ceux qui, lentement, meurent de faim.

Mais le corps de Peter avait été ravagé par quelque chose de pire que la faim, et de beaucoup plus grave que les conséquences d'une balle de revolver.

Des plaies suintantes parsemaient son visage et ses épaules, certaines d'une rondeur parfaite, d'autres s'étirant sur sa peau comme une mousse rouge. Un énorme furoncle purulent boursouflait l'extrémité de son œil droit, déjà aveugle, peut-être, qu'il humectait d'une substance blanchâtre. Ce spectacle me rappela un film effrayant qu'on nous avait projeté au lycée pendant un cours d'éducation sexuelle : *Syphilis tertiaire*.

Ce qui rongeait Peter était plus terrifiant encore.

Des lambeaux de chair à vif zébraient ses joues. De son crâne maculé de croûtes émergeaient quelques touffes éparses, derniers vestiges de sa chevelure. Son nez jadis si gracieux s'était ramolli comme les pneus de sa roulotte et pendait à présent au-dessus de sa bouche.

Il aurait pu en frôler le bout avec sa langue. La morve qui coulait de ses lèvres et de ses narines avait formé sur sa peau, en séchant, des parcelles solidifiées semblables à des écailles de poisson. Et celle qu'il sécrétait encore se mêlait à ces écailles. Sa bouche grande ouverte exhalait une haleine nauséabonde, une odeur de décomposition qui accentua ma nausée.

Si je l'avais rencontré ailleurs, dans une grotte, par exemple, je me serais demandé si je me trouvais vraiment devant un humain, un être de la même espèce que moi.

– Tu n'as pas un petit creux? dit-il en extirpant le rat crevé des plis de son drap.

Je vomis si soudainement que j'eus à peine le temps de me pencher pour éviter de souiller mes vêtements. Je répandis tout sur le sol, à la grande joie des cafards qui se précipitèrent sur ce festin tout frais, suivis d'une escadrille de mouches que, plus tard, les fourmis rejoignirent de leur démarche implacable mais lente, avant que les mille-pattes ne se mettent eux aussi en mouvement, leurs pattes roulant sur elles-mêmes.

Je crachai, passai mon mouchoir sur ma langue. En vain: rien ne me débarrassa du goût que j'avais désormais dans la bouche.

Je regardai de nouveau Peter. Son état ne l'empêchait pas de se réjouir de l'effet de sa petite plaisanterie.

– Seigneur, Peter, que t'est-il donc arrivé?

Ses lèvres pleines de pus tremblèrent comme s'il allait pleurer. Honteux, il tourna la tête vers un coin du fauteuil.

– Je te l'ai dit, je suis en train de mourir.

Je n'en doutais pas. Il ajouta:

– Tu pourrais aller me chercher quelque chose?

– Quoi?

Il ne répondit pas.

– Peter? Qu'est-ce que tu veux?

Il se tourna de nouveau vers moi, me fixa avec un sourire sinistre.

– Un petit enfant blanc ?

Il s'était exprimé sur un ton badin, comme s'il avait dit : « Une grosse Buick. » Je lui rétorquai que ce n'était pas drôle.

– Une jeune fille étrennant son premier soutien-gorge ?

– Arrête tes salades ou je m'en vais.

Bien sûr, je mentais. Comment aurais-je pu m'en aller sans savoir ce qu'il avait fait de Marianne ?

– Valentino.

– Quoi ?

– Valentino.

– Peter, de quoi parles-tu ?

Il avait fermé les yeux.

– Pe...

– C'est ainsi que m'appelaient les amis de mes parents : « le petit Valentino ».

Il s'endormit. Ou alors il s'évanouit. « Après tout, pensai-je, il est peut-être mort. » Je tendis la main pour, en dépit de ma répulsion, prendre son pouls. Il ouvrit les yeux, surpris de me trouver si près de lui.

– Roscoe ?

– Oui.

– Roscoe, mon très cher ami.

– Écoute-moi, Peter. Dès que j'aurai la certitude qu'il n'est rien arrivé à Marianne, je t'emmènerai à l'hôpital. Dis-moi où je pourrai la trouver, ou, du moins, où la police pourra aller la délivrer. Alors, je...

– J'ai été infecté.

– Par quoi ?

– Par qui, plutôt. Par Audrey, trait d'union, Eileen. Une bonne petite. Mais pas très futée. Et avec un mauvais sang.

Il ferma les yeux pour se remémorer ses traits. J'ignorais à qui il faisait allusion. De nouveau, il parut perdre conscience. Je m'inclinai légèrement, donnai un petit coup sur le bras de son fauteuil.

— Peter, réveille-toi ! Où est Marianne ?

Il ouvrit les yeux et, sans me regarder, serra contre lui la carcasse brune.

— Savais-tu que les rats mâles baisent parfois les femelles jusqu'à la mort ? Parole d'honneur. Lorsque plusieurs mâles se battent pour couvrir la même femelle, le combat et la frénésie sexuelle les rendent si étranges qu'ils honorent leur dulcinée des centaines de fois, provoquant chez elle un traumatisme mortel. Et tu sais ce qu'ils font, ensuite ? Ils continuent à copuler avec le cadavre. Pauvres gamins : ils ne peuvent pas s'en empêcher.

Il leva les yeux vers moi.

— Marianne va bien.

— Salopard ! hurlai-je en pointant le pistolet sur son visage ravagé. Si tu lui as fait quoi que ce soit, je te brûle la cervelle !

— Quelle importance ? De toute façon, je serai mort ce matin.

Il avait raison. De quoi pouvais-je le menacer ? Le tuer maintenant aurait été un acte de miséricorde.

— Tu resteras avec moi jusqu'à ce que je meure, n'est-ce pas, Roscoe ?

— On peut encore te sauver. Dis-moi où est Marianne et je t'emmène aux urgences.

— Tu peux me sauver ; mais pas en me traînant à l'hôpital.

Sentant que mes efforts pour obtenir de lui des informations n'aboutiraient à rien, je me détournai et m'assis lourdement sur le lit

Peter resta assoupi quelques minutes avant de cligner les paupières et d'inspecter nerveusement la pièce jusqu'à ce qu'il m'aperçoive.

— J'ai cru que c'était un songe, que j'avais simplement rêvé que tu étais là. Mais tu es bien réel, n'est-ce pas ?

— Oui, répliquai-je, exaspéré, je suis réel.

Il parlait en hachant les mots, comme s'il craignait d'user sa voix.

— Alors que j'agonisais, au cours de ces dernières heures, j'ai imaginé ton arrivée, la porte qui s'ouvrait, ton entrée, l'horreur provoquée chez toi par mon état, ta tristesse, aussi. Je te voyais m'entourant de tes bras en pleurant.

Il se reposa une longue minute avant de reprendre, d'une voix raffermie et chargée de colère :

— Je dois avouer que, dans toutes mes élucubrations, je n'ai pas une seule fois envisagé que tu te présenterais ici armé.

Je baissai le nez vers mon pistolet.

— Tu as assassiné des gens, tu as enlevé ma femme. À quoi t'attendais-tu ? Si jamais tu l'as fait souffrir, je ne te souhaite qu'une chose : rôtir en enfer.

Tout en m'écoutant, il avait tourné vers moi sa tête décharnée. Il ne réagit pas, ne répondit rien. Il se contenta de m'observer en silence, sous son drap, réplique parodique et répugnante de Gandhi, la non-violence en moins.

Tout d'un coup, il fondit en larmes.

— C'est le pistolet de ton père, hein ? Celui avec lequel tu m'as tiré dessus hier soir ? Et maintenant tu veux l'utiliser pour me tuer ? M'abattre avec l'arme dont il s'est servi pour s'ôter la vie ? Espèce de salopard sans cœur...

Il sanglotait de plus en plus.

— Le temps que j'ai passé avec toi et ta famille fut la seule période « normale » de mon existence. Quand ton père est mort, la meilleure part de moi est morte avec lui. Et à présent, tu veux me tuer avec l'instrument de son suicide ? Pourquoi n'as-tu pas déterré ses os pour me frapper à mort ? Et je serais, moi, le vampire ? Non, Roscoe, le monstre, c'est toi !

Ses larmes l'empêchèrent d'en dire davantage. Nous restâmes silencieux, assis chacun de notre côté, accablés par notre mutuelle horreur. Enfin, il s'écria :

— Tu peux me sauver la vie !

— De quelle manière ?

Il essuya le pus et les larmes de ses yeux, me supplia de l'écouter.

— Jadis, au Moyen Âge, on envoyait au bûcher les gens dotés de pouvoirs surnaturels. Tout ce qui dépassait l'entendement était rejeté, maudit. Pourtant, le surnaturel n'a jamais cessé d'exister, même si, par la suite, le triomphe de l'ignoble rationalisme l'a tourné en dérision. Les vampires existent, Roscoe. J'en suis un et...

— Oh, pour l'amour du Ciel !

— Grâce à moi, tu pourrais en devenir un toi aussi. Ta transformation en vampire, ce soir, me sauverait la vie. Dès lors, tous les deux, nous...

— Te voir dans cet état ne m'incite guère à te rejoindre.

— Ne sois pas stupide. J'ai commis une erreur ; je savais que ce sang était vicié mais je l'ai avalé quand même. Je m'en moquais. Cela m'était égal de mourir. Tous mes efforts pour te convaincre ou t'obliger à venir avec moi sur mon yacht ont tourné à la farce. Je ne peux pas te forcer à m'aimer, à me protéger. Mais cette nuit, il nous reste une chance... Roscoe, écoute-moi. Tu as une chance, non seulement de me sauver, mais de vivre une aventure si intense, si passionnante, de posséder de tels pouvoirs que tu te réveilleras chaque nuit le cœur rempli de gratitude, avec mon nom sur tes lèvres.

Je secouai la tête, en signe à la fois de refus et de pitié.

— Roscoe, tu deviens vraiment stupide.

— Même si ce que tu me racontes sur les vampires était vrai, je ne te suivrais pour rien au monde, pas au prix de mon âme.

— Mais si tu ne meurs jamais, tu n'auras pas à te soucier de ton âme. Là réside toute la beauté de la chose.

— Pourtant tu es en train de mourir.

Il haussa les épaules d'un air résigné, comme s'il renonçait à me gagner à sa cause.

— Dis-moi simplement que tu n'as rien fait à Marianne.

— Je ne l'ai pas touchée, répliqua-t-il machinalement.

— Où est-elle?

— En sécurité.

Je me levai, dis à Peter que je regrettais de l'avoir rencontré.

— Ne parle pas comme ça! cria-t-il en sanglotant de nouveau. Je t'aime!

— Je pars. Je vais dénicher un téléphone, appeler la police, la laisser se débrouiller avec toi.

— Roscoe, je t'en prie!

— Adios, fils de pute.

— Tu m'as toujours quitté!

Je marchai vers la porte.

— À cause de ton père!

Je m'immobilisai.

— Que veux-tu dire?

— Il t'a laissé dans la pire situation qu'un être humain puisse connaître. En retour, inconsciemment, tu menaces de faire subir aux autres ce que tu as vécu: «Je te quitte!»

— Foutaises!

Je passai devant lui. J'avais atteint la porte lorsqu'il hurla:

— *Rattus norvegicus!*

Me retournant, je le vis brandir d'un air triomphal, le tenant par la queue, le rat crevé. Cette fois, cela ne me choqua pas.

— J'ai vu ton rat à l'œuvre.

— Mais tu n'as pas vu ceci!

Il glissa un index derrière le lobe de son oreille droite, ou du moins de ce qu'il en restait: un lambeau de chair mâchonné.

— Donnant, donnant, Roscoe! Ils me mangent, je les mange! Tu vois ce qu'ils ont fait à mes oreilles! Ils ont déjà commencé à me dévorer, sans avoir la décence d'attendre que je crève. Tu sais, bien sûr, qu'ils entament d'abord les parties douces : les lobes, les lèvres ; les yeux. Ils trouent les joues à coups de dents pour atteindre la langue, leur morceau de choix.

– Lâche ce rat, Peter.

Il le dressa plus haut encore, me singea en imitant une voix de femme.

– Lâche ce rat, Peter. Oh, j'en ai massacré quelques-uns, je t'assure. J'en ai eu une bonne dizaine au cours des vingt dernières heures. As-tu déjà savouré le sang d'un rat ? As-tu goûté sa saveur ?

– Je m'en vais.

– Au moins, ces petits saligauds me maintiennent en vie. Mais cela t'importe peu. Tu aurais préféré me trouver raide mort en entrant ici, pas vrai ?

– Si tu ne me dis pas où est Marianne, alors oui, je crois que j'aurais préféré te trouver mort au lieu d'avoir à écouter tes insanités.

Il balançait le rat, comme un métronome.

– Il faut être habile pour pêcher un rat, Roscoe. Tu n'imagines pas à quel point ils sont méfiants. J'ai dû les nourrir pendant des heures avant qu'ils ne deviennent assez confiants pour mordre à l'hameçon. De plus, ils font la fine bouche. Les seuls morceaux qu'ils aient jugés délectables, ce sont ses nichons.

Je bondis vers lui, giflai son crâne avec le canon de mon arme.

– Oui, oui ! cria-t-il. Tue-moi ! Tue-moi !

Je le frappai encore.

Alors, il se leva. Dieu qu'il était rapide ! Il me sauta à la gorge comme un animal. Je crus que la terreur allait faire exploser mon cœur. Peter sur moi, son bras squelettique mais puissant autour de mon cou. Son autre main pressait le rat contre mon visage. À mon tour de crier.

Soudain, je compris : il en voulait à mon sang.

Avec une force stupéfiante, il me plaqua au sol. Incapable de résister, j'avais lâché le pistolet. Lui m'empêchait de bouger, écrasait le rat contre ma bouche en murmurant :

– Mange, Roscoe, mange. Miam-miam !

– Je t'en prie, suppliai-je.

Aussi soudainement qu'elle avait débuté, son agression cessa. Il s'écarta de moi, roula sur le sol puis s'immobilisa, les bras ouverts, enveloppé dans le drap sanglant. Je me relevai, essuyai frénétiquement ma bouche à deux mains, sentant encore, sur mes lèvres, le goût du rat. Peter ne bougeait plus. L'ignoble salaud. Était-il mort, cette fois ? Je touchai son flanc du bout de ma chaussure. Il se mit alors à parler sans bouger, sans ouvrir les yeux.

– Oh, mon cœur, tu vois bien... J'aurais pu te prendre autant de fois que je l'aurais voulu.

Je le croyais. Je le croyais aussi capable de recommencer. Je fouillai la pièce du regard, jusqu'à ce que je retrouve le revolver.

Les yeux toujours clos, Peter tendit une main vers moi.

– Aide-moi à aller m'allonger sur le lit. Ne t'inquiète pas. Je ne vais pas te métamorphoser en vampire contre ton gré. Même si c'est ce que je devrais faire pour me sauver et t'offrir La Vie. Mais je ne le ferai pas. Il ne me reste qu'à mourir, à tirer ma révérence avec grâce. Ne me laisse pas mourir par terre, aide-moi à aller jusqu'au lit. C'est tout ce que je te demande.

Il tendit de nouveau la main. Cette fois, je la pris.

– Aide-moi à me relever.

Son corps tout entier paraissait couvert de plaies purulentes. Mon dégoût rendit totalement inefficaces mes efforts pour l'aider à tenir debout.

– Tu ne deviendras pas un vampire en me touchant, dit-il avec dédain.

Il réussit enfin à se dresser sur ses pieds, en grande partie par lui-même. Debout, il semblait plus pathétique encore, avec sa silhouette famélique qui lui donnait l'air d'avoir mille ans.

En titubant vers le lit, il essaya de garder le drap enroulé autour de lui. Mais le drap glissa, découvrant son côté droit, dont la chair cramoisie semblait avoir été brûlée à l'acide. Était-ce la blessure occasionnée par ma balle qui s'était infectée à ce point ? Je jetai le pistolet au loin. Je n'avais plus le cœur à le faire de nouveau souffrir.

Il s'allongea sur le lit. Je disposai le drap sur son corps avant de lui répéter que j'allais dénicher un téléphone, appeler une ambulance. Il secoua la tête.

— Assieds-toi près de moi jusqu'à ce que je m'en aille. Marianne est saine et sauve, je te le jure. Je l'ai laissée entre les mains de quelqu'un à qui j'ai donné les ordres les plus stricts pour qu'il ne lui arrive rien.

— Qui ?

— Après ma mort, on la délivrera. Il n'y aura plus aucune raison de la garder en otage. Alors assieds-toi près de moi.

J'obéis. Aussitôt, Peter saisit ma main.

— La douleur est presque... inimaginable.

Il pressa ma paume contre sa poitrine, remplie de ce liquide atroce qui menaçait de l'étouffer. Des larmes et du sang coulaient au coin de ses yeux sombres. Sur son crâne, un sang nouveau, là où je l'avais frappé avec mon pistolet, commençait à se coaguler. De la morve fraîche descendait jusqu'à sa lèvre supérieure avant de suivre les contours de sa bouche délicate. Je dus faire un effort pour vaincre la répulsion qui me poussait à courir vers la porte.

Il secouait la tête, me disant «non» à propos de quelque chose. Je compris qu'il me demandait de lâcher sa main pour pouvoir se tourner sur le côté, échapper à mon regard. En libérant ses doigts, je notai, au milieu de sa paume, au centre du triangle formé par ses lignes de vie et de cœur, un minuscule mais ravissant oiseau, dessiné avec minutie.

Je demandai, après qu'il m'eut tourné le dos :

— Quand t'a-t-on fait ce tatouage ?

Pas de réponse.

— Peter ?

— Ton Dieu ne t'a-t-il pas promis de te garder au creux de sa main ?

— Depuis quand l'as-tu ? Je ne l'avais jamais remarqué auparavant.

— En prenant quelques précautions, on peut dissimuler n'importe quoi, même l'évidence.

— Laisse-moi le voir encore.

Sans se retourner, il tendit sa main ouverte. L'oiseau bleu tatoué sur sa peau avait l'air de voler.

— Comment appelle-t-on, murmura-t-il sans refermer les doigts, ce qui se passe lorsqu'on est sur l'eau, la nuit, et que les rayons de la lune percent la surface, lorsque son reflet vous enrobe et poursuit, quoi qu'il fasse, celui qu'il enveloppe, le suit même s'il s'enfuit à toute allure, n'éclaire rien ni personne d'autre que lui ? Comment appelle-t-on cela ?

— Le coup de lune.

Il garda le silence un long moment. Je frôlai son épaule. Il ne réagit pas.

36

— Peter, tu m'entends? On appelle ça «le coup de lune».

Il frissonna, pleura encore.

Je ne savais quoi faire. Toute conclusion rationnelle semblait hors de propos. Je venais de vivre une nuit épuisante. Était-ce pour cette raison que l'explication donnée par Peter à son état de décrépitude paraissait tout sauf extravagante? Si je ne me trouvais pas devant un vampire infecté par un sang vicié et qui était en train d'en mourir, alors de quoi s'agissait-il?

J'aurais sans doute dû, en dépit de son refus, courir appeler une ambulance; mais j'étais sûr, au fond de moi, qu'il avait raison. Au point où il en était, aucun médecin n'aurait rien pu pour lui. Et il ne voulait pas mourir seul.

Au cours des heures suivantes, il souffrit alternativement de fièvres brûlantes et de brutaux coups de froid. Il tremblait au point de secouer le lit. Je dus le couvrir de mon manteau pour le calmer. Lorsque la fièvre le prenait, il délirait. Il me prenait pour mon père, parlait d'une pile voltaïque, suppliait son frère de ne plus le torturer.

Au cours d'un de ses rares moments de lucidité, il me demanda pourquoi je refusais de devenir un vampire, alors que je n'avais jamais essayé.

— C'est ce que ma mère nous disait à propos des

asperges : « Comment savez-vous que vous ne les aimez pas puisque vous n'en avez jamais goûté ? »

— Elle avait raison.

— Elle avait raison à propos des asperges, Peter.

Il réussit à émettre un faible rire.

Les frissons et la fièvre reprirent, accompagnés de toux, de vomissements au cours desquels il crachait du sang et une sombre substance bilieuse. Il était devenu si faible que nous savions, l'un et l'autre, que la fin approchait. Pourtant, cette perspective ne m'émeuvait pas. Je ne ressentais qu'un vague sentiment de culpabilité lié à mon impatience. À vrai dire, je trouvais le temps long. Peter avait-il raison sur ce point ? Étais-je vraiment sans cœur ?

— Tu te souviens du balbuzard ? me demanda-t-il à mi-voix, comme s'il rêvait.

— Quel balbuzard ?

— Des pêcheurs nous l'ont montré. Il avait attrapé un poisson, planté ses griffes dans son échine. Mais le poisson fut le plus fort. Il plongea, entraînant l'oiseau. Le balbuzard se noya, ses griffes toujours soudées à sa proie qui l'entraîna tout au fond, où il se décomposa. Si bien qu'il ne resta plus que le squelette d'un balbuzard agrippé au dos d'un poisson.

— Je ne m'en souviens pas.

— Pourtant, les pêcheurs nous l'ont montré.

— Je regrette.

— Ça ne fait rien, Dondo, ne pleure pas, ce n'était pas ta faute.

Il dormit profondément pendant un quart d'heure, s'éveilla en sursaut et cria, plein de haine pour lui-même :

— Je suis si répugnant ! Voilà pourquoi tu ne me supportes pas ! J'aurais aimé ressembler à Richard, être blond, grand, sûr de moi. J'aurais aimé être comme toi ! Oh Roscoe, tu as toujours eu un tel charme, une telle aisance, alors que moi, si brun, si petit, si nerveux...

— Peter !

— Ta femme m'a dit que tu étais mon ami *faute de mieux*, parce que tu n'avais personne d'autre. Ce n'est pas vrai, dis ?

— Où est-elle ?

— J'ai toujours voulu me montrer à toi sous mon meilleur jour. Et voilà que tu assistes à ma décrépitude, à ma mort. C'est ce souvenir de moi que tu conserveras.

— Non.

— Quand nous étions enfants, je me changeais au moins dix fois avant de venir te voir. En fait, je n'osais pas te téléphoner pour savoir ce que tu portais. J'aurais mis la même chose, tu comprends. J'aurais voulu avoir les mêmes cheveux que toi, plantés juste au-dessus du front. Je voulais être exactement comme toi.

Je relevai mon manteau, enroulai le col autour de son cou.

Après une nouvelle quinte de toux, il chuchota :

— Comment m'as-tu retrouvé ?

— Grâce à Richard.

Il parut surpris.

— Et comment l'as-tu trouvé, lui ?

— Grâce aux talents de détective de Johnny Laflin.

— Richard t'a-t-il demandé de venir ici seul ?

— Oui.

Il hocha la tête, comme si ma réponse équivalait pour lui à la confirmation de quelque chose qu'il était seul à connaître.

— Richard m'a dit que les psychiatres s'étaient trompés de frère, que lui n'était pas fou.

Peter sourit.

— Il voit peut-être juste.

— Que s'est-il passé après notre départ d'Hambriento ? Pourquoi a-t-on expédié Richard au loin ? Est-ce que tout cela a un rapport avec la mort de mon père ?

— T'es-tu déjà regardé dans un miroir ?

— Quoi ?

— Je veux dire : t'es-tu vraiment contemplé dans un miroir, scrutant ton reflet pendant une bonne heure, fixant ce visage qui, lui, te regarde avec la même intensité ? Si tu le fais assez longtemps, assez intensément, il se produit quelque chose de très étrange. Ton reflet devient un être à part entière. Tu t'en sens détaché, tu perçois sa présence. Lorsque j'avais six ou sept ans, Richard et moi avions l'habitude, à son instigation, de nous planter devant une grande glace murale et de rester là, à fixer nos deux doubles pendant des heures. Je n'avais le droit ni de bouger ni de prononcer une parole. Je devais juste rester là, et regarder. Un jour, après une station interminable devant cette glace, Richard me posa la question la plus singulière qu'on m'ait jamais posée...

Silence. Puis :

— «Lequel es-tu ?» C'est ce qu'il m'a demandé. Et tu sais quoi, Roscoe ? Je n'en étais plus tout à fait sûr. Tu comprends ce que je te dis ? Je n'étais pas certain de savoir lequel de nous quatre était moi, le vrai moi, le moi doté d'une âme, car ce moi-là était parti ; il pouvait être n'importe où, s'être glissé dans n'importe quel reflet, dans le mien, dans celui de Richard, à l'intérieur de Richard lui-même. De ce jour, mon frère me fit à sa guise sortir de mon corps. Lorsque je souffrais, qu'on s'en prenait de façon horrible à mon corps, je m'en échappais. Voilà ce que m'avait enseigné Richard. Il tenta la même expérience avec Donald. Mais Donald était trop jeune. Lorsque Richard lui fit quitter son corps, il ne put jamais revenir.

J'ignorais de quoi parlait Peter. Je ne savais pas non plus qui était Donald. Mais, au lieu de le questionner plus avant, je le priai d'économiser ses forces. Peut-être, après tout, pourrait-il survivre à cette nuit.

— Non. Il y a d'autres choses que tu dois savoir.

— Sur Marianne ?

— Non, à propos des vampires.

— Peter...

— Ne fais jamais confiance à la bête. Tu crois la manipuler et tu te retrouves comme un jouet entre ses mains. La seule façon de t'en protéger est de durcir ton cœur – tu es très fort pour cela –, durcir ton cœur et croire en ton Dieu, au caractère sacré de ton âme immortelle.

— Essaie de te reposer.

— Tuer la bête est difficile, mais pas impossible. Moi qui agonise, j'en suis la preuve. N'oublie pas qu'enfoncer un pieu dans le cœur d'un vampire n'est qu'une façon de s'assurer de sa mort, d'être sûr qu'on n'a commis aucune erreur. Il n'y a rien de magique là-dedans. Peu importe que ce pieu soit en bois ou non, il n'est qu'un moyen parmi d'autres. Une barre de fer à travers le cerveau produirait le même effet. Le vampire meurt aussi si on lui tranche la tête, si on le brûle. Mais ne te contente pas d'une balle, comme celle que tu as tirée pour m'abattre.

— Je suis désolé.

— Tu ne comprends pas ce que je cherche à te dire. Sois sûr de ce que tu fais. Six balles dans le cerveau, le crâne écrasé, peu importe. Quelle que soit la méthode que tu emploies, va jusqu'au bout.

— Est-ce que cela a quelque chose à voir avec Marianne ?

— C'est possible.

— Dans quel sens ?

Il secoua la tête, comme si je lui faisais perdre le fil.

— Il y a plusieurs façons de devenir un vampire. Bien sûr, un échange de sang entre un maître et le néophyte est la voie la plus traditionnelle, celle que je t'ai proposée cette nuit et qui aurait constitué pour nous deux une chance de donner et de recevoir la vie. Mais ce transfert peut se faire de façon plus douce, par l'échange d'autres fluides du corps, comme, dans certaines conditions, les mucosités. La semence masculine ou les sécrétions vaginales de vampires femelles peuvent être d'excellents moyens de transfert.

– Pourquoi me racontes-tu ça ?

Il secoua de nouveau la tête, irrité par mon interruption. Puis il renonça.

– Je suis inutile. Je n'ai jamais rien fait dans la vie, je ne me suis jamais marié, je n'ai jamais eu d'enfants, je n'ai jamais contribué à rien, je n'ai jamais éprouvé un sentiment décent, mis à part mon amour pour toi. Il est triste, Roscoe, de mourir inutile.

Je restai là, assis près de lui, tapotant son épaule, cherchant une parole réconfortante.

– Sais-tu pourquoi il y a autant de tarpons aujourd'hui qu'il y a des siècles ? Parce que leur chair grise n'a aucune saveur et n'est convoitée par personne, hormis les pêcheurs « sportifs ». Si le tarpon n'avait pas été totalement inutile, l'espèce aurait sans doute disparu depuis longtemps.

– Tu te bats les flancs pour me remonter le moral, c'est ça ?

– Tu n'as pas été inutile pour moi, Peter. Je ne me suis jamais autant amusé, je n'ai jamais autant ri, jamais autant eu peur qu'avec toi, jadis, à Hambriento.

– Vraiment ?

Il regardait ailleurs, mais souriait.

– J'ai donc été bon à quelque chose ?

– Tu étais marrant.

– Roscoe ?

– Oui ?

– Je suppose... Je suppose que je n'ai aucune pitié à attendre du Ciel ?

– Il n'est pas trop tard.

Mais me souviendrais-je des prières ?

Peter ne me laissa pas le temps de les réciter.

– Il est trop tard, dit-il.

302

Il se raidit soudain sur le lit en s'arc-boutant; ses yeux roulèrent dans leurs orbites, ne laissant bientôt voir que leur blanc injecté de sang.

— Peter?

Seul un gémissement me répondit.

— Ne meurs pas!

Dès que j'eus crié ces mots, un souvenir me transperça le cœur. Le jour où Johnny Laflin était venu me chercher au lycée, interrompant le cours d'histoire, il m'avait annoncé que mon père avait été tué. Il ne m'avait pas dit: «Ton père s'est suicidé», mais: «Ton père a été tué.» Je pensais qu'il allait m'emmener à l'hôpital, où on opérait mon père dans le bloc des urgences. Aussi, je me précipitai dans la voiture de Johnny. Pendant tout le trajet, je ne cessai de me dire à moi-même: «Ne meurs pas, papa, ne meurs pas, je t'en prie, ne meurs pas.» Comme si j'avais pu, en répétant cette incantation des dizaines de fois avec toute l'intensité possible, modifier la réalité, matérialiser mon désir. Bien sûr, Johnny ne m'emmenait pas à l'hôpital, mais chez moi. Quant à mon père, il était mort depuis des heures. J'aurais pu répéter: «Ne meurs pas» des millions de fois. Il était trop tard.

— Ne meurs pas, Peter!

Je l'avais saisi aux épaules. Sa langue blanchâtre apparut entre ses lèvres. Il ouvrit les doigts pour me montrer son tatouage, serra le poing puis, sa main de nouveau dans la mienne, il mourut.

37

Chancelant dans la cabine téléphonique, attendant qu'on me passe un officier de police que je connaissais simplement sous le nom de Jim, je sentis un objet minuscule dans ma bouche, le récupérai du bout de ma langue où je collai un doigt. Tenant toujours le combiné d'une main, je baissai les yeux et vis, sur mon index mouillé, un poil de rat. Je me courbai pour vomir mais je n'avais plus rien dans l'estomac.

Quarante minutes plus tard, je me retrouvai devant la roulotte, en compagnie d'une escouade de policiers. Six voitures étaient déjà là, d'autres arrivaient, dont celle du coroner, chargé de déterminer la cause du décès. Projecteurs à la lumière aveuglante, radios crachotantes, gros chiens reniflant la neige.

Le plus âgé des flics, le lieutenant Jim Quelque chose, l'homme aux cheveux blancs et aux cicatrices d'acné sur le visage, me toucha l'épaule. Sa voix confirma ce qu'exprimaient ses yeux.

— Nous avons découvert deux corps de femmes derrière la caravane.

En plus de tout ce que j'avais enduré cette nuit, je sentis tomber sur moi le poids de l'inévitable.

— Vous nous avez dit que ce Tummelier avait enlevé votre épouse.

Il se tut un instant. Puis :

– À vous de décider.

Je savais exactement de quoi il parlait.

– Où ? demandai-je.

Il tendit le bras comme un maître d'hôtel guidant un client vers sa table.

– Par ici.

Je le suivis de l'autre côté de la roulotte. Là, à côté de la Mercedes de Peter, deux sacs de plastique noir fermés par une fermeture Éclair attendaient dans la neige.

On descendit la fermeture. Deux visages émergèrent des sacs. Je sentis des regards braqués sur moi, interrogatifs, comme ceux de courtisans guettant la décision du roi. Oui ou non ?

Non. (La première femme, d'une quarantaine d'années, avait les traits légèrement empâtés.)

Non. (La seconde, du même âge que Marianne, avait les cheveux bouclés, la face tuméfiée, la bouche grande ouverte sur une denture incomplète.)

– Aucune des deux n'est ma femme, dis-je d'une voix stupidement impérieuse, même pour moi.

Je ne sais si Jim la perçut ainsi. En tout cas, il me tapota l'épaule, me félicitant, je suppose, de l'excellent travail que je venais d'accomplir en n'identifiant pas ma femme après avoir contemplé les dépouilles.

Je retournai devant la caravane. Je tombai sur un groupe de policiers hilares. Je me demandai ce qui, dans un endroit pareil et en de telles circonstances, pouvait les réjouir à ce point. Pourtant, je ne m'en formalisai pas. Le rire pouvait très bien être, ici, interprété comme un signe d'espoir.

Le responsable de cette bonne humeur s'appelait Johnny Laflin. Il racontait à ses collègues comment nous avions réussi, lui et moi, à déstabiliser la redoutable Mlle Tanya Allfrey, administratrice de l'*Evergreen*. Il mimait le numéro qu'il avait fait devant elle pour me permettre de lui fausser compagnie, agitait les bras et poussait d'étranges grognements, pour la plus grande joie de son auditoire.

— Roscoe !

Il quitta ses admirateurs en s'excusant, serra quelques mains qui se tendaient avant de s'approcher de moi et de passer son bras autour de mon cou.

— Je ne sais pas si je dois t'embrasser ou te botter le cul. Tu m'as joué un sale tour, à l'*Evergreen,* mais, pour finir, tout a marché comme sur des roulettes, non ?

— Ouais.

— Peter t'a dit quelque chose avant de mourir ?

— Rien de sensé.

— Et sur ta femme ?

— Rien d'intéressant non plus. Il m'a simplement affirmé qu'elle était saine et sauve et entre des mains sûres. Mais j'ignore lesquelles. Peter m'a promis qu'elle serait relâchée.

— Je ne retournerai pas en Floride jusqu'à ce qu'on la trouve. Tu as ma parole.

Je le remerciai. J'attendis ensuite qu'il me précise ce que nous allions faire maintenant. Comme il ne parlait plus, je pris les devants.

— Je crois que nous devrions retourner voir Richard. Je ne l'ai vu que quelques minutes, juste assez pour qu'il m'indique l'emplacement de la roulotte. Mais, si je l'interrogeais un peu plus, il me dirait peut-être avec qui d'autre Peter s'était acoquiné ici, à Washington, et qui, à son avis, pourrait détenir Marianne. Je suis persuadé qu'il sait quelque chose.

Johnny hocha la tête mais ne répondit rien.

— Après tout ce qui s'est passé cette nuit, ajoutai-je, je suis sûr que tu pourrais obtenir pour nous deux l'autorisation de le voir.

Il m'écouta patiemment. Mais je devinai, à son expression, qu'il n'avait aucune intention de m'accompagner jusqu'à l'*Evergreen.*

— Les enquêteurs s 'en occupent déjà, Roscoe. Ils vont cuisiner Richard, rechercher l'origine de la voiture de Peter, remonter jusqu'à celui qui lui a loué cette caravane, tout. Maintenant qu'ils ont un point de départ, ils ne tarderont pas à la trouver.

— Mais Richard ne s'ouvrira pas à des étrangers comme il se confiera à moi. C'est pour cette raison que tu m'as prié de venir avec toi à l'*Evergreen*. Tu te souviens ?

— Oui, mais...

— Oui mais vous avez déjà votre assassin, l'affaire sera bientôt bouclée et la pression se relâche. C'est ça ?

— Non, ce n'est pas ça, tu sais que ce n'est pas ça.

Deux adjoints du coroner apparurent à la porte de la roulotte, sortirent avec une civière. Je demandai à Johnny s'il avait vu le corps de Peter.

— Sûr. Difficile de croire qu'un homme dans cet état ait eu la force de tuer un flic puis Maring, sans compter ses virées en Floride pour aller commettre là-bas les autres meurtres. Depuis combien de temps était-il malade à ce point ?

— Peter n'était pas malade ; pas jusqu'à cette nuit.

— Qu'est-ce que tu racontes ? J'ai vu le corps ! Un vrai sac poubelle !

— Je te le dis, Johnny : lorsque je l'ai poursuivi la nuit dernière, lorsque je lui ai tiré dessus sur Connecticut Avenue, il était en parfaite santé. Il avait l'air tout à fait normal, physiquement normal.

Laflin m'entraîna à l'écart, mettant une certaine distance entre les policiers et nous.

— Qu'est-ce que tu dis ?

— Je dis que le soir où Peter est venu chez moi la première fois, dimanche dernier, il était en parfaite santé et qu'il l'est resté jusqu'à cette nuit. Je te dis que, quoi qu'il lui soit arrivé, cela s'est produit en moins de vingt-quatre heures.

– Mais un homme qui se porte comme un charme ne peut pas se transformer comme lui en zombie en moins d'une journée...

– Entièrement d'accord. C'est impossible.

– Alors je ne comprends rien à ce que tu racontes.

Moi non plus, je n'y comprenais rien. Enfin, presque rien.

Un détective, qui désirait lui parler, appela Johnny. Il me laissa seul, ruminant ce que Peter m'avait dit le dimanche soir dans ce bar. Je l'entendais encore : «Si tu rencontrais des extraterrestres et ne trouvais personne pour te croire, que ferais-tu ? À qui parlerais-tu si tu entrais tout d'un coup en contact avec le surnaturel ?» Peter s'était confié à son meilleur ami. Mais je lui avais ri au nez.

Johnny revint, m'apprit que tout était fini.

– On a découvert sous le lit de Peter l'uniforme du policier assassiné devant le domicile de Maring. Les flics épluchent encore quelques papiers qu'ils ont dénichés dans une boîte mais, apparemment, il ne s'agit que de billets d'avion pour la Floride. Ils voulaient savoir quand, exactement, avaient eu lieu les meurtres d'Hambriento, pour comparer les dates des disparitions des Burton et de Kate Tornsel avec les horaires de vol. Je pense que tu as remarqué qu'il avait entièrement tapissé une des parois avec des photographies de toi...

– Oui.

– Bien. Tout est réglé, à présent. Ce pauvre ectoplasme était le tueur. C'est exactement ce que tu...

– J'aimerais que tu arrêtes de dire que tout va pour le mieux. Rien ne sera terminé tant que Marianne ne sera pas avec moi.

– Tu as raison. Enfin je... Eh, crois-moi : personne, ici, n'a l'intention de laisser tomber avant qu'on ait retrouvé ta femme.

– Alors, on va où, à présent ?

— Chez toi. Je te dépose.

— Chez moi ? Alors que Marianne est encore séquestrée par un sbire de Peter, tu voudrais qu'on rentre se coucher et bonsoir la compagnie ?

— Nous avons tous les deux besoin de sommeil.

— Tu crois que Marianne dort, elle ?

— Je ne crois pas que nous puissions faire plus que ce qui est tenté en ce moment.

— Si ! Tirer Richard du lit et lui poser quelques questions !

— Ils vont le faire.

— Maintenant ? Cette nuit ?

— Je n'en sais rien. Cette affaire est la leur.

— C'était aussi la leur quand tu m'as emmené à l'*Evergreen*. Tu n'as pourtant pas hésité à y fourrer ton nez.

— Roscoe...

— Mais maintenant, bien sûr, tu es devenu une vedette et il ne te reste plus qu'à raconter tes exploits à tes copains. As-tu déjà appelé tes collègues en Floride pour leur dire qu'ils pouvaient se mettre les doigts de pieds en éventail, que le grand Johnny Laflin avait coincé le tueur ?

Il me prit le coude.

— Je te reconduis chez toi.

Je me dégageai.

— Qu'est-ce que tu crois pouvoir faire, Roscoe ? Frapper à toutes les portes de la ville, demander aux gens s'ils n'ont pas, par hasard, aperçu ta femme ?

— Pourquoi pas ?

— On l'a peut-être déjà relâchée. Elle est peut-être rentrée chez toi. Peut-être se demande-t-elle avec angoisse où toi, tu te trouves.

— J'ai téléphoné chez moi avant d'appeler le poste de police. Personne n'a décroché.

— Elle est peut-être rentrée depuis... Allons voir.

Je secouai la tête. Pourtant, cette fois, lorsque Johnny me prit le coude, je le suivis.

— Si elle n'a pas regagné ta maison, alors nous aviserons.

— Je veux que quelqu'un aille interroger Richard, fouille son pavillon.

— Ce sera fait.

— Je veux que tu t'en assures. Je veux aussi que, si son interrogatoire n'aboutit à rien, on me laisse lui parler.

— Entendu.

— Promets-le.

— Juré.

Il ouvrit la portière avant droite de la voiture de location, me réclama les clés. Je les lui tendis par-dessus le capot. Il fit le tour du véhicule, s'installa au volant. Avant de démarrer, il se tourna vers moi et me dit :

— J'ai le pistolet de ton père. Il est là, sur la banquette arrière.

— Ah !... répondis-je, ahuri.

— Tout bien considéré, aucune charge ne sera retenue contre toi pour ce qui s'est passé sur Connecticut Avenue. Comme tu ne t'es pas servi de ce pistolet cette nuit dans la roulotte, ils m'ont laissé le prendre : courtoisie professionnelle et tout le bazar.

— Ah...

— On m'a aussi clairement fait comprendre que tu devais le ranger bien gentiment quelque part et ne plus y toucher. Sinon, je saute.

— D'accord.

— Tu pourrais peut-être l'envoyer à ta mère à Saint Louis ou le refiler à une de tes sœurs. On n'a pas le droit de se balader avec un flingue, dans ce district.

— Je sais.

— En tout cas, il est à ta disposition, sur la banquette arrière.

— Ce pistolet ne cesse de me revenir. Pourquoi ?

Ma question le surprit.

— Je croyais que tu le voulais. Parce que c'était celui de ton père... Tu saisis ?

— Pourquoi voudrais-je garder l'arme avec laquelle il s'est tué ?

— Roscoe, c'est toi qui as conservé cette pétoire pendant toutes ces années ; pas moi.

— Je sais. Prends-le avec toi en Floride.

— Entendu. Je te le mets au chaud. Un jour, quand tu auras un fils et qu'il sera assez grand, tu viendras le chercher.

Cette idée me parut à la fois attendrissante et particulièrement bizarre.

38

À quatre heures, ce vendredi matin, nous étions chez moi. Pas de traces de Marianne. Je trouvai mon mot là où je l'avais laissé et il n'y avait, sur le répondeur, pas d'autre message que les miens.

Johnny m'annonça qu'il allait prendre ses bagages puis trouver une chambre d'hôtel. Je lui demandai avec insistance de passer la nuit ici. Il me dévisagea quelques secondes puis murmura :

– Sans problème.

Je lui proposai un verre. Il me répondit qu'il se sentait tellement épuisé qu'il allait sous peu tourner de l'œil mais que dans le fond, oui, il ne refuserait pas un remontant que nous avions, l'un et l'autre, bien mérité.

Nous bûmes notre whisky dans la cuisine.

Ce dont nous avions parlé devant la roulotte m'obsédait toujours. Pensant à haute voix devant Johnny, j'essayai de me remémorer qui avait pu croiser Peter en parfaite santé avant cette nuit.

– Bien sûr, il y a Marianne. Et Richard ; mais j'ignore quand il a vu son frère pour la dernière fois.

– Pourquoi est-ce que cela te tracasse ?

– Parce qu'il se passe quelque chose d'étrange, que je ne peux pas expliquer. Ce brusque revirement en moins d'une journée, cette décrépitude brutale, irréversible...

– À mon avis, il était malade depuis longtemps ; mais il te l'a caché en prenant sur lui. Un de mes oncles est mort du cancer. Personne, dans sa famille, n'était au courant de sa maladie. Il ne s'est jamais plaint de quoi que ce soit. Mais, après sa mort, on l'a autopsié. Les médecins ont découvert que la forme de cancer dont il était atteint avait dû provoquer chez lui, depuis longtemps, d'insupportables douleurs. Et personne n'en avait rien su.

— Ce n'est pas la même chose. Tu n'as pas vu Peter la nuit dernière comme moi je l'ai vu. Il allait tout à fait bien. Il courait dans la neige, extirpait sans ménagements les gens de leur voiture. Il n'avait l'air ni diminué ni malade et la balle que je lui ai tirée n'a pas semblé l'affecter outre mesure.

— Tu l'as manqué.

— Oh que non ! J'ai vu l'impact.

— Tu te trompes. J'étais dans la roulotte lorsque le coroner a examiné le corps. Nous n'avons pas noté la moindre blessure par balle. Voilà pourquoi les enquêteurs n'ont rien retenu contre toi à propos des événements de Connecticut Avenue. Tu t'es peut-être servi du pistolet, mais tu as raté Peter.

— Je te dis que je l'ai eu.

— Bon, admettons. Vu l'état du cadavre, il est possible que la blessure par balle soit passée inaperçue. Quoiqu'un trou dans le buffet fait par un Magnum 357, ça se remarque. Mais enfin... Qu'est-ce que ça change, de toute façon ?

— Tout. Si j'ai blessé Peter et si la blessure a mystérieusement disparu au moment où il s'est métamorphosé en une seule nuit en mort vivant, alors...

— Alors quoi ?

Alors les vampires existaient bel et bien et Peter en était un. Je n'en parlai pas à Laflin. Il n'était pas prêt à admettre le phénomène. Pas plus que moi, d'ailleurs ; pas encore.

— L'autopsie nous donnera toutes les réponses. Nous

314

saurons si on a trouvé une balle dans le corps, de quoi Peter est mort, tout.

— Quand aura-t-elle lieu, cette autopsie ?

— Je ne sais pas, sans doute demain, ou peut-être lundi.

— Lundi ?

— Nous avons des problèmes de juridiction. Il y a eu des meurtres ici, à Washington, et au Sud, en Floride. D'un autre côté, juste avant que nous quittions la roulotte, on a trouvé un sac à main appartenant apparemment à une des victimes découvertes derrière la caravane. Ses papiers d'identité mentionnaient une adresse en Virginie. Si Peter a tué cette femme là-bas, une troisième juridiction se mêlera de l'affaire. Le FBI se mettra lui aussi de la partie. Tout ce mic-mac retardera sans doute l'autopsie d'un jour ou deux.

— Et maintenant, où est le corps ?

— Pourquoi ?

Je me souvenais de ce que Peter m'avait dit sur la façon de tuer un vampire. Le faire bien et deux fois plutôt qu'une, ne lui laisser aucune chance. Bien sûr, une fois ouvert de haut en bas au scalpel et privé de tous ses organes, Peter serait définitivement mort. Mais uniquement après l'autopsie. Et, s'il fallait attendre un jour ou deux, alors il pourrait peut-être, entre-temps... Mon Dieu... Je n'arrivais pas à croire qu'un homme comme moi fût capable d'imaginer ceci : que Peter revienne à la vie et s'échappe de la morgue.

Inquiet de l'expression de mes traits, Johnny me demanda ce qui me tourmentait.

— Pourrais-tu m'emmener là-bas, à la morgue ?

Il engloutit rapidement le reste de son whisky.

— Montre-moi où je dors.

— Tu as entendu ce que je t'ai dit ? Peux-tu m'emmener voir le corps de Peter ?

Il secoua sa grosse tête hirsute.

— Tu débloques. Tu en as vu de toutes les couleurs, tu te fais un sang d'encre à propos de ta femme. D'accord. Mais tu ne peux pas te mettre à te balader partout en racontant tes histoires de vampires.

— Je n'ai pas parlé de vampires.

— Ils te trottent quand même dans la tête. Peter s'est bien foutu de ta poire. Il t'a débité n'importe quelle salade et il a réussi à te convaincre qu'il tripatouillait dans le surnaturel.

— Non, il ne m'a jamais convaincu. Je lui ai ri au nez le soir où il m'a dit qu'il était un vampire. Ce qui m'a convaincu, c'est l'état dans lequel je l'ai trouvé cette nuit.

— Écoute. Personne ne te laissera lui plonger un pieu ou n'importe quoi dans le cœur. Tu es lessivé, il est quatre heures et demie du matin. Un bon dodo et tu n'y penseras plus.

— J'ai besoin de vérifier qu'il est bien mort.

— Il l'est.

— Vraiment, définitivement mort.

— J'ai vu le corps. Le coroner l'a examiné. Pas de doute là-dessus. Il a clamsé pour de bon.

— Personne ne m'a cru le jour où j'ai dit que Peter avait tué en même temps des gens en Floride et ici. Pourtant, j'avais raison. Peut-être ai-je aussi raison cette fois-ci ; peut-être devrions-nous aller jusqu'à la morgue.

Doucement, Johnny m'enleva mon verre des mains.

— Tu délires.

C'était sans doute le bon sens même.

— Nous allons aller nous coucher. À ton réveil, je ne veux plus t'entendre ressasser tes histoires de vampires et de morgue. Si tu ne fais pas gaffe, tu vas te retrouver à l'*Evergreen* avec Richard, cajolé par Mlle Allfrey. Comme patient, Toto.

— Appelle un de tes copains flics.

— Pour leur demander quoi ? Si le cadavre du suspect remue les orteils ?

– Non. Demande-leur s'ils ont du nouveau à propos de Marianne.

– Je leur ai donné ton numéro. Ils téléphoneront si...

– Veux-tu juste faire ça pour moi ?

Il déposa nos verres dans l'évier.

– Si j'appelle, on ira se coucher ?

– Parole de scout.

39

Le lendemain samedi, à midi, un remue-ménage provenant de la cuisine me réveilla. Espérant que Marianne avait regagné la maison, je me précipitai en bas. Je ne tombai que sur Johnny, qui faisait un raffut de tous les diables en fouillant dans les placards à la recherche d'un paquet de café. Sans me laisser le temps de lui poser la moindre question, il me dit que oui, il avait déjà rappelé la police mais qu'on ne possédait aucune information nouvelle sur Marianne, ce qu'il m'avait déjà dit quelques heures plus tôt après avoir téléphoné, comme promis, à ses collègues. On ne savait toujours rien.

Pendant que je préparais le café, il ajouta qu'il avait prévu de passer la journée avec les policiers de Washington. Il rentrerait pour le dîner et me ferait un rapport complet.

Je me morfondis jusqu'au soir, attendant un coup de fil qui ne vint pas. Nous étions le 19 mars. Le soleil faisait fondre la neige. Et lorsque Johnny rentra en traînant les pieds, l'air aussi épuisé que la veille, je sus tout de suite qu'il ne m'apportait rien de nouveau.

Je me sentais si angoissé que je ne me rendis même pas compte de ce que je cuisinais pour le dîner. Au cours du repas, Johnny dut répéter plusieurs fois ce qu'il me racontait. Le sens de ses propos m'échappait, comme s'il me parlait dans une langue que j'aurais juste commencé à apprendre.

À minuit, à ma demande, il appela une dernière fois. Toujours aucune nouvelle de Marianne.

Le dimanche matin, j'errai de nouveau dans la maison, torturé par l'anxiété et le découragement. Johnny rentra en fin d'après-midi. Sans préambule, il débita un petit discours visiblement préparé à l'avance. Il me dit qu'il venait de recevoir un coup de fil de Floride. On lui ordonnait de repartir là-bas dès le lendemain matin pour rédiger son rapport.

— Je croyais que tu allais rester avec moi jusqu'à ce qu'on trouve Marianne. C'est ce que tu m'as dit, ce que tu m'as promis.

— Ou je rentre, ou on me vire. C'est aussi simple que ça.

— Quand reviens-tu ?

Il haussa les épaules.

— Oh, je vois. Tu ne reviendras pas.

— Officiellement, je ne suis pas autorisé à travailler ici sur cette affaire. Je ne fais que transmettre des informations entre Washington et la Floride et vice versa. Mais on commence à me trouver encombrant. Dès qu'ils auront du neuf, ils te le feront savoir.

— Sûr.

Il évitait mon regard. Je compris qu'il avait d'autres mauvaises nouvelles à m'annoncer.

— Quoi d'autre ?

— À propos de ce soir. L'oncle de ma femme habite Baltimore. J'ai pensé que je pourrais profiter de l'occasion pour passer la nuit chez lui, en compagnie de sa famille que je n'ai pas revue depuis des années. Demain matin, j'irai directement de chez eux à l'aéroport.

Cette ultime dérobade me fit comprendre que, comme une campagne électorale arrivant à sa dernière semaine mais perdue d'avance dans les sondages, les recherches entreprises pour retrouver Marianne allaient, petit à petit, baisser d'intensité. J'avais toutes les chances de ne plus entendre parler d'elle, de ne jamais savoir ce qui lui était arrivé, jusqu'à ce que des ouvriers creusant des fondations mettent au jour un petit tas d'os ou qu'un joggeur tombe par hasard, au coin d'un bois, sur des restes humains dont les tests prouveraient qu'on se trouvait bien en présence de la dépouille de ma femme.

— Vas-y, Johnny, casse-toi. Je ne voudrais pas te priver du plaisir de gâtiser avec ton tonton par alliance.

— Tout ce qui pouvait être fait l'a été. Tu as des amis. Pourquoi n'appelles-tu pas l'un d'eux pour lui demander de te tenir compagnie ?

— Sûr. Je vais organiser une surboum.

Ignorant mon sarcasme, Johnny ajouta qu'il devait me mettre en garde contre quelque chose.

— Je sais, je sais. Il y a une chance pour qu'on ne la trouve jamais. C'est ce que tu veux me dire, non ? Ce sera ton gentil petit mot d'adieu ?

— Ouais, c'est une possibilité. Mais je voulais te dire qu'ils sont en train d'échafauder une nouvelle théorie. Enfin ce n'est qu'une hypothèse, une rumeur... Ils en sont revenus à l'idée qu'après tout, Peter et toi étiez peut-être de mèche, que, puisqu'il était malade et qu'il allait de toute façon passer l'arme à gauche, tu t'es arrangé avec lui pour qu'il commette les meurtres à ta place, y compris celui de ta femme.

J'avais cru que rien ne m'étonnerait plus. De toute évidence, je me trompais.

— Tu ne parles pas sérieusement.

— Lorsque quelqu'un disparaît ou se fait buter, le conjoint est toujours le premier suspect.

— C'est incroyable, fou-tre-ment incroyable ! Non content de me ronger les sangs, je dois envisager la possibilité d'être coffré de nouveau ?

— Prends un avocat.

— Je le ferai. Merci du conseil.

Dans la foulée, je le traitai de saligaud.

Avant de partir, il me donna le nom des enquêteurs chargés de rechercher Marianne.

— N'hésite pas à les contacter au fur et à mesure de leur enquête.

— Ou si je ressens un besoin urgent de passer aux aveux, lui dis-je avant de le remercier sans la moindre chaleur.

Je regrettai aussitôt mon attitude. Debout sur le pas de la porte, je le regardai s'en aller. J'eus envie de crier, de le rappeler.

Je passai les heures suivantes assis dans le salon, rongé par le remords et maudissant mon ingratitude. J'aurais donné n'importe quoi pour avoir le numéro de l'oncle de Johnny à Baltimore, pouvoir lui téléphoner et m'excuser. Je n'avais pas faim et je me voyais mal regardant bêtement la télévision. Je n'avais rien d'autre à faire qu'à attendre dans cette maison vide, attendre qu'il se passe quelque chose.

Ce qui se produisit à dix heures du soir, lorsque quelqu'un frappa légèrement à ma porte.

40

Entièrement vêtu de noir – chandail à col roulé, pantalon de laine, veston croisé –, il portait sous son bras une grosse boîte enveloppée dans du papier d'aluminium rouge.

– Je ne suis pas fou, dit-il sans me laisser le temps de prononcer son nom et avant même que je l'invite à entrer.

– Voilà une bonne parole, Richard. Je suis content de te voir.

J'étais convaincu qu'il en savait beaucoup plus sur son frère, ses activités et ses associés, qu'il n'avait consenti à le dire à la police. On ne m'avait pas autorisé à lui parler après la mort de Peter. À présent, j'avais tout le loisir de l'interroger.

Comme il restait figé sur le pas de la porte, je lui dis:

– Entre donc.

– Merci, Roscoe.

Je lui montrai la direction du salon. Ensuite, je lui demandai ce que contenait sa boîte.

– Quelque chose pour toi.

Il la posa sur le divan, se tourna vers moi, plantant ses yeux gris dans les miens. Je lui dis que j'étais désolé à propos de Peter. Il sourit.

– Il n'allait pas très bien.

Puis, d'une voix pleine de sollicitude:

— A-t-on retrouvé ta femme ?

— Non. Mais j'espérais que tu pourrais m'aider.

— Bien sûr. Comment ?

— Te souviens-tu de ce que Peter aurait pu te dire sur des gens qu'il aurait pris à son service ou des maisons qu'il aurait louées, un endroit où il aurait pu détenir Marianne après l'avoir enlevée, une personne qui aurait pu l'aider ?

— Les policiers m'ont déjà posé des millions de questions à ce sujet.

— Je sais.

— Ils se sont même comportés comme si j'étais, moi, le coupable.

— Ils pensent la même chose de moi, Richard.

— Et tu l'es ?

— Quoi ?

— Coupable de quelque chose.

— Tu veux dire dans la mort de Peter ?

Il sourit.

— J'ai bien peur de ne t'être d'aucun secours.

— Il y doit bien y avoir quelque chose...

— Non. Il n'y a rien. Mais ne t'inquiète pas. Je suis sûr qu'on la retrouvera. Et vivante...

— Que Dieu t'entende. Est-ce que tu...

J'hésitai, ne sachant trop comment formuler la suite.

— Est-ce que tu... as pris congé de l'*Evergreen* ?

— J'ai obtenu mon diplôme.

— Ils t'ont relâché ?

— Quelle vilaine expression, si animale... On a relâché la créature dans la forêt pour qu'elle se réadapte à la vie sauvage... J'aurais plutôt dit, ne résistant pas à un mauvais jeu de mots : «Ils m'ont licencié.» Mais si tu y tiens, oui, ils m'ont relâché.

— Félicitations. Ralph te manque ?

— Ralph ?

— Ton camarade de chambre.

– Ah !

J'attendais autre chose, une réponse qui m'aurait mis sur la voie. Autant parler à la boîte qui trônait sur le divan.

– Où vas-tu aller ? demandai-je. Tu retournes en Europe ?

– Peter a acheté un bateau. Tu le savais ?

– Oui, enfin, il m'avait dit que...

– J'ai l'intention de partir en croisière aux Caraïbes. Tu as envie de venir avec moi ?

– Eh bien, je...

– Je blaguais. En fait, j'ai déjà recruté un équipage, toute une petite famille : Papa le capitaine, Maman la cuisinière et ma petite sœur la bonniche. Je pense qu'ils me dureront un certain temps, tu ne crois pas ?

– Je...

– Toutes ces années, ils m'ont interné chez les fous. Ils se trompaient de frère. La crise chez les Tummelier, qui est à l'origine de cette erreur, s'est produite en même temps que celle qui a bouleversé ta famille. Tu t'en étais aperçu ?

Cette fois, je ne cherchai même pas à répondre. Je le laissai parler.

– Nos parents nous avaient ramené d'Europe un petit frère adoptif. Donald arriva la semaine du suicide de ton père. Mais tu n'en as jamais rien su, car nous n'avons jamais évoqué l'existence de ce petit Donald devant qui que ce fût. Il y a eu un accident tragique, mortel, dont Peter était responsable. Mais j'ai tout pris sur moi. Plutôt que de le voir relégué en Suisse, j'y suis allé à sa place. Quelle générosité, tu ne trouves pas ?

Y avait-il là-dedans une once de vérité ? Je tentai de questionner Richard, mais il ne me donna que des réponses obscures, évasives, qui me découragèrent. Je conclus en affirmant que Peter n'avait jamais mentionné devant moi l'existence de ce frère adoptif.

325

– Vraiment ? Bien. Il faut que j'y aille. Tu trouveras dans cette boîte quelque chose qui appartenait à Peter. Je suis sûr qu'il aurait aimé que cette chose te revienne.

Je tendis le bras vers la boîte. Richard, brutalement, me saisit le poignet.

– Je ne supporterai pas de revoir cet objet. Ouvre la boîte après mon départ.

Il se précipita vers la porte, ne prononça, avant de disparaître, que deux syllabes :

– Dondo.

Où avais-je déjà entendu ce nom ?

41

Je défis le paquet, tombai en arrêt devant un visage qui me fixait. Un visage menaçant, boursouflé, d'une laideur effarante. J'exhumai partiellement le petit être de la boîte pour mieux l'examiner. Un costume de velours genre «Petit Lord Fauntleroy» enveloppait son corps de soixante centimètres de haut. Il avait une tête trop grosse pour sa taille, les oreilles décollées. Cette poupée paraissait tellement grotesque que je ne pus m'empêcher de rire. Qu'elle eût appartenu à Peter ne m'étonnait pas. Mais pourquoi avait-il voulu que Richard me la remette? Souhaitait-il vraiment me la donner ou Richard m'avait-il menti? Ces Tummelier étaient si étranges qu'on ne pouvait discerner, chez eux, la sincérité de la plaisanterie.

J'observai de nouveau la poupée, les couleurs criardes peintes sur sa figure. J'eus tout d'un coup la sensation que quelque chose n'allait pas. Ce pantin n'était pas un cadeau mais un message, un avertissement.

L'angoisse m'assaillit de nouveau. Je regrettai de ne pas avoir encore demandé à quelqu'un de venir meubler ma solitude. Vingt-trois heures trente. J'avais encore le temps de téléphoner à des amis, leur raconter ce qui était arrivé à Marianne, ce que j'avais enduré au cours des jours précédents; des amis, des vrais, qui n'hésiteraient pas à se déranger à une heure pareille, pour qui l'entraide allait de soi. Je décidai d'appeler trois couples.

J'avais besoin d'avoir du monde autour de moi, beaucoup de monde.

Je décrochai le téléphone. J'entendis aussitôt, dans l'écouteur, la voix de Laflin.

– Roscoe, c'est toi ?

– Quelle bonne blague ! m'écriai-je avec un rire nerveux. Je décroche, prêt à composer un numéro et c'est toi que j'entends !

Ce phénomène téléphonique ne l'impressionna pas. Il s'exprima sur un ton haché, hésitant.

– Je t'appelle de Baltimore... Il y a quelques minutes, j'ai joint les enquêteurs et... Ils m'ont dit... Enfin, il y a du nouveau.

– À propos de Marianne ? Ils ont trouvé son corps ?

– Non. Rien de neuf de ce côté-là.

– Alors quoi ?

– Tu n'as jamais dit à personne que Peter se prenait pour un vampire, n'est-ce pas ?

– Non. Pourquoi ?

– Bon. Ne commence pas à gamberger sur ce que je vais te raconter. Il y a une explication logique. Les enquêteurs pensent que Peter était impliqué dans une sorte de secte, des adorateurs de Satan, des vampires ou autre salade du même genre. Et pour faire croire qu'il était réellement un vampire, pour donner une aura à la secte, tu comprends, pour recruter de nouveaux membres...

– Accouche, Johnny !

– Son corps a disparu de la morgue.

Je sentis alors, en ce moment précis, des yeux fixés sur moi. Je pivotai brusquement. Mais il n'y avait personne, hormis cette hideuse poupée émergeant à demi de sa caisse. Appuyée contre le dossier du divan, elle regardait dans ma direction. Et j'eus la très nette impression qu'elle avait changé de position, qu'elle s'était extirpée un peu plus de la boîte.

– Roscoe ?

– Tu n'as pas la moindre idée de ce que je ressens en ce moment.

– Oh que si ! Peter t'a presque convaincu qu'il était un vampire. Tu voulais même aller lui planter un pieu dans le cœur. Et voilà que le cadavre s'envole. J'imagine très bien ce que tu ressens.

– Non. Tu ne peux pas.

Mon cœur battait à tout rompre.

– Mets-toi bien dans le crâne que quelqu'un a volé le corps. Il ne s'est pas levé tout seul de la table d'autopsie pour partir en balade.

– Qu'est-ce que tu en sais ? Tu étais là ?

– Bien sûr que non. J'étais à Baltimore.

– Alors tu ne peux être sûr de rien.

– Je sais ce qui est possible et ce qui ne l'est pas.

– Et tu ne peux pas être certain non plus que Peter ne va pas, dans une minute, frapper à ma porte.

– Si tu veux, je téléphone pour qu'on envoie une voiture.

– Pour qu'elle stationne devant chez moi ? Cela n'a pas été bien utile la dernière fois. Et cela n'a pas sauvé Maring. Je vais faire venir dix amis chez moi ; voilà ce que je vais faire.

– Bonne idée. Mais ne leur parle pas de la disparition du cadavre de Peter. La police garde ça secret. Tu imagines le raffut si on apprenait qu'un type qui prétendait être un vampire s'est tiré de la morgue. Je n'étais même pas censé te l'apprendre.

– Je me contrefous de l'image de la police. Ce qui m'affole, c'est de regarder par la fenêtre pour apercevoir Peter en bas, devant ma porte !

– Arrête un peu, Roscoe.

– Ouvre les yeux, Johnny !

Allais-je cracher le morceau ? Allais-je lui dire : « Peter est un vampire » ?

– Roscoe...

— Il va revenir. Pour moi. Voilà pourquoi Richard a réglé sa note à l'*Evergreen*. Lui et son vampire de frère vont s'en aller ensemble sur un bateau. Mais avant, ils vont venir ici pour m'enrôler de force !

— Qu'est-ce que c'est que cette histoire de note réglée par Richard ?

— Il était ici il n'y a pas longtemps.

— C'est impossible ! Il ne peut pas partir se promener comme ça. Il est sous mandat de dépôt.

— En tout cas, il était là. Sais-tu quelque chose à propos d'un frère adoptif de Peter et Richard ?

— Non. Qu'est-ce que cela a à voir avec...

— Je n'en sais rien, Johnny, je n'en sais rien !

— J'arrive.

— Mais tu es à Baltimore !

— Je t'ai donné le nom des enquêteurs. Appelle-les, dis-leur que Richard s'est fait la malle, qu'il est venu chez toi et que tu exiges qu'un policier en uniforme reste en permanence avec toi, à l'intérieur de ta maison. Ensuite, appelle tes amis, tes voisins, tous ceux qui accepteront de se déplacer jusque chez toi à cette heure. Il ne t'arrivera rien dans une maison pleine de monde. Fais-le. Quant à moi, je pars tout de suite.

— Entendu.

Immédiatement après avoir raccroché, je me débarrassai de la poupée. Je ne pouvais supporter son regard plus longtemps. Saisissant la boîte comme si elle avait renfermé des déchets nucléaires, je traversai la cuisine jusqu'à la porte de derrière et aux poubelles posées au bout de l'allée. Je fourrai la poupée dans l'une d'elles, bloquai le couvercle à deux mains.

Je crus discerner des ombres, la silhouette de Peter. Je rentrai en courant, trébuchant dans la boue et la neige à demi fondue. Une fois dans la cuisine, je verrouillai la porte. Peter s'était-il glissé dans la maison en mon absence ? M'attendait-il, assis sur le divan ou caché dans un recoin du vestibule, toujours aussi cadavérique, enveloppé dans son drap sanglant, ses deux bras squelettiques tendus vers moi ? Je bondis vers le téléphone, dont la tonalité me rassura un peu. Je passai près de vingt minutes au bout du fil. Sidérés par ce que je leur racontais, mes amis me demandèrent des détails, des précisions. Trois couples m'assurèrent qu'ils me rejoindraient le plus rapidement possible. J'appelai ensuite la police. On me promit de m'envoyer une voiture sur-le-champ, tout en me disant, à propos de l'évasion de Richard, que c'était impossible.

Lorsque je reposai le combiné, mon angoisse ne s'était pas encore dissipée. Mais j'avais au moins une raison d'espérer. D'ici une demi-heure, un quart d'heure, peut-être, six de mes amis et un policier armé auraient investi ma maison. Je me sentais presque en sécurité.

Ce fut à ce moment-là que j'entendis, dehors, le choc d'un couvercle de métal qu'on renversait, suivi presque aussitôt, dans la cuisine, d'un bruit de verre brisé.

42

Tap, tap.

J'ai envie de hurler. Le cri monte du fond de ma gorge, irrépressible, instinctif, comme ceux qui vous viennent dans les cauchemars. Mais, au lieu de le libérer, je le refoule, l'étouffe tout en me précipitant vers le placard du vestibule pour prendre une batte de base-ball.

Tap, tap.

Quelqu'un, quelque chose, heurte le carrelage de la cuisine.

Immobile au milieu du vestibule, j'écoute.

Tap, tap.

La batte dans la main droite, j'avance, le cœur au bord de l'explosion, vers la porte battante de la cuisine. Peter me guette-t-il de l'autre côté? C'est impossible, tout comme ce que je vois, après avoir doucement poussé la porte.

La poupée, face contre terre, gît près de la porte extérieure, dont une vitre a volé en éclats. Pourtant, il y a pire. C'est cette boue qui macule ses pantoufles de velours.

Cette... chose est sortie de la poubelle en renversant le couvercle, a brisé une vitre de la cuisine avant de s'affaler sur le carrelage. Ensuite, elle a remué ses articulations de porcelaine pour me signaler sa présence.

Je le crois. C'est impossible. Mais de tout mon cœur, de toute mon âme, je crois que c'est vrai. J'ai besoin d'une arme bien plus redoutable qu'une vulgaire batte de base-ball. J'ai oublié de donner mon pistolet à Laflin pour qu'il le rapporte en Floride. En fait, je l'ai caché sous l'oreiller de Marianne.

Mais, avant de monter le chercher, il vaudrait mieux que je réduise en bouillie le crâne de ce pantin pour qu'il ne puisse jamais me suivre.

— Roscoe.

Marianne.

Sa voix douce vient du haut de l'escalier.

— Roscoe.

Serrant toujours la batte de base-ball, je traverse le hall à toute allure ; je monte les marches quatre à quatre, je pousse la porte de la chambre pour découvrir, sur un des fauteuils installés dans un coin de la pièce, la mise en scène la plus vulgaire de la *Pietà* de Michel-Ange

La tête couverte d'un morceau déchiré du drap sanguinolent de Peter, paupières closes et tête baissée, Richard joue la Vierge Marie. Son bras gauche s'alanguit, main ouverte, l'index pointé sur son sein où repose Peter, entièrement nu, la tête pendant comme celle d'un mort, la jambe gauche légèrement surélevée, le pied droit à l'abandon.

Détail qui a son importance : Peter, comme pour profaner un peu plus la scène qu'il déshonore, porte, vissé sur le crâne, son chapeau mou.

Immobile, je contemple cette scène de cauchemar. Richard et Peter, eux non plus, ne bougent pas. Jusqu'à ce que lentement, très lentement, Richard lève la tête et, tournant son visage dans ma direction, ses gros yeux globuleux s'animant d'une lueur morne, murmure d'un ton plaintif, imitant la voix de Marianne :

— Roscoe...

Jamais je n'ai ressenti une telle douleur. Ma poitrine se serre, mon cœur s'arrête. Richard me fixe toujours. Et il répète, de cette voix d'outre-tombe, cette voix de femme qui me bouleverse :

334

– Roscoe...

Calme-toi, mon cœur, calme-toi. Respirer, retrouver mon souffle ; réagir. Marcher vers le lit, glisser la main sous l'oreiller de Marianne, saisir le pistolet. Il est là, dans ma paume, froid, lourd, familier. Mon autre main tient toujours la batte de base-ball. Pourtant je me sens désarmé, aussi nu que le corps de Peter.

Rejetant le bout de drap qui couvrait sa tête, Richard se lève lentement, laissant son frère tomber sur le plancher comme un vulgaire quartier de viande. Il se dresse devant moi, magnifique, nimbé de couleurs irréelles. Ses yeux sont trop gris, ses cheveux et sa barbe trop blonds pour être vrais. Sa peau a la couleur du marbre, de l'albâtre. Ses vêtements, eux aussi, ont un aspect fantasmagorique. Sa chemise luit dans la pièce, son pantalon de velours est d'un noir qui n'existe nulle part ailleurs. Il est là, devant moi, roulant les yeux, les mains ouvertes, grotesque, effrayant.

Pour fuir son regard, je contemple le corps de Peter gisant sur le plancher, les os saillant sous sa peau dont les blessures bleutées se sont desséchées. Il est mort. Deux jours en chambre froide ont accentué sa raideur. Sous son chapeau, ses lobes d'oreilles entamés par les rats se sont retroussés et décolorés, comme des morceaux de viande laissés trop longtemps au réfrigérateur.

De nouveau, je regarde Richard. Pointant vers lui mon pistolet, je lui demande où est Marianne.

Paupières mi-closes, il renifle et répond :

– Je sens ta terreur.

Puis, avec un sourire ridiculement extatique, il ajoute en se frottant le mufle :

– Tu m'excites.

– Tu es cinglé, lui dis-je.

– Je bande, Roscoe, je bande...

– Je vais te tuer.

– Ça vient, Roscoe.

Fais-le, me dis-je. Il est fou. Il a volé le corps de son frère à la morgue, il l'a traîné jusqu'ici. De quoi d'autre sera-t-il capable ? Tue-le.

Je ne le fais pas. Car il me reste le faible espoir qu'il me révélera enfin ce qu'est devenue Marianne.

— Où est-elle, où est ma femme ?

— Dans un monde bien plus agréable que tout ce que tu pourrais lui offrir, pauvre pomme.

J'arme le pistolet.

Je vais le tuer. Il le sait. Pourtant, il me nargue encore.

— Le grand Roscoe Bird, armé jusqu'aux dents, va me broyer le crâne avec sa batte de base-ball, décharger son revolver sur moi. Oh oui, mon cœur, fais-le.

Je presse la détente au moment même où, écartant les doigts de sa main gauche, Richard laisse tomber sur le sol six cartouches intactes.

— Oh, son chargeur est vide... Pauvre chéri.

Je suis perdu. Non seulement à cause de mon pistolet désormais inutile, mais parce que je me sens spirituelle-ment désarmé. Quel péché ai-je commis, de quoi suis-je coupable pour qu'on me punisse ainsi ? Conscient de ma capitulation, Richard tend une main dans ma direction et ordonne :

— Viens ici.

Je ne suis même plus capable de dire : «Non.» Je me contente de secouer la tête, comme un enfant.

— Allons, viens. Je ne te veux pas de mal, me dit-il d'une voix douce. Je veux t'adorer. Ta chair va me rendre la vie. Tu es mon dieu. Quant à moi, je ne suis que ton adorateur, ton bébé, ton suppliant, ton préda-teur fidèle, exclusif, le loup dont tu enflammes l'imagina-tion. Tu erres dans les ténèbres, criant : «Qui est là, que veux-tu ?» Comme tu te sentirais mal aimé si je ne répon-dais pas ! Tu serais obligé d'inventer toutes sortes de créatures, des loups-garous, des monstres façonnés par de misérables émules du docteur Frankenstein, des films d'horreur, des histoires de fantômes racontées au coin du feu. Mais je suis là. Ce soir, tu m'as enfin trouvé. Je te veux. Ce soir, pour la première fois, tu es aimé. Laisse-moi m'agenouiller devant toi, laisse-moi goûter ta chair, m'abreuver à ta source de vie. Oh, Roscoe, sois mon hostie. Viens, donne-moi la communion.

Fasciné, je glisse mon pistolet dans ma ceinture et je m'avance. Une part de moi calcule encore, se dit que, parvenu près de lui, je lui briserai le crâne d'un coup de batte. Mais mon autre moi-même s'est déjà rendu. Face à Richard, je ne suis plus qu'un petit garçon. Il sait tout, je ne sais rien. Il est riche, je suis pauvre. Il a tout, je n'ai rien.

— Qu'est-ce qu'un dieu sans fidèles, un prédateur sans victimes ? Des griffes de qui chercherais-tu à t'échapper, sinon des miennes ? Voilà, plus près. Viens, mon cœur. Je vais te tuer. Tel père, tel fils. Viens plus près.

Je m'arrête. Il ajoute :

— Le petit Peter est allé raconter à papa Curtis ce que j'avais fait à bébé Donald.

De quoi parle-t-il ?

— Peter est un bon élève. Il tue comme je le lui ai appris. Nous sommes deux miroirs qui se font face, deux reflets d'un même être. Pourtant, Peter a une faiblesse : il y a en lui une sensiblerie, un sempiternel remords dont il n'a jamais pu se défaire et dont tu es, je dois dire, responsable. Tu as eu de l'influence sur lui, Roscoe. Et je t'en veux.

— Tu as tué mon père ?

— Ah, le petit futé, dit-il en ricanant, comme un professeur sarcastique s'adressant à un cancre. Oui, je l'ai tué, avec le pistolet que tu caches dans ton froc.

— Pourquoi ?

— N'as-tu pas écouté ce que je t'ai dit ? J'ai enterré le petit Donald, cet enfant braillard que nos parents avaient adopté en Europe. Ce n'était qu'un jeu. Il devait taper sur les planches dont je l'avais recouvert, pour que Peter puisse l'entendre et le déterrer. Mais il faut croire que ce cher Donald était trop jeune pour de tels jeux. Il s'est étouffé. Lorsque nous avons fini par le déterrer, j'ai juré à Peter qu'il n'était pas vraiment mort, qu'il avait simplement quitté son corps, ainsi que je lui avais appris à le faire. Le cher enfant m'a cru. Il avait tellement envie de gober ce que je lui racontais, que l'esprit, l'âme, l'essence de Donald avaient trouvé refuge dans cette merveilleuse poupée que notre père avait ramenée d'Europe. Il voulait tant le croire. Mais le remords le rongeait. Il savait ce que je lui ferais s'il mouchardait. Il est quand même allé trouver ton père. Il l'a supplié de le prendre sous sa protection, de l'adopter. Oh, j'ai tout su. Ensuite, il a commis l'erreur de parler à Curtis de la mort de Donald. Et lorsque ton père s'est retrouvé devant moi sur ce quai, son pistolet à la main, je me suis effondré. Je suis tombé à genoux, pleurant, suppliant, avouant tout, attendant que, sans méfiance, ton père s'approche de moi, qu'il s'avance assez près pour que je puisse lui arracher son arme des mains et lui faire sauter la cervelle.

Pour la première fois depuis que j'ai pénétré dans cette chambre, un sentiment plus fort que la peur m'envahit : la haine. Je hais Richard assez pour l'écarteler à mains nues.

Lui a l'air de s'amuser.

— Je n'ai pas pensé une seconde que tu viendrais avec nous sur notre bateau, que tu en serais le capitaine. Mais il fallait bien que Peter rêve un peu. Je savais que son fantasme, sillonner les océans avec son vieil ami, ne resterait qu'un songe creux. Jamais, mon petit Roscoe, je n'aurais confié à un être tel que toi la garde de mon immortalité.

Il avance d'un pas, réduisant l'espace qui nous sépare.

— Qu'as-tu fait de Marianne ?

— Devine, Roscoe. Elle est si douce, si bonne. Miam, miam.

Il caresse son estomac, me regarde lever la batte de base-ball, éclate de rire.

– Tu as cinq litres de sang frais dans les veines. J'ai besoin de la moitié. Veux-tu que je te dise ce qui va se passer ? Lorsque j'en aurai bu un demi-litre, tu te trouveras en état de choc. Ton pouls s'affolera, une sueur froide perlera sur ton front, tes pupilles se dilateront, tu suffoqueras, ton esprit s'embrumera. Grâce à Dieu, ta pression artérielle ne faiblira pas encore. Tu ne mourras qu'après m'avoir donné deux ou trois litres. Bien. On commence ?

– Tu as tué mon père...

– Tiens donc... Je crois que tu as compris.

– Ma femme...

– Son sang était tout chaud. Autre chose ?

La rage me cloue sur place.

– À ton tour, me dit Richard.

Ses bras s'élèvent comme des ailes. Il grandit, devient immense, gigantesque. Sa tête touche le plafond, sa masse emplit tout le coin de la pièce. Cette métamorphose m'anéantit, me paralyse. Je n'en crois pas mes yeux.

Au moment où il fond sur moi, Peter se relève lentement et se place juste derrière lui avec, sur la tête, ce chapeau qui, alors qu'il devrait le rendre ridicule, ne fait qu'ajouter à la scène une touche sinistre.

À présent, je sais. Les esprits se déplacent, les fantômes hantent les lieux de leurs crimes, les loups-garous hurlent les nuits de pleine lune. Je crois à l'inimaginable, car je le vois de mes yeux.

Le cadavre de Peter s'est redressé sans effort, bras tendus, mû par d'invisibles fils, bondissant d'un seul coup et saisissant Richard au moment où il allait m'atteindre.

Ils crient tous les deux, s'effondrent sur le sol, grognant, gémissant, se tenant par le cou comme deux bêtes enlacées dans un ultime combat.

Il me faut quelques secondes pour réagir. Tenant la batte à deux mains, je me précipite vers eux. De toutes mes forces, j'abats la batte sur le dos de Richard. Sans paraître souffrir, il se tourne vers moi, cherche à m'empoigner. Seuls les bras de Peter autour de sa taille l'empêchent de m'attraper.

Jetant la batte, j'extirpe le pistolet de ma ceinture. Je ramasse les cartouches que Richard a répandues sur le parquet. À la hâte, je bourre le chargeur avant de crier à Peter :

– Dégage-toi !

Ni l'un ni l'autre ne m'entendent. Ils se griffent, grognent, gémissent, roulent sur eux-mêmes. Impossible de les séparer. Richard mord Peter au visage, lui enlève des lambeaux de chair morte.

Je vise.

Le premier coup de feu blesse Richard au sommet du crâne, arrache des morceaux de cuir chevelu et des touffes de cheveux. Il continue pourtant à se battre avec Peter, à rouler avec lui sur le sol.

Je tire une nouvelle fois. La détonation résonne dans la pièce. Le pistolet se soulève avec une telle force que j'ai du mal à réprimer le tremblement de ma main. Mais si je tremble, c'est aussi de plaisir. La balle a traversé la colonne vertébrale de Richard. Il lâche le corps de son frère, se redresse, s'avance vers moi. Joyeusement, j'appuie trois fois sur la détente, visant sa figure. La première balle fait exploser son œil droit. La deuxième creuse dans sa barbe un trou aussi grand que sa bouche ; la troisième, l'atteignant en plein front, fait voler son crâne en éclats, comme un melon.

Il s'écroule, une jambe agitée de soubresauts. Dans ma fureur, je piétine ce qui reste de son crâne, répandant sur le sol les débris de sa cervelle.

Je m'agenouille près de Peter. Ses yeux secs, morts, semblent me fixer. Que voient-ils ? Il est vivant, pourtant, puisque sa main à la paume tatouée me fait signe, m'invite à me pencher. Sa voix s'élève, rauque, haletante. Il murmure, citant mon air favori :

– Pendant toutes ces années, j'ai rêvé de tes doigts, de ta peau, de ta main sur mon cœur.

– Peter...

– Tue-moi encore.

Sans un mot, je pointe le canon de mon arme entre ses yeux jadis lumineux et sombres. Après une courte prière, j'appuie sur la détente.

Des cris, des appels retentissent. Dominant mon dégoût, ma répulsion, je prends dans mes bras le corps de mon ami. Je marche jusqu'à la croisée qu'illuminent à présent des faisceaux de lampes électriques. En bas, sur la pelouse et jusque dans la rue, les amis que j'ai appelés se mêlent aux voisins attirés par les coups de feu. N'ayant pas pu forcer ma porte, ils se sont agglutinés là, le nez levé vers la fenêtre où je viens d'apparaître. Leurs lampes enrobent mon visage, l'éclairent comme en plein jour, glissent sur le corps que je tiens dans mes bras. Ce n'est pas eux que je vois mais des êtres surgis d'un autre âge, d'un temps reculé où régnait la bête qu'ils adoraient, des hommes et des femmes brandissant des torches pour voir une dernière fois le monstre mort qui se repaissait de leur sang et vient de leur tirer sa révérence. Au loin, des sirènes retentissent. Elles se rapprochent, emplissent la nuit d'hiver. Alors, tout doucement, deux bras frais m'enlacent par-derrière.

43

Marianne était en état de choc. Elle garda ses bras autour de moi pendant que nous descendions pour faire entrer nos amis dont le nombre avait augmenté. Ils étaient à présent plus d'une dizaine, ceux que j'avais contactés en ayant prévenu d'autres. Ils se groupèrent autour de nous, nous posèrent mille questions. Que s'était-il passé, qui avait tiré, y avait-il des blessés ? Marianne nicha son visage au creux de mon épaule, tel un enfant timide qui refuse de regarder les grandes personnes et de répondre à qui que ce soit.

Une de nos amies médecin, obstétricienne, réussit à l'entraîner dans une pièce écartée pour un premier examen. On demanda une ambulance.

Le policier que j'avais eu au téléphone – c'était lui qui avait actionné la sirène – était un Noir de haute taille qui paraissait trop jeune pour la mission qu'on lui avait confiée. Je ne l'avais jamais rencontré auparavant, mais il m'affirma que cette affaire n'avait plus de secrets pour lui. Je lui racontai ma version des faits. Je lui dis que Richard Tummelier avait volé le cadavre de son frère à la morgue et l'avait transporté jusqu'ici. Il avait aussi ramené ma femme chez moi, ce que je n'avais su que bien plus tard. Richard m'avait attaqué ; je m'étais défendu en vidant un chargeur sur lui. Une balle perdue avait percé le front le cadavre de Peter. Je m'abstins de toute allusion à des vampires.

En pénétrant dans la chambre, le jeune policier parut profondément choqué par le spectacle. Il se donna pourtant une contenance, accentua le côté professionnel et blasé de son personnage.

Il se pencha sur ce qui restait du crâne de Richard et demanda :

— C'est la balle qui a fait tout ça ?

— Je lui ai donné un coup de pied, répondis-je sans chercher à dissimuler mon coup de colère. Il prétendait avoir tué ma femme, dont je n'avais aucune nouvelle. Je l'ai cru. Après l'avoir tué, je l'ai piétiné.

Le policier hocha la tête, en homme qui comprenait.

Après l'arrivée de l'ambulance, mon amie obstétricienne m'appela depuis le bas des escaliers pour me dire qu'elle partait à l'hôpital avec Marianne.

— Roscoe, elle a besoin de toi. Tu viens ?

J'interrogeai le policier du regard. Il s'excusa, déclara que je devais demeurer sur place jusqu'à la venue du lieutenant et du capitaine. Je m'appuyai à la rampe et annonçai à mon amie que je les rejoindrais à l'hôpital, elle et Marianne, le plus tôt possible. Debout près d'elle, Marianne leva les yeux vers moi. Elle semblait minuscule, perdue. Elle ressemblait, avec ses pieds nus, à une enfant abandonnée.

— Chérie, je ne peux pas m'en aller tout de suite, lui dis-je.

Elle me jeta le regard suppliant d'une orpheline qui vient d'apprendre qu'on ne l'adoptera pas.

— Je viendrai dès que possible, poursuivis-je, me demandant ce que Richard, dont je regrettais de ne pas avoir réduit le crâne en bouillie, avait bien pu lui faire.

J'ajoutai à l'intention de notre amie :

— Assure-toi qu'elle a quelque chose aux pieds.

Une escouade de policiers pénétra dans la maison. Ils chassèrent ceux de mes amis qui étaient encore là, me firent asseoir sur le divan du salon et me demandèrent de leur révéler tout ce que je savais sur les Tummelier, avant de leur détailler les événements qui venaient de se produire. Un des agents en uniforme – il y en avait quatre ou cinq, plus le même nombre d'enquêteurs en civil – braqua sur moi une caméra vidéo. Tous se montrèrent courtois. Jamais je n'avais eu affaire à un auditoire aussi attentif. Observant tous ces visages fascinés, je me demandai dans quelle mesure leur expression se serait modifiée si je leur avais appris que le cadavre de Peter avait attaqué son frère, que ce mort vivant m'avait sauvé la vie, m'avait parlé, que les vampires existaient bel et bien. De telles incongruités les auraient-elles rendus furieux ou m'auraient-ils, au contraire, considéré avec pitié ?

Je commençai en disant :

– Il y a une explication rationnelle à tout ce qui s'est passé.

Je racontai ma première rencontre avec les frères Tummelier sur l'île d'Hambriento, au large de la côte sud-ouest de la Floride.

– Tout jeunes, déjà, obsédés par le surnaturel, ils tentaient des expériences de décorporation. L'une d'elles aboutit à la mort d'un petit garçon adopté par leurs parents. Responsable de ce décès, Richard tenta de persuader son frère que l'âme de l'enfant s'était glissée dans le corps d'une poupée, que cet enfant, par conséquent, n'était pas tout à fait mort. C'est cette poupée que vous avez trouvée sur le carrelage de ma cuisine. Peter est ensuite allé trouver mon père pour tout lui avouer. Mon père, épouvanté, demanda des éclaircissements à Richard, qui le tua. Je veux que ceci soit enregistré. Mon père ne s'est pas suicidé. Il a été assassiné par Richard Tummelier. Même si les parents de Richard ne se doutèrent pas de ce meurtre, ils savaient à quoi s'en tenir sur la responsabilité de leur fils dans la mort de l'enfant. On étouffa l'affaire avant d'envoyer Richard dans un établissement psychiatrique en Suisse. Au cours des années qui suivirent, Peter resta en contact sporadique avec moi. Il est réapparu il y a une semaine et m'a demandé de piloter pour lui un yacht sur lequel il comptait partir pour une croisière prolongée. Pour me persuader d'accepter, il a assassiné des gens à qui j'avais des raisons d'en vouloir. Il comptait faire porter les soupçons sur moi, me pousser à partir avec lui pour éviter d'être arrêté. Les Tummelier ont enlevé ma femme, mais j'ignore où elle été séquestrée, et par qui.

– À un moment donné, Richard la détenait à l'*Evergreen,* déclara le lieutenant Jim Quelque chose. Nous avons trouvé là-bas une de ses chaussures, une corde, un rouleau de ruban adhésif. En ce qui concerne les deux corps trouvés sous la roulotte, il nous paraît évident que Richard a au moins tué une des victimes dans son pavillon de l'*Evergreen.* Mais nous ne savons pas encore de quoi Peter est mort, ni où il a trouvé la force, dans son état, d'assassiner des gens. Depuis combien de temps était-il malade à ce point?

Je mentis sans l'ombre d'une hésitation.

– Depuis bien longtemps. J'ignore où il a trouvé la force de tuer. La volonté, je suppose... Après s'être échappé de l'*Evergreen,* Richard m'a apporté cette poupée, dont Peter croyait qu'elle renfermait l'âme de l'enfant mort. Je l'ai jetée dans une poubelle, derrière la maison. Plus tard, lorsqu'il est revenu, Richard l'a traînée par les pieds jusqu'à la porte de ma cuisine, l'a précipitée contre une vitre jusque sur le carrelage. Il a également amené ici le corps de son frère, plus Marianne, ce que je n'ai su qu'après l'avoir tué. Comment il a fait tout cela sans qu'on le remarque, je n'en ai pas la moindre idée. Les frères Tummelier étaient fous tous les deux. Mais ils ne manquaient pas de ressources. Ainsi que je l'ai dit au policier qui s'est présenté ici le premier, Richard m'a attaqué et j'ai vidé sur lui le chargeur d'un revolver. Une balle perdue est allée se loger dans le cadavre de Peter. Tout cela peut paraître bizarre, je le concède, mais il n'y a rien de surnaturel là-dedans. Tout s'explique de façon rationnelle.

Le lieutenant me demanda pourquoi j'insistais sur l'inexistence d'éléments surnaturels.

— Personne n'y a fait allusion, pas vrai ?

— Non, personne.

J'aperçus Johnny à l'entrée du salon. Je demandai à lui parler en particulier. Il s'avança vers moi et me demanda :

— Comment va ta femme ?

— On vient de l'emmener à l'hôpital. Crois-tu pouvoir t'arranger pour qu'on me laisse partir ? J'aimerais aller la voir.

— Accordé. Les enquêteurs ne cherchent qu'à reconstituer les éléments manquants du puzzle. Ils ne retiennent aucune charge contre toi. Je vais te faire sortir d'ici dans cinq minutes.

— Merci, Johnny.

— Ils n'ont pas très bien compris pourquoi tu insistais sur l'absence de surnaturel dans cette affaire, mais je t'ai entendu : tu leur as répondu de façon claire et nette.

— Tu crois ?

— Sûr. Tu as retrouvé toute ta tête après les salades que t'a débitées Peter.

— Oui.

Pourtant, la vérité était ailleurs. Tout comme les témoins des miracles du Christ en arrivèrent à le renier, ma foi me poussait à nier les pouvoirs de Satan. Mais avais-je réellement vu tout cela ?

— Laisse-moi parler au lieutenant. Ses hommes vont te conduire à l'hôpital.

Tout en m'entraînant, Johnny me demanda si on m'avait parlé de ce qu'on avait découvert dans les papiers cachés par Richard dans son pavillon de l'*Evergreen*.

— Je ne suis pas sûr de vouloir le savoir.

— Tu devrais, crois-moi. À leur mort, M. et Mme Tummelier laissèrent toute leur fortune à Peter. Richard avait été déclaré mentalement irresponsable. Et par testament, dont on a trouvé trace à l'*Evergreen,* Peter te lègue tout ce qu'il possédait.

— Tout ? C'est-à-dire ?

— Des millions de dollars dispersés dans des banques aux quatre coins du monde, dans des villes côtières que l'on peut atteindre par bateau. Il y a aussi des propriétés, un yacht : tout ce que Peter et Richard avaient réuni pour la croisière qu'ils projetaient.

Je réprimai, sagement, un mouvement de refus.

— La seule chose qui me chiffonne, poursuivit Johnny, c'est ta déclaration à propos de l'état de santé de Peter. Tu as dit qu'il était malade depuis longtemps. Or, tu m'as juré qu'il s'était métamorphosé en une seule nuit.

— J'ai dû me tromper.

Je trouvai Marianne, non dans une chambre d'hôpital, mais assise dans la salle d'attente où plusieurs de nos amis, qui l'avaient accompagnée, m'apprirent qu'on l'avait examinée et qu'elle ne souffrait, en apparence, que de contusions et de blessures superficielles : griffures, coupures légères. Ils me dirent également qu'elle paraissait toujours en état de choc, qu'il serait plus prudent qu'elle passe la nuit à l'hôpital. Mais elle refusait d'y être admise. Elle voulait rester seule avec moi.

Je m'agenouillai devant elle pour lui murmurer que je l'aimais.

Ses grands yeux sombres étaient injectés de sang et elle semblait sur le point de s'évanouir. Mais elle me sourit, et ce sourire radieux me rassura pour de bon. Se rapprochant de moi pour m'embrasser, elle chuchota rapidement :

— Je te préviens, fais-moi sortir d'ici.

Ni l'un ni l'autre n'avions envie de retourner chez nous cette nuit-là. Je réservai donc une suite dans un hôtel de la ville. Une fois installé, je fis couler un bain chaud et aidai Marianne à se déshabiller. Je ne l'avais pas vue depuis plusieurs jours, je l'avais cru morte. À présent elle était là, nue, tout contre moi. Le contact de son corps me donna la fièvre, comme si nous n'étions pas deux êtres en état de choc cherchant refuge dans une chambre d'hôtel pour essayer d'oublier les crimes qu'on avait voulu commettre contre nous, mais deux amants. J'eus envie de couler une main entre ses jambes, de caresser ses seins menus et haut perchés, d'embrasser leurs pointes jusqu'à ce qu'elles se durcissent sous ma langue. Mais Marianne, bien sûr, avait besoin de repos, de détente. Je lui donnai son bain, lui lavai les cheveux, l'essuyai avec une grande serviette, en m'efforçant de n'avoir envers elle aucun geste trop précis.

Je la fis asseoir sur le siège des toilettes pour essuyer ses orteils. Je résistai à l'envie de les embrasser. Elle me demanda ce qui était arrivé à mon œil. Je lui répondis que ce cocard était la conséquence de mon arrestation.

– Pauvre Roscoe.

Je pris une douche rapide. Nous n'avions apporté aucun vêtement de nuit. Nous nous vêtîmes des peignoirs de bain de l'hôtel, avant de nous allonger sur le lit immense, au-dessus des couvertures. Nous ne parlâmes plus de ce qui s'était passé. Nous n'avions pas besoin de mots. Nous avions simplement besoin l'un de l'autre. Nous nous endormîmes enlacés.

Juste avant l'aube, la bouche de Marianne me réveilla.

44

Elle avait ouvert mon peignoir, s'était coulée entre mes jambes. Lorsqu'elle s'aperçut que j'étais réveillé, elle remonta vers mon visage en souriant, se pourléchant avec une moue graveleuse.

— Je veux que tu me fasses l'amour.

Sans me laisser le temps de répondre, elle rectifia :

— Non, ce n'est pas tout à fait vrai. Tout à l'heure, en te montrant si attentionné avec moi, en me donnant mon bain, en me lavant les cheveux, tu m'as déjà fait l'amour. À présent, je veux que tu me baises.

Je l'attirai contre l'oreiller, mais elle refusa de me laisser dénouer son peignoir.

— Va chercher des préservatifs.

Cette exigence me laissa pantois. Nous n'utilisions jamais de préservatifs. Nous voulions un enfant.

— Tu trouveras bien une pharmacie ouverte toute la nuit. Habille-toi et pars acheter des préservatifs. Une grosse boîte.

Elle éclata de rire et ajouta :

— Une caisse de capotes.

— Tu vas bien, Marianne ?

— Je brûle.

Elle plongea la main entre ses jambes, passa ensuite ses doigts mouillés sur ma bouche.

— Maintenant, dépêche-toi d'aller acheter ces préservatifs et reviens vite, sinon, je commence sans toi.

Son comportement me paraissait plus que singulier. Mais Dieu savait, après tout ce qu'elle avait enduré, qu'elle avait des raisons de ne pas être elle-même. Je sortis du lit, m'habillai tout en lui demandant une nouvelle fois si elle se sentait bien, si elle était sérieuse à propos de ces préservatifs, si c'était vraiment cela qu'elle voulait.

Elle m'assura qu'elle était tout à fait sérieuse, éclata de nouveau de rire en me parlant d'«urgence sexuelle», me conjura de faire vite. Pourtant, au moment où je quittai la chambre, elle murmura d'une voix triste :

– Si j'étais moi, je me quitterais.

Pensant qu'elle avait voulu dire : «Si j'étais *toi*, je me quitterais», je répondis que je ne l'abandonnerais jamais. Jamais.

Lorsque je revins, vingt minutes plus tard, je la trouvai allongée nue sur le lit. Tout en se caressant, elle me regarda entrer avec, dans les yeux, une avidité animale. La voir se masturber ainsi devant moi, sans honte ni retenue, m'excita et m'inquiéta à la fois. Si elle souffrait encore de traumatismes psychologiques, il fallait qu'elle voie un médecin, qu'on lui donne des tranquillisants, qu'on l'hospitalise.

– Marianne...

– Grouille ! Tu seras le gladiateur, et moi l'esclave soumise.

Elle ricana.

– Tu peux me faire mal, si tu veux.

– Peut-être devrions-nous appeler quelq...

– Pour une partie à trois ? Voilà qui semble intéressant. Qui as-tu en tête ? Un ami ou un inconnu ? Je pourrais aller lever un type dans un bar. Non, tu veux une pute, toi. Eh bien, je serai ta putain. Viens.

– Chérie, tu es bien sûre que...

Elle eut un rire sonore, vulgaire.

– À propos de quoi ?

— Tu es sûre que c'est ce que tu veux ?

— Avec toi ou sans toi, mon canard, dit-elle, agitant de plus en plus vite sa main entre ses jambes.

Elle me fixa intensément tandis que je me déshabillais, ce qui m'intimida de façon inhabituelle. Je m'agenouillai sur le lit. Elle se colla aussitôt contre mon dos et me mit un préservatif, rejetant violemment ma main lorsque je tentai de l'aider.

Je roulai sur elle. Elle me repoussa, me disant qu'elle avait changé d'avis. Puis elle me rit au nez, affirmant que, bien sûr, elle avait envie, mais que je n'avais pas le droit de caresser sa poitrine. Enfin, elle insista pour que je suce ses seins aussi fort que possible.

Elle obtint ce qu'elle voulait : non pas faire l'amour, mais se faire baiser.

Lorsque nous eûmes terminé – plus précisément, lorsqu'elle en eut fini avec moi –, je me levai et me dirigeai vers la salle de bains.

— Je suis amoureuse de toi, me dit Marianne depuis le lit.

— Moi aussi, je t'aime.

Une fois dans la salle de bains, je l'entendis de nouveau.

— Hé, Roscoe ?

— Oui, chérie ? répondis-je sans me retourner.

Sa voix, encore :

— Quand je te dis que je t'aime, tu ferais mieux de me croire, de me croire.

À bord du yacht R & R Vamps.
Quelque part dans les îles Caraïbes.

À l'aide d'un matériel électronique capable de repérer un vaisseau fantôme, je traque, depuis l'aube, le voilier à une distance discrète. J'ai repéré le couple à terre, deux jours plus tôt. Lui est solennel et dégingandé, elle, jolie et malheureuse. Alors qu'ils marchaient sur la plage, l'autre jour, il a essayé de lui prendre la main. Elle l'a repoussé. Ils sont « mûrs ».

À présent, alors que le soleil décline, leur voilier de dix mètres s'approche contre le vent d'une petite île verte, abaisse les voiles et pénètre au moteur dans une petite crique aux eaux profondes.

Je le suis. Le pilote du voilier, ce grand jeune homme maigre, m'aperçoit au moment de jeter l'ancre. Furieux de voir sa tranquillité troublée par un yacht de vingt-cinq mètres, il m'appelle immédiatement par radio.

— Capitaine, me dit-il après que j'ai établi le contact, seriez-vous assez aimable pour aller mouiller ailleurs ? Vous êtes d'un sans-gêne scandaleux. Cette crique est trop petite pour nous deux. Si le vent se lève, nous nous rentrerons dedans. Terminé.

Je lui réponds que j'ai un ennui avec mon matériel hydraulique et que je dois me mettre à l'abri jusqu'à ce que le problème soit réglé.

— Tous les pots de colle dans votre genre racontent la même chose. Du balai !

Oh, jeunesse...

Après avoir jeté l'ancre à mon tour, j'observe le jeune homme à travers une lunette à infrarouges qui m'a coûté trois mille dollars mais m'a déjà rendu de fiers services. Le grand dadais s'affaire sur le pont, enroule les cordages, plie les voiles, tandis que sa boudeuse petite amie se terre dans l'habitacle, les bras croisés sur la poitrine. Elle regarde dans ma direction. De temps à autre, il l'interpelle, lui suggérant peut-être de venir l'aider. Viens, tu verras comme c'est amusant, je t'apprendrai le nom de tous ces filins. Elle ne réagit même pas.

Quelques heures plus tard, je reprends contact avec lui, toujours par radio. Après avoir patiemment écouté ses injures, je m'excuse platement avant d'ajouter :

— Ma femme aimerait beaucoup vous avoir à dîner ce soir. Terminé.

Il refuse tout de go, coupe la communication. Mais il rappelle quelques minutes plus tard pour, sûrement sur les conseils insistants de sa petite camarade, accepter notre invitation du bout des lèvres.

— Pouvons-nous apporter quelque chose ? demande-t-il sans le moindre enthousiasme. Du vin ? Terminé.

— Oh non, lui dis-je, n'amenez que vous-mêmes.

Tout au long du dîner — homards fraîchement pêchés et léger vin de Moselle — Marianne flirte de façon outrageante avec le jeune homme. Elle sourit dès qu'il ouvre la bouche, rit à gorge déployée de ses insipides jeux de mots, hoche gravement la tête lorsqu'il lui explique les tenants et aboutissants des programmes d'ordinateurs qu'il met au point pour un groupe de défense de l'environnement. Elle le touche à la moindre occasion, pose sa main sur son poignet, appuie un sein contre son bras en se penchant vers lui comme si elle craignait de perdre une seule de ses paroles.

Le jeune marin — Andy, je crois bien, mais il y en a eu tellement — ne résiste pas longtemps. Les attentions de ma femme, ses grands yeux sombres rivés dans les siens, son haleine, ses mains, tout cela le subjugue. Lorsque Marianne l'invite sur le pont pour contempler les étoiles en écoutant du Wagner, il jette un œil penaud en direction de son amie, comme s'il lui demandait: «Puis-je?» Elle l'expédie d'un geste dédaigneux de la main. Qu'il aille où il veut. Elle s'en moque éperdument. Je regarde s'en aller ce couple mal assorti: Andy en jeans, tee-shirt barré du sigle «Greenpeace» et espadrilles crasseuses, Marianne ravissante dans sa robe de coton de paysanne mexicaine dévoilant entièrement ses épaules bronzées. Les lunettes d'Andy, qui bringuebalent sur son nez, accentuent le côté sournois de sa face de rat. Rendue plus lumineuse encore par son rouge à lèvres écarlate et le maquillage bleuté de ses paupières, Marianne, elle, n'a jamais été aussi belle.

Une fois qu'ils ont disparu, je concentre mon attention sur la jeune personne: Linda, ou quelque chose du même genre. La bouteille de Moselle étant vide, je désigne le placard à vins.

– Je parie que vous aimeriez goûter à mon *liedfraumilch*. J'en mets spécialement de côté pour des jeunes filles comme vous.

Elle me regarde d'un air dubitatif jusqu'à ce que je lui montre l'étiquette sur la bouteille. Elle hoche alors la tête. Elle porte une jupe bleue chiffonnée et le haut d'un costume de bain qui met en valeur ce qu'elle considère sans doute comme son principal attrait. Ses cheveux abondants sont d'un roux léger. Je dois reconnaître que, dans le genre jeune Californienne éclatante de santé, Linda est plutôt attirante.

Elle n'hésite pas à me confier la terrible déception que lui ont causée ses vacances nautiques. À Chicago, où Andy et elle habitent, elle refusait ses avances; trop échalas pour elle. Pas son type. Elle a pourtant accepté le principe de cette croisière parce qu'il la lui a présentée avec des mots convaincants («ce sera si amusant de voguer dans les Caraïbes») et, surtout, parce qu'il payait tout, excepté son billet d'avion. Mais cette croisière a vite tourné au désastre. Andy réserve tout son argent pour l'entretien du voilier, refuse même d'accoster dans les ports à cause des droits de mouillage et ne l'a pas une seule fois emmenée en boîte ou dîner dans la plus petite gargote.

— Il pilote le voilier et je prépare les repas, dit-elle. Si j'avais voulu transpirer devant des fourneaux, j'aurais aussi bien pu rester à Chicago. Au moins, ma cuisine est plus vaste que son cagibi et elle ne pue pas. Nous n'avons même pas encore goûté aux boissons tropicales. Il me dit qu'un cocktail coûte cinq dollars et que nous avons des dizaines de bouteilles de vin bon marché à bord.

Je la plains de tout mon cœur, lui assurant que rien n'est plus déprimant qu'un homme avare.

Elle me demande si je suis propriétaire du yacht ou si je le loue.

Je ris un peu, attendri par sa naïveté.

— Je ne devrais pas vous le dire, mais je suis riche : immensément riche.

J'insiste sur le dernier mot, doublant le « r » avant de rire encore.

Elle rit à son tour, se penche vers moi, ses seins frôlant ma peau. Elle me fixe de ses yeux bleu pâle et murmure :

— Pourquoi votre femme a-t-elle jeté son dévolu sur Andy ?

— Ah, vous avez remarqué...

— Vous n'êtes pas tous les deux du genre partouzeurs à la recherche de partenaires, au moins ?

— Bien sûr que non.

— Parce que si c'est le cas, votre femme est plutôt mal tombée.

– Est-ce une allusion aux performances de votre compagnon ?

Elle glousse, me pousse du coude, comme pour me dire : «Oh, vous, alors !»

Je lui sers un peu plus de *liebfraumilch*.

Linda me confie alors qu'en matière de sexe, elle est plutôt vieux jeu (on ne fait jamais assez attention, de nos jours), mais enfin, l'idée d'échanger les rôles, Marianne repartant avec Andy et elle passant le reste de ses vacances avec moi sur mon yacht, ne lui déplairait pas outre mesure. Non qu'il s'agisse d'une proposition, bien sûr...

– Bien sûr, dis-je. En fait, ma femme, en ce qui concerne ce que vous évoquez, a un petit côté aventureux que je ne possède pas. Je suis, comme vous, assez rétrograde.

Nous hochons tous les deux la tête, complices en pudibonderie.

Au-dessus de nos têtes éclate le début de la «Marche des Walkyries», suivie d'un martèlement d'espadrilles et de pieds nus sur le pont. Un cri, ensuite, une plainte. Effroi et délice, musique à fond.

– Mais qu'est-ce qu'ils font ? miaule Linda en écarquillant les yeux.

– Allez savoir.

Nous nous levons de table. Je lui demande si elle compte monter sur le pont.

– Jamais de la vie. Je me moque bien de ce qu'ils peuvent faire ; il ne représente rien pour moi. Si j'avais pu changer la date de mon billet d'avion sans payer une surtaxe, je serais rentrée chez moi depuis longtemps. C'est quoi, cette poupée ?

– Elle appartient à un de mes amis.

– Elle est moche, vous ne trouvez pas ?

– Assez, oui.

– Il coûte cher, votre bateau ?

— Un million de dollars.

— Pourquoi l'avez-vous appelé *R & R Vamps* ?

— C'est une longue histoire, une légende. Dites-moi, Linda, croyez-vous aux vampires ?

Sa grimace plisse son joli petit visage.

— Vous voulez dire Dracula et ce genre de trucs ?

— Oui.

— C'est une histoire à la noix, non ?

— Vous ne croyez pas que les vampires existent réellement, qu'ils vivent parmi nous ?

— Mon Dieu, non. Et vous ?

— Voilà mon point de vue : si un individu croit réellement être un vampire, est sûr qu'il a besoin de sang humain pour survivre, qu'il mourra si on ne lui en donne pas, et si, à la longue, ce régime lui convient, alors, pour toutes ces raisons pratiques, il *est* un vampire. D'un autre côté, aux yeux de ses victimes ou pour son conjoint qui lui sert d'ange gardien, peu importe que cette personne soit ou non un véritable vampire ou pense simplement en être un.

Linda sourit d'un air entendu. Elle se dit que je la taquine.

— Êtes-vous une vraie rousse ?

Elle minaude un peu, à la fois flattée et faussement choquée, coule vers moi une œillade tendre.

— C'est à moi de le savoir, et à vous de le découvrir.

Ses prunelles se font insistantes. Je ne réponds pas. Voyant que je n'ai pas mordu à l'hameçon, elle l'agite un peu plus.

— Je crois bien qu'il n'y a qu'un moyen de s'en assurer.

— J'en serais ravi, mais Marianne m'a prévenu : ne jamais cocufier un vampire.

— Oui, euh... ?

— Elle m'a dit un jour : « Si j'étais moi, je me quitterais. » Je pensais qu'elle se trompait, qu'elle voulait dire : « Si j'étais toi, je me quitterais. »

– Je ne saisis toujours p...

À ce moment-là, Marianne réapparaît, les yeux hagards, le rouge à lèvres étalé sur le pourtour de sa bouche, comme une nymphomane en manque, la robe maculée de sang.

– Mon Dieu, s'écrie Linda, que vous est-il arrivé ?

Toujours affamée, Marianne tend la main.

Effarée, la jeune femme me regarde. Je me suis déjà détourné. Je m'enfonce dans un passage étroit qui mène à une cabine protégée par une porte insonorisée. C'est là, derrière cette lourde masse, à l'abri du bruit que fait ma femme en assouvissant son appétit, qu'étalant devant moi des cartes du monde, je trace notre nouvelle route.

REMERCIEMENTS

Je tiens à remercier dans toute la mesure du possible (sans aller, toutefois, jusqu'à leur verser des droits d'auteur) : l'Honorable Damien Russel ; Barbara Parker. Headline House ; et, tout spécialement, David Rosenthal.